法人税セミナー
Corporate Taxation Seminar

理論と実務の論点
―― 六訂版 ――

成松 洋一 著

税務経理協会

六訂版序

　本書の初版を刊行したのは、平成8年4月です。その後、5回の改訂を経て、このたび令和になって6回目の改訂を行うこととしました。長い間のご愛読ありがとうございます。

　前回改訂したのは平成28年6月ですから、その後4回の税制改正を経験しています。そのなかで、注目すべき大きな改正は、①平成29年の外国子会社合算税制の抜本的見直しや②平成30年3月の収益認識会計基準の公表に対応する、同年の収益の額の計上時期等の明確化、③令和2年の連結納税制度からグループ通算制度への移行でしょう。

　今回の改訂にあっては、これら税制改正の内容を折り込むとともに、新たな事例や論点、議論を追加することとしました。

　本書は、現行法人税のあらましをみながら、その理論と実務の論点や議論を取り上げ、若干の検討を加えることを主眼としたものです。その後の税制改正等により、その論点や議論には陳腐化し、あるいは現行法人税制にそぐわないものがあるかもしれません。しかし、そのような論点や議論もそのまま残しています。本書の目的は、一方で個々の制度の創設の趣旨や背景、改正の経緯などをみることにあるからです。

　今回の改訂にあたり、大変お世話になりました税務経理協会編集部の方々に対し、厚く御礼申し上げます。

　令和2年12月

成　松　洋　一

は　し　が　き

　法人税は法人の所得に対して課される税です。わが国で法人課税が初めて行われたのは明治32年ですが，その時にはまだ独立した法人税はなく，所得税法により第一種所得税というのが課されていました。その後，昭和15年に法人税が創設され，昭和25年のシャウプ勧告による改正，昭和40年の全文改正などを経て現在に至っています。

　今日まで明治32年からすると90数年，昭和15年からでも50年強の月日が経ちました。しかし，法人税については経済・社会の進展につれ次から次に新たな課題が生じ，常にいろいろな懸案事項を抱えています。

　私事で恐縮ですが，わたしは昭和50年から16年あまり国税庁の審理課と法人税課において，主として法人税関係法令の立案や解釈・適用とその通達制定の仕事に携わりました。かねてから，その際にいろいろと議論した法人税の論点を整理しておくのも意義あることと考えていたところです。

　そのような折り，職場の先輩である田中嘉男先生（元東京国税不服審判所部長審判官・現税理士）から，忠　佐市，田中勝次郎の両博士の著作を中心として，古今の法人税に関する貴重な文献の提供を受けました。これら文献からは，法人税創設当時の事情や制度の基本的考え方，改正の経緯などを知ることができました。

　そこで，国税庁での経験をもとにこれら文献などを参考にしてとりまとめたのが本書です。本書を『法人税セミナー』と題したのは，恩師の中村　忠先生（一橋大学名誉教授・創価大学教授）の御著書『財務諸表論セミナー』から拝借したものです。中村先生のその御著書は，財務諸表論についての主要な論点を手際よく整理され，それにそれぞれ的確な意見を述べられた名著ですから，それにあやかろうというわけです。

　もちろん本書は中村先生の御著書に及ぶべくもありませんが，いちおう法人税に関する論点の整理と若干の私見を付すこととしています。その論点につい

ては，たとえば法人擬制説か法人実在説かといった基本的な問題から通達の細部にいたる事柄まで，できるだけ幅広く取り上げることに努めました。法人税を本当に勉強するためには，事柄を単に一面的でなく，幅広く反対論の立場からもみた方が理解が立体的で深まると考えたからです。

　もとより，論点の取り上げ方が適切であるかどうかという問題とともに，本書に述べた意見は未熟な私見に過ぎないものであり，所期の意図が果たせたかどうかは，読者の皆様方の御批評を待つしかありません。皆様方の忌たんのない御意見をいただければ幸いです。

　最後に，日頃から何かと御指導をいただいている田中嘉男，中村　忠の両先生に対して感謝申し上げますとともに，本書の出版に当たり大変お世話になりました税務経理協会編集局長宮下克彦氏に対し，厚くお礼を申し上げます。

　　平成8年2月

　　　　　　　　　　　　　　　　　　　　　　　　　成　松　洋　一

―凡　例―

法法…………法人税法
法令…………法人税法施行令
法規…………法人税法施行規則
措法…………租税特別措置法
措令…………租税特別措置法施行令
所法…………所得税法
通法…………国税通則法
通令…………国税通則法施行令
耐令…………減価償却資産の耐用年数等に関する省令
基通…………法人税基本通達（昭和44．5．1直審(法)25）
旧基通………法人税基本通達（昭和25．9.25直法1－100）
所基通………所得税基本通達（昭和45．7．1直審（所）30）
措通…………租税特別措置法関係通達（法人税編）（昭和50．2.14直法2－2）
会計原則……企業会計原則
注解…………企業会計原則注解
税法調整意見書………税法と企業会計原則との調整に関する意見書
連続意見書……………企業会計原則と関係諸法令との調整に関する連続意見書
計規…………会社計算規則
商規…………商法施行規則
外貨会計基準…………外貨建取引等会計処理基準
財規…………財務諸表等規則
税資…………税務訴訟資料（国税庁）
行集…………行政事件裁判例集
民集…………最高裁判所民事判例集
刑集…………最高裁判所刑事判例集

（注）　たとえば「法令5①三十」は，法人税法施行令第5条第1項第30号を表す。

目　　次

六訂版序

はしがき

第1章　総　　論 ……………………………………………… 1

1－1　課　税　根　拠 …………………………………………… 1

問題提起〔1〕　　法人の本質〔2〕　　米国LLC，LPSの法人性〔2〕
課税の理論的根拠〔3〕　　法人税の性格〔5〕
現行法人税の基本的性格〔6〕　　現行法人税制の変容〔7〕
憲法上の結論〔8〕

1－2　納税義務者 ………………………………………………… 9

概　要〔9〕　　内国法人と外国法人の区分基準〔9〕
本店所在地主義の論点〔10〕　　国・公共法人の納税義務〔11〕
外国の納税義務〔12〕　　公益法人等の納税義務〔13〕
収益事業の範囲〔14〕　　金融収益課税の是非〔15〕
人格のない社団等の納税義務〔16〕
人格のない社団と組合との区分〔17〕
協同組合等・普通法人の納税義務〔18〕

1－3　同族会社 ………………………………………………… 19

概　要〔19〕　　使用人兼務役員の範囲の制限〔20〕
留保金課税〔21〕　　行為または計算の否認〔23〕

1－4　事業年度 ………………………………………………… 26

概　要〔26〕　　全体所得と期間所得〔26〕

期間所得と全体所得の調和〔27〕　　前期損益修正〔28〕
　　　事業年度のあり方〔30〕

1-5　納　税　地 ———————————————————————— 32
　　　意　義〔32〕　　　概　要〔32〕　　　納税地の指定〔33〕

1-6　課税所得の概念 ———————————————————————— 34
　　　所得源泉税と純資産増加説〔34〕　　現行法の所得概念〔35〕

1-7　課税所得の計算原理 —————————————————————— 37
　　　総　説〔37〕　　　損益法による計算〔37〕
　　　商事貸借対照表基準性の原則〔39〕　　実質所得者課税の原則〔41〕
　　　信託財産の収入・支出の帰属〔43〕

1-8　公正妥当な会計処理の基準 ——————————————————— 44
　　　導入の経緯〔44〕　　基準の性格〔45〕　　基準の内容〔46〕

1-9　確定決算基準 ————————————————————————— 48
　　　確定決算基準の意義〔48〕　　確定決算の意義〔49〕
　　　確定決算の不存在と申告の効力〔50〕　　確定決算の修正の可否〔52〕
　　　確定決算基準の是非〔55〕

1-10　税 務 調 整 —————————————————————————— 58
　　　総　説〔58〕　　決算調整事項〔59〕　　決算調整事項の分類〔60〕
　　　申告調整事項〔61〕　　申告調整事項の分類〔62〕
　　　当初申告要件と適用額の制限〔65〕

第2章　益金の税務 ———————————————————————— 67

2-1　益 金 の 額 —————————————————————————— 67
　　　総　説〔67〕　　益金の概念〔68〕　　資産の販売〔69〕
　　　資産の譲渡〔70〕　　役務の提供〔71〕　　資産の譲受け〔72〕
　　　その他の取引〔72〕　　収益の額の企業会計との相違点〔73〕

2-2 無償取引 ──────────────── 74
総　説〔74〕　　規定の性格〔75〕　　規定の根拠と目的〔76〕
無償取引の範囲〔77〕

2-3 益金の認識基準 ──────────────── 79
年度帰属の重要性〔79〕　　会計上の収益認識基準〔80〕
税務上の収益認識基準〔81〕　　権利確定主義〔82〕
確定収入の認識基準〔84〕　　商品券の収益計上時期〔85〕
営業補償金等収入〔87〕　　返金不要な収入〔87〕
権利金収入〔88〕　　社債のプレミアム収入〔89〕
繰延収益の概念〔89〕

2-4 延払基準と工事進行基準 ──────────────── 91
延払基準の概要〔91〕　　延払基準の趣旨と廃止理由〔92〕
工事進行基準の概要〔93〕

2-5 受取配当金 ──────────────── 96
概　要〔96〕　　二重負担の調整方法〔97〕
現行法の調整方法〔98〕　　みなし配当の態様〔100〕
利益積立金額の資本組入れ〔101〕　　現物分配による配当等〔103〕

2-6 評価益 ──────────────── 103
概　要〔103〕　　資産評価に対する法人税の態度〔104〕
取得原価主義の問題点〔105〕
金融商品に対する時価会計の導入〔105〕
今後における時価会計の動向〔107〕

2-7 受贈益 ──────────────── 108
概　要〔108〕　　低廉譲受け〔109〕
完全支配関係法人から受けた受贈益〔109〕
企業会計との相違点〔111〕

2-8 借地権課税 ──────────────── 112
概　要〔112〕　　権利金の認定課税〔114〕

相当の地代による貸付け〔115〕　　権利金の認定見合せ〔117〕
　　　借地権価額の評価〔118〕　　定期借地権をめぐる問題〔119〕
2-9　移転価格税制 -- 121
　　　導入の趣旨と経緯〔121〕　　内　容〔122〕
　　　移転価格課税の性格〔122〕　　独立企業間価格の算定方法〔123〕
　　　取引準拠法〔124〕　　利益準拠法〔124〕　　確認方式の導入〔125〕
　　　独立企業間価格算定の文書化義務〔126〕
　　　更正・決定の特例〔127〕　　相互協議〔128〕　　対応的調整〔128〕
2-10　外国子会社合算税制 -- 129
　　　導入の趣旨と経緯〔129〕　　制度の概要〔130〕
　　　タックス・ヘイブンの対応策〔132〕
　　　タックス・ヘイブンの範囲の変遷〔133〕　　二重課税の調整〔135〕
　　　適用対象外国関係会社の判定要件〔135〕
　　　コーポレート・インバージョン対策合算税制〔138〕
　　　今後の課題〔138〕

第3章　損金の税務 --- 141

3-1　損　金　の　額 -- 141
　　　総　説〔141〕　　損金の概念〔142〕　　原　価〔142〕
　　　費　用〔144〕　　損　失〔145〕

3-2　違法支出金 --- 147
　　　総　説〔147〕　　違法支出金の損金性〔149〕
　　　脱税経費等の損金性〔152〕

3-3　損金の認識基準 --- 153
　　　総　説〔153〕　　発生主義〔154〕
　　　発生主義に対する批判論〔155〕　　現金主義〔156〕

3-4　債務確定基準 ———————————————————————— 156
　　意義と内容〔156〕　　趣　旨〔157〕　　債務確定の判定〔158〕
3-5　棚 卸 資 産 ———————————————————————————— 159
　　総　説〔159〕　　棚卸資産の範囲〔160〕　　棚卸資産の概念〔161〕
　　棚卸資産の取得価額〔162〕　　原価差額の調整〔163〕
　　棚卸資産の評価方法〔164〕　　最終仕入原価法の問題点〔165〕
　　低価法の洗替え法と切放し法〔166〕　　評価方法の選定〔167〕
　　評価方法の変更〔167〕
3-6　有 価 証 券 ———————————————————————————— 168
　　譲渡損益の計算〔168〕　　譲渡損益の繰延べ〔169〕
　　有価証券の範囲〔170〕　　自己株式〔170〕
　　有価証券の取得価額〔173〕　　有価証券の帳簿価額の算出方法〔174〕
　　子会社株式の帳簿価額の減額〔175〕
　　有価証券の期末評価方法〔176〕　　売買目的有価証券と時価法〔176〕
　　償還有価証券と償却原価法〔177〕　　その他有価証券と原価法〔177〕
3-7　減 価 償 却 ———————————————————————————— 178
　　総　説〔178〕　　法人税の減価償却の性格〔179〕
　　固定資産の範囲〔180〕　　減価償却資産の範囲〔181〕
　　非償却資産〔181〕　　取得価額〔183〕
　　非償却資産の取得価額〔185〕　　残存価額〔185〕
　　償却可能限度額〔187〕　　法定耐用年数〔187〕
　　耐用年数の算定方法〔188〕
　　一般的耐用年数と個別的耐用年数〔189〕　　耐用年数の短縮〔190〕
　　耐用年数に関する実業界の要望〔191〕　　償却方法〔192〕
　　営業権の償却問題〔194〕　　営業権の評価〔196〕
　　資本的支出と修繕費の意義〔196〕
　　資本的支出と修繕費の区分基準〔197〕

3-8 繰延資産 ———————————————————— 198
意　義〔198〕　　繰延資産の範囲〔199〕
税法固有の繰延資産〔200〕　　税法固有の繰延資産の問題点〔201〕
ソフトウエアの開発費用〔202〕　　償却費の計算〔202〕
繰延資産の廃止論〔204〕

3-9 評　価　損 ———————————————————— 205
総　説〔205〕　　評価損が計上できる物損等の事実〔205〕
金銭債権に対する評価損〔206〕
評価損が計上できる法的整理の事実〔207〕　　低価法との関係〔208〕
損金経理の問題点〔209〕　　クロス取引の問題点〔210〕
減損会計との関係〔212〕

3-10 役員給与等 ———————————————————— 213
概　要〔213〕　　役員給与に対する基本的な考え方〔214〕
役員の範囲〔215〕　　定期同額給与〔218〕
事前確定届出給与〔219〕　　業績連動給与〔220〕
過大役員給与の損金不算入の論理〔221〕
過大退職金の判定基準〔222〕　　退職金経理の問題点〔223〕
新株予約権等を対価とする給与〔224〕

3-11 寄　附　金 ———————————————————— 225
概　要〔225〕　　寄附金の損金不算入の趣旨〔226〕
寄附金の本質〔227〕　　完全支配関係法人に対する寄附金〔230〕
低廉譲渡寄附金の要件〔231〕
子会社等の再建支援等と寄附金〔232〕

3-12 交　際　費　等 ———————————————————— 233
概　要〔233〕　　交際費課税の趣旨〔234〕
交際費課税の廃止論〔236〕　　広告宣伝費課税論〔237〕
定額基準の問題点〔237〕　　必要不可欠な交際費の取扱い〔238〕
交際費等からの祝い金控除の可否〔240〕

無料入場券による招待の交際費性〔240〕
　　　損失補てんの交際費問題〔242〕

3－13　使途不明金 ─────────────────── 242
　　　概　要〔242〕　　使途不明金損金不算入の法理〔243〕
　　　使途不明金の範囲〔245〕　　使途秘匿金課税制度の趣旨〔246〕
　　　使途秘匿金課税制度に対する評価〔247〕　　相当の理由〔249〕

3－14　租税公課等 ─────────────────── 250
　　　損金不算入の租税公課〔250〕　　損金算入の租税公課〔252〕
　　　還付金の取扱い〔252〕　　法人税等の損金不算入の論理〔253〕
　　　罰科金等の損金不算入〔254〕　　事業税の損金算入時期〔255〕
　　　税効果会計と法人税の関係〔257〕

3－15　支払利子 ──────────────────── 257
　　　支払利子の損金算入時期〔257〕　　支払利子の原価性〔259〕
　　　旧土地の負債利子課税制度〔260〕　　過少資本税制〔260〕
　　　過大支払利子税制〔261〕　　支払利子の費用性〔262〕

3－16　貸倒損失 ──────────────────── 263
　　　貸倒損失の損金算入〔263〕　　貸倒れの判断基準〔263〕
　　　部分的貸倒損失の可否〔266〕　　カントリー・リスク問題〔267〕
　　　外国の公的債権に対する貸倒引当金〔268〕

3－17　圧縮記帳 ──────────────────── 269
　　　趣旨と意義〔269〕　　課税上の効果〔270〕　　形態別の分類〔271〕
　　　贈与型の特質〔271〕　　交換型の特質〔272〕
　　　売買型の特質〔273〕　　企業会計との調整〔274〕

3－18　引当金・準備金 ──────────────── 276
　　　趣旨と意義〔276〕　　引当金の種類〔277〕　　準備金の種類〔277〕
　　　引当金と準備金の差異および性格〔278〕　　企業会計との調整〔279〕
　　　賞与引当金の変遷〔280〕　　退職給与引当金の論点〔281〕
　　　退職給付会計との関係〔282〕

3−19　外貨建取引の換算等 … 283

総　説〔283〕　　外貨建取引の換算〔284〕

外貨建資産等の期末換算〔285〕

発生時換算法と期末時換算法〔286〕

期末換算差損益の益金または損金算入〔287〕

為替相場が著しく変動した場合の期末時換算〔287〕

為替予約差額の配分〔288〕　　オプション取引の取扱い〔289〕

スワップ取引の意義〔290〕　　金利スワップの取扱い〔290〕

通貨スワップの取扱い〔291〕

3−20　完全支配関係法人間の取引損益 … 291

趣　旨〔291〕　　譲渡損益調整額の繰延べ〔292〕

譲渡損益調整額の戻入れ〔293〕

譲受法人が譲渡した場合の戻入れ〔293〕

譲受法人が償却した場合の戻入れ〔294〕

譲渡損益調整資産の譲渡等の通知〔295〕

3−21　組織再編税制 … 296

趣　旨〔296〕　　概　要〔296〕

適格組織再編成の意義〔298〕　　無対価の合併，分割の適格性〔299〕

三角合併の適格合併該当性〔300〕

外国関係会社の組織再編成の考え方〔301〕

組織再編成と租税回避行為〔302〕　　企業会計との整合性等〔303〕

3−22　リース取引 … 304

リース取引の意義〔304〕

ファイナンス・リースの税務上の取扱い〔305〕

所有権移転リース取引と所有権移転外リース取引の相違点〔306〕

レバレッジド・リースの税務上の取扱い〔306〕

リース資産に対する償却方法〔307〕　　税務上の取扱いの趣旨〔308〕

少額資産リースの問題点〔309〕　　企業会計上の取扱い〔311〕

第4章　資本の税務 ------ 313

4-1　資本等取引 ------ 313
意義と趣旨〔313〕　　資本概念の変遷〔314〕
利益・剰余金の分配が資本等取引に含まれる趣旨〔316〕
利益・剰余金の分配の意義〔317〕　　残余財産の分配，引渡し〔318〕
支払配当の損金算入論〔319〕
特定目的会社等の支払配当の損金算入〔320〕

4-2　資本金等の額 ------ 320
資本金等の額の意義〔320〕　　資本金の額等の意義〔321〕
資本性の剰余金額の意義〔321〕　　株式払込剰余金〔322〕
自己株式処分差益〔323〕　　協同組合等への加入金〔324〕
合併差益金〔324〕　　合併の本質論〔325〕　　分割剰余金〔326〕
現物出資剰余金〔327〕　　株式交換(移転)剰余金〔327〕
減資差益金〔327〕　　資本金等の額の減少項目〔328〕

4-3　利益積立金額 ------ 329
意　義〔329〕　　趣　旨〔331〕　　剰余金の処分〔332〕

4-4　欠　損　金 ------ 333
意　義〔333〕　　欠損金の繰越控除の概要〔334〕
欠損金の繰越控除の経緯と趣旨〔335〕
合併による欠損金の引継ぎ〔338〕
控除期限切れ欠損金の控除〔339〕　　欠損金の繰戻し還付〔340〕

4-5　清算の税務 ------ 341
総　説〔341〕　　清算所得課税の変遷〔341〕
清算所得の概念〔342〕
清算所得課税の廃止と各種制度の適用関係〔343〕

第 5 章　申告の税務 ——————————————— 347

5−1　法人税率 ——————————————— 347
概　要〔347〕　中小企業者の範囲〔349〕　法人税率の性格〔350〕
法人税率の変遷〔352〕

5−2　税額控除 ——————————————— 353
概　要〔353〕　所得税額控除〔353〕
外国税額控除の趣旨〔354〕　外国税額控除の構成〔355〕
外国税額控除の論点〔356〕
仮装経理に基づく過大申告の税額控除〔357〕　特別税額控除〔358〕

5−3　申告・納付 ——————————————— 360
税額の確定手続〔360〕　法人税申告の種類〔361〕
期限後申告〔362〕　申告期限の延長〔363〕
青色申告〔364〕　申告内容の変更〔366〕　修正申告〔366〕
更正の請求〔367〕　法人税独自の更正の請求〔368〕
期限内の申告内容の変更〔368〕　連結納税制度〔369〕
グループ通算制度〔370〕

5−4　更正・決定 ——————————————— 372
総　説〔372〕　更　正〔373〕　決　定〔373〕
再更正〔374〕　更正等の法的性格〔374〕
仮装経理の更正の特例〔375〕
青色申告法人の更正・決定の特例〔376〕
更正・決定の期間制限〔378〕

5−5　附　帯　税 ——————————————— 379
総　説〔379〕　延滞税〔380〕　利子税〔380〕
過少申告加算税〔381〕　正当な理由〔382〕　更正の予知〔383〕

無申告加算税〔384〕　　重加算税〔385〕
隠蔽・仮装と偽りその他不正の行為〔386〕

索　引 ---388

第1章　総　　論

1−1　課税根拠

〔問題提起〕
(1) そもそも法人に納税義務はあるのだろうか。
　　冒頭から突拍子もないようだが，まずこの問題から考えてみよう。
　　株式会社（有限会社），合資会社，合名会社，合同会社，協同組合，一般・公益財団法人，一般・公益社団法人，学校法人，宗教法人などを総称して**法人**という。これら法人は，法人税法上，法人税の納税義務を負っている（法法4）。
　　わが国で初めて法人課税が行われたのは明治32年で，所得税法により第一種所得税が課された。その後，昭和15年に所得税から独立して「法人税」が創設され，昭和25年のシャウプ勧告による改正，昭和40年の法人税法の全文改正により，現行法人税の基礎が築かれた。さらに，平成10年の法人税制改革，平成13年の組織再編税制，平成14年の連結納税制度，平成22年のグループ法人税制，令和2年のグループ通算制度の創設など，その時々のエポックとなる改正を経て今日に至っている。
(2) ところが，最高法規であるわが憲法第30条は，「国民は，法律の定めるところにより，納税の義務を負ふ。」と規定している。そうすると，法人は自然人たる国民ではないから，果たして法人に納税義務があるのであろうか，という疑問がわいてくる。事実，古くには法人には納税義務はない，という学説もあったと聞く。また，法人税の廃止論が唱えられたこともある[注1]。

(注1)　木下和夫稿「法人税廃止論の論拠」（『租税財政論集第1集』日本租税研究協会，昭和40所収）114頁.

しかし，現在ではむしろ法人にもっと課税すべしという議論はあっても，法人の納税義務を疑う者はない。わが国をはじめ多くの国々で，法人には法人税が課されている。それはなぜか。法人に納税義務があり，法人税が課されるのは，どのような考え方ないし根拠に基づくのだろうか。

〔法人の本質〕
(3) それにはまず，そもそも法人とは何か，という法人の本質ないし意義を知る必要がある。

法人とは，人間以外のもので，法律上権利義務の主体たり得るものをいう(注2)。つまり，法律によって人格を与えられたものが法人である（民法33，会社法3参照）。このような法人の本質についての考え方には，伝統的に大別して法人擬制説と法人実在説との二つがある。

まず，**法人擬制説**とは，法人はその本質は実体のない観念的存在であって，人間たる自然人に擬制して認められた人格者に過ぎない，という考え方をいう。自然人だけが本来の法的主体で，法人は自然人である株主の集合体であるというのである。それゆえ，この考え方は**株主集合体説**ともいわれる。

これに対して，**法人実在説**とは，法人は法律によって擬制されたものではなく，それ自体として社会的実在である，という考え方である。自然人のほかに法的主体である実体を備えた団体があり，まさに法人は株主とは別個独立の存在であるという。別名，**法人独立主体説**とも呼ばれる。

〔米国ＬＬＣ，ＬＰＳの法人性〕
(4) 最近，そもそも法人に該当するかどうかに関して，米国のＬＬＣやＬＰＳが問題になっている。

米国ＬＬＣ（Limited Liability Company）は，米国各州の法令によって設立され，独立した法的主体とされている。そして，司法上，行政上の当事者や

（注2） 森泉　章著『新・法人法入門』（有斐閣，2004）19頁.

不動産の所有者等になることができる。ただし，米国の課税上は，パス・スルー課税（構成員課税）を選択することが認められている。

このような，法的主体性を有し，権利義務の当事者になれるという点からみて，わが国の課税上は法人，すなわち外国法人に該当すると解されている(注3)。

(5) また，**米国ＬＰＳ**（Limited Partnership）は，米国各州の法令に準拠して設立されるパートナーシップであり，財産を所有することや取引，訴訟の当事者となることができる。ただし，契約によって，ＬＰＳの財産は資本拠出割合によって，各パートナーが保有するものとみなされる。パートナーシップである点からみて，ＬＬＣよりは法人性は薄いように思われる。

この米国ＬＰＳが法人に該当するか否かの判断に関して，わが国最高裁は外国法に基づいて設立された組織体につき，設立根拠法令の規定の文言や法制の仕組みから，わが国の法制上の法人に相当する法的地位が与えられていれば，そのことをもって法人（外国法人）に該当するという。

また，そのような，いわば形式的な判定ができない場合には，法律行為の当事者となることができ，かつ，その法的効果がその組織体に帰属すると認められるかどうか，といういわば実質論によって判定する。その実質論によれば，米国ＬＰＳは，法人（外国法人）に該当する，と判示された(注4)。

ある組織体が法人か組合ないし人格のない社団かといった，判断基準として参考になる。

〔課税の理論的根拠〕

(6) このように，法人の本質には異なる考え方があるが，結局，法人は社会的活動を営む団体を取引の必要上から，法的主体として取り扱う法律的技術から生まれたものである。法人がもともとこのような存在のものであるとすれ

（注3） 国税不服審判所裁決平成13.2.26裁決事例集№61・102頁，東京高判平成19.10.10訟務月報54巻10号2516頁。
（注4） 最高判平成27.7.17民集69巻5号1253頁。

ば，納税義務を負ってもなんら不思議ではない。法的に権利とともに義務を有するのであり，納税義務の主体としての資格がある。

そこで，納税義務の主体となり得る法人に法人税を課す根拠であるが，それには①利益説，②社会費用配分説，③支払能力説，④社会統制説などの諸説がある(注5)。

まず**利益説**は，法人は国家からその存在自体とともに特別の権利や利益を与えられているから，その利益の対価として租税を課すのは正当である，という考え方をいう。

つぎに**社会費用配分説**は，国家という共同体を維持するための社会的費用は，国家から利益を受けている法人も負担すべきである，というものである。利益説に近い考え方であり，利益説に対する，今日では会社の設立は容易で何人にも開放されており，会社に格別の特権はない，といった批判に応えて登場した。

さらに**支払能力説**は，租税は等しくその支払能力に応じて負担すべきものであるが，法人もその能力を有するという考え方である。租税に内在する基本理念から法人税の課税を根拠づける。

最後に**社会統制説**は，法人の恣意的な権力の濫用防止や公正な競争確保などの社会統制のため法人税を課すべきである，というものである。租税は中立的で，歳入調達のためにのみ使用しなければならないという理論に対して，租税も社会・経済的な役割を担うべきである，という考え方である。

これら諸説のうち，最も一般的なのは利益説と社会費用配分説である。支払能力説と社会統制説は，法人税固有の課税根拠論ではなく，租税一般に共通するものであろう。

(7) このように法人税の課税根拠論はいろいろあるが，どの程度の大きさで法人税を課すかどうかは，まさに時の政府の租税政策や社会状況いかんにかかっている。

(注5) R・グード著，塩崎　潤訳『法人税』(今日社，昭和56) 28頁．

現在では，経済活動の中心は法人にあって，社会から受ける利益も強大になり，その取引規模や活動範囲などは個人とは比較にならないほど大きい。その経済的重要性はますます増し，それに伴い法人の稼得する利益も膨大なものとなっている。このような利益に担税力を見いだすのは自然の成り行きであり，法人みずからが課税の機会を提供したともいえよう(注6)。

〔法人税の性格〕

(8) このようにして課される法人税の性格やあり方は，上述した法人の本質についての考え方の違いに呼応して，異なってくる。従来は，このような法人の本質に関連づけた法人税の性格論の説明が一般的であった。

　法人擬制説の考え方に立てば，自然人だけが本来の法的主体である，というのであるから，法人の利益に独自の担税力を見いだすべきではなく，あくまでも法人税は最終的には個人たる株主（自然人）に分配される利益に対して経過的に課されるに過ぎない，ということになる。すなわち，法人税は，法人から利益が分配されてその利益を受け取った個人に課される所得税の前払である，というのである。この結果，同じ利益に対して法人税と所得税との二重の負担が課されることのないような調整が必要になる。

　これに対して，**法人実在説**の考え方に立てば，自然人のほかに法人も法的主体になるというのであるから，その法人に課される法人税は，法人の利益に独自の担税力を認めて課されるものであり，株主に課される所得税とは独立した税である，ということになる。この結果，法人税と所得税との調整はなんら要しない。法人の利益に対する法人税とその利益の分配を受けた個人に対する所得税とが課されても，二重負担にはならないのである。

(注6)　昭和財政史談会『戦時税制回顧録（復刻版）』（租税資料館，平成18）223〜224頁参照．

〔現行法人税の基本的性格〕

(9) それでは現行の法人税は、どのような考え方をとっているのであろうか。

たとえば、現行の法人税および所得税には、次のような特例や概念がある。

イ 法人が他の法人から受け取った剰余金や利益の配当がある場合には、その配当は法人税の課税所得の計算上、益金の額に算入しない（法法23）。

ロ 個人が法人から受け取った剰余金や利益の配当がある場合には、その配当の一定額相当額を納付すべき所得税額から控除する（所法92）。

ハ 法人税の税率は、基本的に比例税率である（法法66，措法42の3の2）。

ニ 法人税の課税上、資本とは株主から払い込まれたものだけをいう（法法2十六、十七）。

イの特例は、剰余金や利益の配当を受け取った法人のその配当を利益として法人税を課すとすれば、同じ利益に対してその配当を支払った法人と受け取った法人とで二度法人税を課すことになり、最終的に個人株主に配当された段階で法人税と所得税との二重負担を調整することは不可能になるので、配当を支払った法人だけに法人税を課す趣旨である。

ロの特例は、個人が支払を受けた剰余金や利益の配当に課された、その利益を稼得した法人に対する法人税を、個人が納付すべき所得税額から控除する趣旨である。

これらの特例により、法人と個人との二重負担の調整を簡明に行うためには、法人税の税率は累進税率よりも比例税率の方が適している。ハはこの点に配慮したものといえる。

これらは、法人税は所得税の前払であると観念し、法人税と所得税との二重負担を調整するためのものである。法人擬制説の考え方に立った制度といえよう。

(10) また、ニは法人税課税上の資本の概念を明らかにしている。すなわち、資本とは株主から払い込まれた資本金、株式払込剰余金、分割剰余金、株式交換剰余金、減資差益、合併差益等のみをいい、会計学上、資本とされる次のようなものは、法人税法上は資本とはならないのである。

① 資本助成を目的とする国庫補助金や工事負担金
② 欠損補てんを目的とする私財提供益や債務免除益
③ 固定資産の評価益
④ 貨幣価値の変動による保険差益

　この法人税における資本の概念は，資本は株主から払い込まれたものに限り，資本主以外の者からの拠出は資本とはしないとするもので，法人擬制説の考え方を表明している。

　このような点からみて，現行の法人税は，基本的に法人擬制説の考え方によっているといえる。これはシャウプ勧告による昭和25年の税制改正以来のものである。この説の方が妥当である，という意見が有力であろう[注7]。

〔現行法人税制の変容〕

(11)　平成10年の法人税制改革により，資産流動化法による**特定目的会社**（ＳＰＣ）や投資法人法による**投資法人**が投資家に支払う利益の配当は，損金算入を認めることとされた（措法67の14，67の15）。また平成12年には，**投資信託**（旧法法２二十七）および**特定目的信託**（旧法法２二十九の二）から生じる所得を課税対象にする一方（旧法７の２，10の２），その支払う利益または収益の分配は損金算入する制度が創設された（措法68の３の２，68の３の３）。ただし，この制度は，平成19年の税制改正により，法人課税信託に対する法人課税（法法２二十九の二，４，４の６～４の８）に改組されている。

　これらの制度は，いったん法人税を課すけれども支払配当の損金算入を認めることにより，法人でありながら実質的に法人税の課税を排除するものであり，他方，法人でない信託を法人税の課税対象に取り込むものである。それゆえ，こういった制度を設けた瞬間，法人税の課税根拠はあいまいだという考え方が出てくるとの指摘が存する。これは法人税廃止論にもつながりかねないという[注8]。

（注7）　金子　宏著『所得課税の法と政策』（有斐閣，1996）431頁．

⑿　確かに法人税は基本的に法人に課すものであるという点からみれば、法人税の根幹にふれる問題であろう。特に信託を法人税の課税対象にし、個人も法人税の納税義務者になり得ること（法法4④）などは、伝統的なわが国の法人税制からすれば、その変容を示す注目すべきできごとである。

　　最近の情報通信革命や金融革命、企業の国際化の進展に伴い、金融の分野を中心として会社形態である特定目的会社や投資法人のほか、信託、パートナーシップ、任意組合、匿名組合など多様な事業形態を駆使した取引が行われている。法人税の課税対象となる事業体が法人格の有無によって決定されるというこれまでの取扱いは再検討する必要があり、経済的意義、法的性格などを踏まえ、適切な課税を確保する観点から、その課税のあり方が今後の重要な検討課題である(注9)。

　　このような動きをみていると、法人税制を法人擬制説か法人実在説かと議論してみても、あまり意義のあることとは思えない。むしろ、今日の法人が確固たる存在として幅広く社会的・経済的活動をしていることを率直に事実としてとらえ、自然人と同じように律していけばよい。法人に対する法人税の課税根拠は、その実態や租税政策に即して現実的に考えればよいと思う。

〔憲法上の結論〕

⒀　最後に、法人の納税義務をめぐるわが憲法上の見解をみておこう。

　　憲法第30条の「国民」には個人と法人とが含まれると解されている。すなわち、憲法制定時に、同条は当然のことであって不要ではないかとの議論があったように、同条は単なる宣言的規定であり、同条で具体的に税を課しているわけではない。憲法第84条の租税法律主義に基づいて法律で定める限り、内国法人はもとより、外国法人や人格のない社団等に納税義務を課してもな

（注8）　中里　実稿「パートナーシップ課税について」租税研究 No.614(2000.1) 120頁、
　　　　中里　実著『キャッシュフロー・リスク・課税』（有斐閣、1999）104頁以下参照。
（注9）　税制調査会中期答申「わが国税制の現状と課題－21世紀に向けた国民の参加と選択－」（平成12.7.14）第二、二、1．

んら問題はない，というのが通説である(注10)。

1－2 納税義務者

〔概　要〕

(1) 法人に対する法人税の課税根拠が明らかになったところで，現行法人税の**納税義務者**と法人ごとの課税の範囲をみてみよう。それは法人および所得の種類に応じて，次のようになっている（法法4～10の2）。

法人の種類		課税標準の種類 各事業年度の所得	退職年金等積立金
内国法人	公共法人	非課税	
	公益法人等	収益事業所得のみ課税	課税
	協同組合等	課　税	
	人格のない社団等	収益事業所得のみ課税	――
	普通法人	課　税	
外国法人	人格のない社団等	国内源泉所得のうち収益事業所得のみ課税	――
	普通法人	国内源泉所得のみ課税	課　税

（注）1　連結親法人は，連結納税義務者となり，各連結事業年度の連結所得について納税義務がある。
　　　2　個人は，法人課税信託の引受けを行うときは，法人税の納税義務がある。

〔内国法人と外国法人の区分基準〕

(2) 現行法人税では，まず法人を内国法人と外国法人とに分けて，納税義務の範囲を画している。内国法人は，国内，国外を問わず全世界で稼いだ所得，

（注10）　樋口陽一・佐藤幸治・中村睦男・浦部法穂共著『注釈日本国憲法　上巻』（青林書院，昭和59）696頁，東京地判昭和42.4.11行集18巻4号399頁参照．

すなわち**全世界所得**について納税義務がある（法法5）。これに対して外国法人は、わが国内で稼いだ所得、すなわち**国内源泉所得**についてのみ納税義務があり、国外で稼いだ所得には納税義務はない（法法9）。

そこで、内国法人と外国法人との区分が重要になってくるが、**内国法人**とは、国内に本店または主たる事務所を有する法人をいい（法法2三）、**外国法人**とは内国法人以外の法人をいう（法法2四）。

(3) このように、内国法人と外国法人との区分の基準を本店の所在地に求める考え方を**本店所在地主義**と呼ぶ。また、法人がいずれの国の法律に準拠して設立されたかにより内国法人と外国法人とを区分する**設立準拠法主義**という基準がある。しかし、法人は設立した国に本店が置かれるから、この基準は本店所在地主義と同列のものといえる。

これに対して、その区分の基準を法人の事業が実際に支配、統括されている場所に求める考え方を**管理支配地主義**という。本店の所在地にかかわらず、事業の支配、統括場所が国内にあれば内国法人、国外にあれば外国法人である。イギリスやフランスはこの基準を採用している。

〔本店所在地主義の論点〕

(4) 現行法人税が採用している本店所在地主義においては、本店の意義が重要になる。

本店とは、一般に数個の営業所を有する場合のその営業所のうち主たる営業所をいう。そして**営業所**とは、営業活動の中心としての実質を備えている場所をいい、それは客観的・実質的に定まるものであって、商人の主観的意思によって定まるものではない(注11)。これが通説であろう。

一方、本店は、設立準拠法に基づき本店として登記、登録された場所である。たとえばわが国の会社でいえば、会社は会社法に基づいて設立され、その本店所在地は定款で定めたうえ、登記しなければならない（会社法27、49、

(注11) 竹内昭夫稿「法人性・住所」（『新版注釈会社法(1)』有斐閣、昭和60所収）67頁。

576, 579)。本店とは，このようにして登記された本店所在地のことである。

このような実質上の本店と登記上すなわち形式上の本店は，一致しているのが普通である。しかし，現実には一致していない例がみられる。この点につき税務上どのように対処するかが問題になる。

(5) 税務上の本店所在地主義においては，「本店」とは形式上の本店のことをいう。実質上の本店と解する余地があるとすれば，それはもはや管理支配地主義ということになって，両主義を区分する意味がない。実定法上も，内国法人に関する納税地の指定制度（実質上の本店と形式上の本店が異なる場合に，国税局長または国税庁長官が実質上の本店が納税地であると指定する制度。法法16，18）があることからみて明らかである。

このような本店所在地主義においては，外国の法律に準拠して設立され，外国に本店が登記，登録された法人は，わが国に実質上の本店があっても，内国法人とはならないのである。

(6) すでに述べたように，法人税が国家から受けている利益や権利の対価であり，あるいは社会的費用の負担であるとすれば，このような取扱いは理論的に問題があろう。国内で同じような営業活動をしている法人間の課税の公平の観点からも，わが国に実質上の本店がある法人は，すべて内国法人とすべきである。特に，企業の国際化が著しい今日，その必要性は高い。

しかし，現実的な管理支配地主義の議論に当たっては，①執行の困難性，②わが国企業と外国企業との国外への進出状況，③二重課税の調整のあり方などを慎重に検討する必要があろう。

〔国・公共法人の納税義務〕

(7) 以上，内国法人と外国法人との納税義務の取扱いを述べたが，納税義務はさらに法人の種類を細分して定められている。そこで，まず公共法人とこれに関連して国の納税義務についてみてみよう。

公共法人とは，株式会社日本政策金融公庫，国立大学法人，地方公共団体，独立行政法人，日本年金機構，日本放送協会などをいい（法法2五，別表第一），

法人税の納税義務はない（法法4②）。公共法人は，本来，国のなすべき公共性の高い事業を行っているから，納税義務はないものとされている。

(8) ところで，その「国」自身の納税義務であるが，法人税法における公共法人の定義のなかに「地方公共団体」は含まれているが，国は含まれていない。また，ほかに国は法人税の納税義務はない，とする格別の規定もない。そうすると，国は法人税の納税義務を負っているのであろうか。国も公法人としての法人であるから，納税義務があるようにみえる。

　憲法上は，公法人に一般的に税を課せるかどうかは問題である，という見解がある(注12)。それはともかく，そもそも法人税は国が課すものであり，それを国みずから自己に課すのは意味のないことであり，また，国が民間企業と競合することは少ないから，国には法人税の納税義務はない，と解されている。当然の法理として，わざわざ法律に規定するまでもないと考えられているのである。地方公共団体が公共法人のなかに含まれ，特に非課税とされているのは，地方公共団体は法人税の課税権者ではないことによる。また，法律技術的には，地方公共団体は明文で法人とされているから（地方自治法2①），公共法人のなかに含め法人税を課さないようにする必要があるのである。

〔外国の納税義務〕

(9) このような国に対する非課税の論理は，外国にも妥当するであろうか。外国政府がわが国内にある大使館用地を売却するような例があるが，この所得は当然に非課税になるのかどうか。

　外国（ないし外国政府）は法人税法上は外国法人に該当するが，法人税を非課税にする旨の規定はない。外国は，普通法人に該当する。したがって，外国であるからといって，租税条約により課税が免除されるような場合を除き，当然に非課税となるものではない。これが現行法の厳密な解釈であろう。外

(注12) 上田　章・浅野一郎共著『憲法』（ぎょうせい，平成5）639頁.

国といえども，原則として非課税にする理由はないからである(注13)。

　しかし，このような形式論により外国に法人税を課すのはやや問題がある。そこで現実的には，外国がわが国において稼得する所得のうち，通常の政府機能の範ちゅうに含まれる行為に基づくものについては，お互いに課税しないという相互主義を前提とする国際礼譲の建前から免税としているようである。これを**主権免税**と呼ぶ。外国政府の大使館用地の売却益もこのような見地からその課非を判断する(注14)。

〔公益法人等の納税義務〕

⑽　つぎに公益法人等である。

　公益法人等とは，一般・公益財団法人，一般・公益社団法人，学校法人，社会医療法人，社会福祉法人，宗教法人，ＮＰＯ法人などをいい（法法２六，別表第二，ＮＰＯ法70），収益事業（法人課税信託および退職年金業務）を営む場合に限り，その収益事業から生じた所得（および退職年金等積立金）について納税義務がある（法法４①，７，８）。公益法人等に「等」がついているのは，単に「公益法人」とすると，一般・公益財団法人および一般・公益社団法人だけをいうように考えられるので，法人税法上の公益法人等はそれよりも広い範囲のものであることを表すためである。

　上述した公共法人と公益法人等とは，いずれも公共性ないし公益性の高い事業を行っており，その区分のむずかしい場合が生じる。その場合の区分の基準は，その事業の公共性や公益性の強弱，法的な規制の程度いかんということもあるが，基本的には民間出資と剰余金の分配規定があるかどうかである。伝統的に，全額政府出資でなく民間出資もあり，その民間出資に配当が予定されている法人は，公益法人等とされている(注15)。

(注13)　田中勝次郎著『法人税法の研究』（税務研究会，昭和40）168頁，小宮　保著『法人税の原理』（中央経済社，昭和43）10頁.
(注14)　衆議院・外務委員会昭和61.10.29国税庁審理室長答弁.
(注15)　片岡政一著『會社税法の詳解』（文精社，昭和18）41頁.

公益法人等は，もともと公益事業を行うことを目的としているから，本来的には法人税の納税義務を負わせる必要はない。しかし，公益法人等が営利事業である収益事業を行う場合に，その収益事業から生じた所得についてまで非課税にすると，一般私企業との権衡が崩れ，公正な経済競争の確保ができない。この点がシャウプ勧告によりきびしく指摘されたので[注16]，昭和25年の税制改正により収益事業課税制度が創設され，以後，公益法人等の収益事業から生じた所得については，課税するものとされている。

〔収益事業の範囲〕

(11)　そこで，収益事業とは何か，というその範囲が問題になる。

　収益事業とは，販売業，製造業その他の政令で定める事業で，継続して事業場を設けて営まれるものをいう（法法２十三）。この規定をうけて政令で，具体的に収益事業として34種類の事業が定められている（法令５）。この34種類の事業は，農業，林業，水産業などの第一次産業を除き，おおむね現在の経済社会で営まれている事業を網羅している。

　ところが，この34種類の事業は限定列挙であるため，今までなかった新たな事業が課税対象にならないという問題や，従来から課税対象になっている事業となっていない事業との間にもアンバランスがある，といった指摘がみられる。

　たとえば，収益事業としていわゆる「技芸教授業」というのがあり，洋裁，和裁，料理，茶道，生花，舞踊，舞踏，音楽，絵画，書道，写真，工芸，デザインなどを教える事業は，課税対象とされている（法令５①三十）。しかし，最近はやりの英会話，パソコン，水泳などを教える事業は，技芸教授業に含まれていないから，非課税となっている。

(12)　確かにこのようなアンバランスは問題であり，解消する必要があろう。ただその場合，単に表面上のアンバランスだけでなく，それぞれの事業の社会

（注16）　福田幸弘監修『シャウプの税制勧告』（霞出版社，昭和60）140～141頁．

性や経済取引に与える影響を十分に考慮すべきである。すでに述べたように，公益法人等の収益事業に対する法人税の課税は，もともと一般私企業との課税の権衡を図り，もって公正な経済競争を確保することに目的があるからである。

　現行収益事業課税のこのような問題点を一挙に解消するため，現行のような収益事業を一つ一つ定める方式を改め，どうしても非課税にしなければならない事業だけを定め，それ以外の事業はすべて課税対象にする方式を採用すべきである，という主張がされている(注17)。確かに理論的には課税事業よりも非課税事業の方が少ないであろうから，その方式の方が実効性があるといえる。

　この問題は，いわば写真フィルムのネガとポジのような関係であるから，実務上の課非判断に当たってどちらの方式が便宜であるかという点をも考慮する必要がある。

〔金融収益課税の是非〕

(13)　収益事業の範囲に関するいま一つの議論は，公益法人等の稼得する金融収益の課非の問題である。

　公益法人等が資金を預貯金や公社債，株式などの金融資産に運用する行為は，現行34種類の収益事業のいずれにも該当しない。したがって，金融資産から生じる利子，配当，譲渡益などのいわゆる**金融収益**は，原則として非課税である。わずかに，収益事業の一環としての余裕資金の運用から生じる金融収益だけが，収益事業の付随行為として課税の対象になっている（法令5①，基通15－1－6(5)，15－1－7）。

　今日の各方面での投資ブームを背景に，一部公益法人等のなかには，営利法人顔負けの資金量をもって活発な資産運用を行い，多額の金融収益をあげているものがみられる。しかし，それは多く収益事業の一環としての資産運

(注17)　税制調査会「法人課税小委員会報告」（平成8.11）．

用ではないから、すべて非課税となっている。そこで、金融収益についても課税の対象にすべしという議論が出てくる。

⒁　これは、永く税制調査会でも検討テーマとして取りあげられてきた問題であるが、結論をみていない。財団法人のように基金の運用収益によって活動しているものについては、その運用収益に課税することは財団の活動に重大な支障を与えるので、公益法人課税の本来の趣旨に反する、といった批判や反対論が強いからである(注18)。

　その財団本来の活動をしている財団の運用収益に課税することはもちろん適当でないが、しかし営利法人顔負けの資産運用を行っている場合までも非課税にするのは納得いかないであろう。金融収益は、現在収益事業とされている事業から生ずる収益と経済価値において基本的に異なるところはないからである(注19)。とはいえ、現実には公益事業としての限界を超えているとする、その線引きをどうするかがなかなかむずかしい。

〔人格のない社団等の納税義務〕

⒂　つぎに、人格のない社団等の納税義務をみてみよう。

　人格のない社団等とは、法人でない社団または財団で代表者または管理人の定めがあるものをいい（法法２八）、収益事業を営む場合に限り、その収益事業から生じた所得について法人税の納税義務がある（法法４①，７）。収益事業の範囲は、公益法人等のそれと基本的に同じである。このような人格のない社団等に対する収益事業課税は、昭和32年の税制改正により行われるようになった。

　人格のない社団等は、まさに人格がないのであるから法人ではない。それ

(注18)　水野正一稿「企業課税の根本的問題点」税経通信49巻１号（平成６．１）８頁，財団法人公益法人協会税制対策委員会「平成13年度税制改正に対する要望」公益法人29巻11号（平成12.11）３頁.
(注19)　税制調査会「今後の税制のあり方についての答申」（昭和58.11.16），税制調査会「法人課税小委員会報告」（平成８.11）.

にもかかわらず法人税の納税義務があるのは、人格のない社団等は法人税法上、法人とみなされているからである（法法3）。ではなぜ、人格のない社団等は法人とみなされ、法人税が課されるのか。

(16)　人格のない社団とは、判例では一般に、団体としての組織を備えて、多数決の原則が行われ、構成員の変更にかかわらず団体が存続し、その規約において代表の方法、総会の運営、財産の管理等団体としての主要な点が確定しているものをいう、と解されている[注20]。これは学説上も、ほぼ承認されているといってよい。人格のないPTA、同窓会、労働組合などがその典型例である。

このように、人格のない社団等は、人格がないだけで実質的には社団法人となんら異ならない。このような点に着目して、法人税では法人と同じように取り扱うこととされている。これは人格のない社団等について、法人税法上は権利主体性を承認したといえる。

〔人格のない社団と組合との区分〕

(17)　課税の実務にあっては、しばしばある団体が人格のない社団に該当するかどうかが問題になることが少なくない。その場合、もっぱら民法上の**組合**との区分が問題である。人格のない社団であれば、それ自体を独立した一つの納税義務者として、その所得に対して法人税が課されるのに対し、組合であれば、その構成員である法人または個人がそれぞれ納税義務者となり、各自に帰属する所得に対して法人税または所得税が課されるからである（基通14-1-1）。

上述した判例を基礎に、人格のない社団と組合との区分のポイントをまとめてみると、おおむね次のようになろう。

（注20）　最高判昭和39.10.15民集18巻8号1671頁。

項　目	人格のない社団	組　合
1　性　格	多数の者が一定の目的を達成するために結合した団体のうち法人格を有しないもので，単なる個人の集合体ではなく，団体としての組織を有して統一された意思のもとにその構成員の個性を超越して活動を行うものである。	二以上の者が出資をして共同の事業を営むことを約する債権契約によって成立する一種の集合体である。
2　内部規約	構成員を特定しない定款や規約の形で定められ，その加入，脱退に備えている。	組合員間の契約形式により定められ，その加入，脱退は予定されていない。
3　決議方法	総会は構成員の過半数の出席で成立し，多数決により議決する。	全組合員の過半数により議決する。
4　業務執行	総会で選任された機関（理事会等）が業務を行い，その長として代表者が定まる。	各組合員が直接的に業務を行い，代表者は必ずしも定まらない。
5　対外関係	構成員は，有限責任である。	組合員は，無限責任である。
6　財産関係	財産は構成員の総有であり，持分権はない。	財産は組合員の共有であり，持分権がある。

〔**協同組合等・普通法人の納税義務**〕

⑱　最後に，協同組合等と普通法人の納税義務を簡単にみておこう。

　　まず**協同組合等**とは，漁業協同組合，消費生活協同組合，信用金庫，農業協同組合等をいい（法法２七，別表第三），すべての所得について納税義務がある（法法４①，５）。

　　つぎに**普通法人**とは，公共法人，公益法人等および協同組合等以外の法人をいう（法法２九）。具体的には株式会社（有限会社），合資会社，合名会社，合同会社，医療法人（社会医療法人を除く），相互会社などをいい，すべての所得について納税義務がある（法法４①，５）。

　　協同組合等および普通法人は，本来的に営利を目的にしているから，すべての所得が課税対象になる。ただ，協同組合等は，その組合員の共同事業体

としての性格があるから，普通法人と同列には論じられない面がある。その点の配慮は，納税義務の範囲ではなく，法人税率で行っている。すなわち，協同組合等の税率は，普通法人の基本税率23.2％に対し，19％と軽減されている（法法66，措法42の３の２）。

1－3 同族会社

〔概　要〕

(1)　これまで納税義務の範囲に関連して，法人の種類として内国法人と外国法人，公共法人，公益法人等，協同組合等，普通法人があることをみてきた。このような切り口の法人のほか，法人税にはさらに同族会社という重要な概念の法人がある。

　　法人税法上，**同族会社**とは，端的には株主等の３人以下の者が有する株式の数（または出資の金額）がその会社の発行済株式の総数（または総出資金額）の50％を超える会社をいう（法法２十）。わが国会社のおよそ97％は同族会社である[注21]。

(2)　同族会社はあくまでも「会社」であるから，株式会社（有限会社），合資会社，合名会社および合同会社だけに成立する概念である。もっとも相互会社も会社であるが，相互会社は株式や出資を有しないから同族会社とはならない。また，一般・公益財団法人，一般・公益社団法人，宗教法人，学校法人，医療法人なども仮に少数の者が経営権を持っていても，そもそも会社ではないから同族会社にはならない。

　　同族会社は少数の株主が経営権を持ち，支配している会社であるから，その特殊性に着目して，いくつかの特例が設けられている。その特例は次のとおりである。

　イ　業績連動給与の損金算入の不適用（法法34①三）

(注21)　国税庁発表「平成30年度分　税務統計から見た法人企業の実態」（令和２．５）

ロ　使用人兼務役員の範囲の制限（法法34⑥，法令71）

ハ　留保金課税（法法67）

ニ　行為または計算の否認（法法132）

以下，主要な同族会社をめぐるロからニまでの特例をみていこう。

〔使用人兼務役員の範囲の制限〕

(3)　同族会社の役員のうち，次のイからハまでの要件のすべてを満たすものは，**使用人兼務役員**として認められない（法令71）。

イ　その会社の株主グループに持株割合の大きいものから順に順位をつけ，第1順位の株主グループの持株割合に第2順位および第3順位の株主グループの持株割合を加算した場合に，その役員が次のいずれかの株主グループに属していること。

①　第1順位の株主グループの持株割合が50％を超える場合のその第1順位の株主グループ

②　第1順位と第2順位の株主グループの持株割合を合計した場合にその持株割合がはじめて50％を超えるときのその第1順位および第2順位の株主グループ

③　第1順位から第3順位までの株主グループの持株割合を合計した場合にその持株割合がはじめて50％を超えるときのその第1順位から第3順位までの株主グループ

ロ　その役員の属する株主グループの持株割合が10％を超えること。

ハ　その役員（その配偶者等を含む）の持株割合が5％を超えること。

(4)　要するに，10％を超える持株を有する同族会社の判定株主グループに属し，かつ，自己の持株が5％を超える役員は，経営の中枢にある者とみなして使用人兼務役員とは認めない，ということである。

　　使用人兼務役員として認められない結果，その支給する給与は定期同額給与や事前確定届出給与，業績連動給与に該当しない限り，損金の額に算入されなくなる。使用人兼務役員に支給する給与のうち，適正な使用人分給与は

損金になることになっているが，それが損金にならなくなるのである（法法34①）。

同族会社においては，しばしば持株も多く，経営の中枢にあるにもかかわらず，意識的に全く役員となっていない者や取締役〇〇部長等の使用人兼務役員にとどまっている者がいる。これをそのまま認めると，その給与が損金になるという脱法行為を許すことになる。

使用人兼務役員に関する特例は，このような脱法行為を排除する趣旨から設けられている。このような趣旨をさらに徹底するとすれば，たとえば大株主である父親が老齢のため，その息子が実際の経営を取り仕切っているが，息子の持株は少ないうえ役員になっていないといった事例についても，規制を図る必要があろう。

〔留保金課税〕

(5) つぎは留保金課税である。

内国法人である特定同族会社の各事業年度の留保金額が留保控除額を超える場合には，その超える部分の金額（**課税留保金額**）を次のように区分して，それぞれの金額にそれぞれ次に掲げる特別税率を乗じて計算した金額の合計額を，通常の法人税額に加算して納付しなければならない（法法67①）。これを**特定同族会社の留保金課税**と呼ぶ。ただし，この留保金課税は，資本金が１億円を超え，株主等の一人の持株割合が50％を超える会社に限って適用される。同族会社の概念が明らかにされ，留保金課税が行われるようになったのは，大正12年からである。

課税留保金額のうち	特別税率
年3,000万円以下の金額	10％
年3,000万円を超え，年１億円以下の金額	15％
年１億円を超える金額	20％

ここで**留保金額**とは，次により計算した金額をいう（法法67③，法令139の10）。

当期の所得等	当期の所得	左の法人税額に10.4％を乗
の金額のうち －	に対する法 －	じて計算した都道府県民税
留保した金額	人税額等	額および市町村民税額

　また，**留保控除額**とは，次に掲げる金額のうち最も多い金額をいう（法法67⑤）。

　イ　当期の所得等の金額の40％相当額

　ロ　年2,000万円

　ハ　期末資本金額の25％相当額からすでに積み立てている利益積立金額を控除した金額

(6)　同族会社は，少数の株主が支配している会社であり，また，株主のほとんどがその役員であることが多い。そのため，同族会社では，利益を配当金や役員賞与として分配した場合における株主や役員に課される累進税率による所得税の負担を免れるためできるだけ社内留保を図る，といった傾向がある。

　これをそのまま放置すると，同族会社と個人企業や非同族会社との間に著しい税のアンバランスが生じる。特定同族会社の留保金課税は，まさにこのアンバランスを是正するため設けられている(注22)。

　このような趣旨の留保金課税ではあるが，この制度が導入されて以降，わが国会社のほとんどが同族会社かつ中小企業である点からみると，問題があるという声はしばしば聞かれた。すなわち，中小企業こそ極力，社内留保を図り，体質強化に努める必要があるのに，その留保金に課税するのはいかがか，というのである。

(7)　確かに，わが国企業の大宗を占める中小企業の育成は重要な問題であり，税がこれを促進することはあっても，阻害することがあってはならない。しかし，同族会社と個人企業や非同族会社との間に，上述のような税のアンバランスがあるのも事実である。

　結局，この問題は中小企業等の育成と税の論理とをどのように調和させる

（注22）　昭和財政史史談会『戦時税制回顧録（復刻版）』（租税資料館，平成18）34～35頁．

かであろう。現行留保金課税における「留保控除」は，この点に配意したものである。すなわち，留保控除額は，企業が社内留保を図るために必要な金額は課税しない，というものである。特に，留保控除額のうちの「期末資本金額の25％相当額からすでに積み立てている利益積立金額を控除した金額」は，平成13年改正前の商法（288条）が会社はその資本金の25％相当額まで利益準備金を積み立てなければならない，としていた点との整合性を図っている。旧商法の利益準備金積立ての趣旨は，社内留保を図り将来の欠損の補てんに備えることにあるから，税としても社内留保に一定の配慮はしているのである。

また，平成19年の税制改正により，この留保金課税は，資本金1億円以下の会社に対しては適用しないこととされた。もっとも，この点に関し，会計検査院が経営体力のある中小企業が免除になっていることは，課税の公平性が保てない恐れがあるとして，財務省に制度の検証を求めている(注23)。

〔行為または計算の否認〕
(8) 最後に，同族会社の行為または計算の否認の論点をみてみよう。

税務署長は，同族会社の法人税につき更正または決定をする場合において，その会社の行為または計算で，これを認めると法人税の負担を不当に減少させる結果になると認められるものがあるときは，会社の行為または計算にかかわらず，税務署長の認めるところにより，その会社の課税所得または法人税額を計算することができる（法法132）。これを**同族会社の行為計算の否認**といい，大正12年の税制改正により設けられた。

これは，同族会社の行為・計算が法律的には適法であるとしても，それが通常の法人においてはなされないような不当なものであり，これを認めると，社会通念上，一般法人との課税の均衡を失すると認められる場合に，客観的，合理的基準に従ってこれを調整する権限を税務署長に与える趣旨のものであ

（注23）　日本経済新聞，令和2.10.14（朝刊．42面）．

る(注24)。もちろん、この否認規定は、法人税の関係においてのみ、否認された行為・計算に代えて課税を行うというものであり、現実に行われた行為・計算そのものに実体的変動を生じさせるものではない(注25)。

(9) この否認規定をめぐってはいくつかの論点があるが、まず、この規定の適用範囲が問題となる。すなわち、この規定は、同族会社のみに適用されるのか、それとも非同族会社にも適用されるのか、という問題である。

　この問題を考えるには、なぜ同族会社に限ってこのような規定を置いたのか、この規定の性格を検討しなければならない。

　この規定の性格については、二つの見解がある。この規定を①創設規定と解する考え方と②確認規定と解する考え方とである。

　創設規定と解する考え方は、税務署長が同族会社の行為・計算を否認できるのは、この規定があってはじめて可能であって、この規定がなければその否認は許されない、というものである。したがって、この規定は同族会社に限って適用されるという。

(10) これに対して、確認規定と解する考え方は、税務署長が法人税の負担を不当に減少させる行為・計算を否認できるのは当然のことであって、同族会社はその特殊性から租税回避行為が容易に行われるから、念のため規定を置いたに過ぎない、というものである。したがって、非同族会社についても、この規定は適用されるという。判例でもこの考え方を認めており、同族会社になり得ない医療法人の行為・計算であっても、不自然なものは否認できるといっている(注26)。

　非同族会社でも、経済的合理性を無視した不自然な行為・計算はあり得る。このような不当な行為・計算が、単に規定がないからといって、非同族会社にそのまま認められるというのはいかにも不合理であり、租税負担の公平が

(注24)　東京高判昭和40．5．12税資49号896頁、最高判昭和53．4．21税資101号156頁．片岡政一著『税法上の損益』（第一書房、昭和13）236頁．
(注25)　最高判昭和48.12.14税資71号1160頁．
(注26)　東京地判昭和40.12.15税資41号1188頁、広島高判昭和43．3．27税資52号592頁．

図れない。したがって，行為・計算の否認規定は，租税法に内在する実質主義の一つの表れとしての確認規定に過ぎない，と解するのが相当である。

(11) つぎに，否認の対象となる「行為または計算」とは，具体的にどのようなものをいうのかが問題である。ここで**行為**とは，対外関係において法人の財産状態に影響を及ぼすべき法律的効果を伴う行為をいい，**計算**とは，対内関係において法人の財産状態の表示いかんにより財産上影響を及ぼすことがある計算をいう(注27)。

　従来，同族会社の行為・計算の否認の類型として，次のものが考えられていた。すなわち，①過大出資受入れ，②高価買入れ，③低廉譲渡，④個人的寄附金の負担，⑤無収益資産の買い入れによる公課，維持費等の負担，⑥過大給与，⑦非従事社員の給与，⑧用益贈与，⑨過大料率賃貸借，⑩不良債権の肩代わりおよび⑪債務の無償引受けの11類型である（旧基通三五五）。

　しかし，これらの否認類型は，現在では資本等取引（法法22⑤）や役員給与（法法34），使用人給与（法法36），寄附金（法法37）などの個別規定で十分対処できるから，行為・計算の否認規定をまつまでもない，といわれている。たとえば，役員給与となるものには，この否認類型のほとんどが含まれている（基通9－2－9）。したがって，現在では行為，計算の否認規定の対象となる行為・計算は，事実上それほどないのが実情である。裁判などで，①一般従業員に対する過大給与や②逆合併による欠損金の控除，③海外関連会社への借入金利子の支払の否認の可否などが争われている例がある(注28)。

(12) 最後に，「法人税の負担を不当に減少させる結果となると認められる」場合の認定基準が問題となる。

　この点については，行為，計算の否認規定の置かれた趣旨からみて，もっぱら経済的，実質的見地において，その行為・計算が純経済人の行動として不合理，不自然なものかどうかを基準に判定することになろう。この場合，

（注27）　忠　佐市著『租税法要綱（第2版）』（森山書店，昭和42）299頁。
（注28）　高松高判昭和62．1．26税資157号238頁，広島地判平成2．1．25税資175号117頁。
　　　東京高判令和2．6.24．

その行為・計算が不合理，不自然なもので法人税の負担を不当に減少させるものである限り，直接法人税の回避軽減を目的としたかどうかは問わない，と解される。

1-4 事業年度

〔概　要〕

(1)　法人税法上，**事業年度**とは，法人の財産および損益の計算の単位となる期間（**会計期間**）で，法令で定めるものまたは法人の定款，寄附行為，規則，規約その他これらに準ずるものに定めるものをいう。法令または定款等に会計期間の定めがない場合には，納税地の所轄税務署長に届け出た会計期間または所轄税務署長が指定した会計期間を事業年度とする。ただし，これらの期間が1年を超える場合は，その期間を1年ごとに区分した各期間（最後に1年未満の期間が生じたときは，その1年未満の期間）を事業年度とする（法法13）。

現行法人税の課税所得は，事業年度を単位として計算される。課税所得はどのような期間を基礎として把握されるか，という点で事業年度は重要な意義を有している。

〔全体所得と期間所得〕

(2)　そもそも法人税の課税所得をどのような期間を基礎として計算するかについて，二つの考え方がある。全体所得と期間所得の考え方がそれである。

全体所得の考え方は，企業の一生を一期間として所得を計算する，というものである。企業の設立から解散までの間に生じた所得，すなわち全体所得を課税所得とする。企業の存続期間が短期間であらかじめ定められているとか，一つの事業が終わり次第解散するといった場合には，このような考え方でもよいかもしれない。全体所得の計算も比較的容易であろう。

しかし，今日の企業は永久に経営を続ける**継続企業**（going concern）が前

提である。このような継続企業を前提にした場合には，全体所得の考え方では所得が永久に計算できず，あるいはその計算が不可能になる。したがって，全体所得の考え方は観念的に過ぎ，今日では採用できない。
(3) そこで，**期間所得**の考え方が登場してくる。この考え方は，継続企業について，設立から解散までの継続する期間を人為的に一定期間ごとに区切って，その一定期間を基礎に所得を計算する，というものである。企業会計における会計期間の公準の考え方であり，その一定期間に生じた所得，すなわち期間所得を課税所得とする。現行の法人税は，まさにこの考え方によっている。

この場合，一定期間というのを人為的にどのように区切るかであるが，ここに現行法人税は事業年度という概念を導入した。すなわち，課税所得は事業年度という期間を基礎として計算される（法法5，22）。法人税法上の事業年度は1年を超えることはできないから，1年に最低1回は企業利益とともに課税所得が計算され，納税が行われる仕組みである。

〔期間所得と全体所得の調和〕
(4) 法人税における事業年度は，基本的に企業会計における会計期間と同じである。特に平成18年の税制改正により，同年の会社法の施行をうけて，事業年度の意義が「法人の財産及び損益の計算の単位となる期間」（会計期間）と定義され，この点がより一層明確になった。

法人税法では独自に課税の期間を定めず，企業会計の期間に依存している。企業会計では会計期間を単位に期間損益を計算しているから，企業会計に依存するのが最も便宜であり，課税所得計算上の処理ミス防止などにも役立つ。

このようにして事業年度を基礎に計算される期間所得は，絶対的なものではあり得ず，相対的なものにとどまる。期間所得の計算には，減価償却や引当金など見積りの要素が入るからである。

観念的には，期間所得の総合計は全体所得に一致するはずである。しかし現実的には，ほとんどの場合それは一致しない。従来，法人税が法人が解散した場合に生じる清算所得に対して法人税を課していた（旧法法5，92～98）

のは，まさにこの一致しない課税漏れの部分に課税する，という趣旨によるものであった。これは，全体所得の概念は今日の企業にはなじまないとはいえ，期間所得と全体所得との調和を図るものであった。

ところが，清算所得課税は平成22年の税制改正により廃止され，清算中も通常の事業年度と同じように課税されることになった。この点は，期間所得と全体所得との関係は失われたといえよう。

(5) 法人税は，各事業年度に生じた課税所得を各事業年度ごとに独立して課税の対象としている。したがって，前期からの繰越利益金や繰越欠損金は，当期の所得計算には関係させないのが原則である。これを**事業年度独立の原則**という。

しかし，法人の全体の所得は期間を越えて一体を成しているから，ある事業年度で生じた欠損金額は，他の事業年度の利益金額と通算するのが理論的であろう。また，人為的な事業年度という期間を基礎に課税所得を計算する結果，利益や欠損の発生状況いかんによって，税負担に著しい不均衡の生じることが考えられる。

そこで，青色欠損金など一定の欠損金額については，前1年以内の事業年度への繰戻し（法法80，措法66の12）または翌期以後10年以内の事業年度への繰越し（法法57～59）ができ，事業年度を越えた損益の通算が認められている。これらもまた，事業年度独立の原則の例外として期間所得と全体所得との調和を図るものである。

〔前期損益修正〕

(6) もう一つ事業年度独立の原則に関連して論ずべき問題は，**前期損益修正**である。

企業会計においては，原則として，前期以前の売上げにかかる値引き，返品等で当期に生じたものは，当期の費用として処理する。売上げのあった年度に遡及して売上高を修正するようなことはしない。継続企業の原則を前提に当期に生じた収益・費用は，その発生原因を問わずすべて当期の損益にす

るのが今日の健全な会計慣行であるからである。

　これは法人税でも全く同じである。すなわち，前期以前に益金の額に算入した資産の販売または譲渡，役務の提供その他の取引について当期に契約の解除または取消し，返品等の事実が生じた場合でも，これらの事実に基づいて生じた損失の額は，当期の損金の額に算入する（基通2－2－16）。前期以前の事業年度には影響を及ぼさないのであり，事業年度独立の原則の一つの表れであるといえよう。

(7)　このように，売上げについて値引き，返品等があっても，遡及して過年度の益金を減額することはしない。したがって，過年度の所得はなんら過大ではないから，法人税の還付という問題も生じないのである。

　ところが，国税通則法には，契約が解除権の行使もしくはやむを得ない事情によって解除され，または取り消されたときは，税務署長に対してすでに納付した税額を減額するよう請求ができる旨，規定されている（通法23②，通令6）。これを**更正の請求の特例**と呼ぶ。そのため，前期以前の商品の売上げや固定資産の譲渡につき値引き，返品，契約解除等があった場合，法人税の更正の請求が認められるのではないか，という議論がある。

　しかし，継続企業を前提に収益と費用とが期間対応して所得が計算される法人税には，国税通則法のこの規定は適用されないと解されている[注29]。すなわち，この規定は，更正の請求ができる事由を定めた単なる手続規定であって，内容に立ち入ってその請求が認められるかどうかは法人税の解釈によるのである。法人税の解釈によれば，値引き，返品，契約解除等があっても過去にさかのぼっての損益の修正はできないから，結局，更正の請求は認められないことになる。

(8)　しかし，継続企業の前提が維持されている場合は，このような考え方でもよいかもしれないが，継続企業の前提が破綻した場合の取扱いを明確にし，

(注29)　志場喜徳郎・荒井　勇・山下元利・茂串　俊共編『国税通則法精解（平成28年改訂）』（大蔵財務協会，平成28）350頁，最高判昭和53.3.16税資97号597頁，最高判昭和62.7.10税資159号65頁．

あるいは更正の請求の弾力的な運用を望む声は少なくない。

　法人が倒産し、あるいは将来とも所得が望み得ないような場合、たとえば土地の譲渡契約の解除に伴う損失は、その後控除できる機会がないから、過年度に納めた法人税額は還付を受けられずそのままになってしまう。更生会社が、過年度に収受した利息が利息制限法違反として無効が確定し、これを過払金返還請求に基づき返還した場合も、その返還をしたときに損金算入すべきものとされている[注30]。国に不当利得の返還を請求しようとする更正の請求が、法人税のみ一片の通達によって認められなくなるのは、なかなか理解しがたい問題がある、との指摘がみられる[注31]。

　また、法人税に更正の請求が認められないというのは、譲渡契約の解除損失は、解除があった事業年度で計上するのが公正妥当な会計処理である、という前提を置いている。しかし、公正妥当な会計処理の基準が、司法的救済・権利救済を排除するようなものであってはならない、という意見もある[注32]。まさにそのとおりであろう。

〔事業年度のあり方〕

(9)　以上述べてきた会計年度をどのように定めるかは、基本的に法人の任意である。法人が定めた会計年度は、税務上の事業年度としてそのまま認められる。ただし、銀行や電力会社などは会計年度がその業法により法定されているし、また、税務上は1年を超える事業年度は認められない。

　わが国法人の事業年度は、4月1日から翌年3月31日までのものが一番多い。これは国の会計年度に合わせたものであろうが、企業の実態に必ずしも合致しているとはいえない。

(注30)　東京高判平成26. 4 .23税資264号順号12460。
(注31)　品川芳宣著『国税通則法講義－国税手続・争訟の法理と実務問題を解説－』（日本租税研究協会、平成27）60頁。
(注32)　金子　宏著『所得税・法人税の理論と課題』（日本租税研究協会、平成22）128頁。

アメリカには**自然営業年度**という概念がある。企業の営業活動がその年次サイクルのなかで最低点に達した時に終了するような連続した12か月の期間のことをいう。したがって，自然営業年度を採用すれば，決算のための期末整理の手数が軽減されるし，実地棚卸しに要する費用も少なくて済む。計算書類等の監査を行う公認会計士にとっても，決算期が集中しなくて都合がよい。さらに，自然営業年度は業種によって大体一定するから，業種ごとに営業年度が統一されて，企業間比較がしやすくなる(注33)。

企業にとって採用を検討してよい会計年度であろう。このような自然営業年度は，税務上においても都合がよい。企業の期末整理の手数が軽減されれば，課税所得計算の処理ミスも少なくなるであろうし，税務当局にとっても事務処理が集中しなくて済むからである。

⑽ なお，法人税率の改正が行われた場合，その改正の効果を早期に受けるため，事業年度を変更するような事例がみられる。平成23年12月の税制改正により，法人税率が30%から25.5%に引き下げられた際，ある会社が事業年度を変更し，40億円の恩恵を受けたと報じられたことがある（日本経済新聞・平成24.8.23朝刊）。

このような事業年度の変更は，租税回避行為に当たるのではないかという議論が考えられる。

ただ，事業年度の変更について，定款で決算期を定めている会社は株主総会の特別決議により定款変更をする必要があるほかは（会社法466, 309②十一），格別の制約はない。そして，法人税における事業年度は，定款で定められた事業年度をいうものとされている。

事業年度にかかる私法上の定款変更が有効である限りは，法人税もそれに従うということである。仮に同族会社が税目的のみで変更したという極端な場合であっても，同族会社の行為計算の否認規定（法法132）の射程は及ばない，ということであろう(注34)。

(注33) 中村　忠著『新版　財務諸表論セミナー』（白桃書房，平成3）13頁.

1−5　納　税　地

〔意　義〕

(1) **納税地**とは，租税を納付すべき場所である。すなわち，納税者が税法に基づく義務を履行し，権利を行使する基準となる場所をいう。もう少し具体的にいえば，納税地は，納税者が税法に基づいて申告，申請，請求，届出，納付などの行為をする相手となる税務官庁を定める基準となる場所である。

　また逆に，税務官庁が納税者に対して税法に基づく承認，更正，決定，徴収などの行為をなす場合の，その権限を有する税務官庁を決定する基準となる場所でもある。国税の行政を所管する官庁として，中央に財務省の外局である**国税庁**があり，その地方支分部局として**国税局**（沖縄国税事務所）がある。さらに国税局のもとに全国に**税務署**が置かれている。納税地によって所轄の国税局および税務署が決定し，納税義務が履行されていく。納税地はこのような意義を有するのである。

　なお，納税地は，すでに成立し税額の確定した税のみについて関係があるものではない。たとえば，青色申告の承認申請書の提出のように，まだ成立していない税とも関係がある。

〔概　要〕

(2) このような意義を有する納税地は，具体的には個別の税法にそれぞれ定められている。法人税の納税地は，内国法人と外国法人の別にそれぞれ次のとおりである（法法16～17の2，法令16）。

（注34）　平川雄士講演「租税における『実務定説』の批判的検証」（租税研究，2019.10）141頁．

区　　　　分	納　税　地
内国法人	本店または主たる事務所の所在地
外国法人　国内に恒久的施設を有するもの	国内事業の事務所，事業所等の所在地
外国法人　不動産の貸付け等の対価を受けるもの	その対価にかかる資産の所在地
外国法人　その他のもの	その直前の納税地または麹町税務署の管轄区域内の場所

(注)　法人課税信託の受託者である個人の納税地は，所得税の納税地と同じである（法法17の2）。

ただし，法人の定めた納税地がその事業または資産の状況からみて，法人税の納税地として不適当であると認められる場合には，適当な納税地の指定をする。その納税地の指定は，指定納税地が国税局の管轄区域をまたがる場合は国税庁長官が，同一国税局の管轄区域内の場合は国税局長が，それぞれ行う（法法18，法令17）。

〔納税地の指定〕

(3)　内国法人の納税地は，本店または主たる事務所の所在地である。この場合の本店は，定款に定めたうえ登記された場所をいう。すなわち形式上の本店のことである。

　　形式上の本店は，営業活動の中心としての実態を備えている実質上の本店と異なる場合がある。この場合，形式上の本店を納税地とすると，適正な納税義務の履行が確保できないことも考えられる。

　　そこで，国税庁長官または国税局長が適当と認められる納税地を指定する，**納税地の指定**制度が設けられている。すでに述べた管理支配地主義の採用である。この納税地の指定制度は，昭和23年に法人税の調査の徹底と課税の適正とを期することを目的に設けられた[注35]。当時の，戦後におけるヤミ所得

(注35)　勝　正憲著『税〔昭和23年増補版〕』（千倉書房，昭和23）442頁．

を追及する厳重な調査を逃れるために本店を転々と移転する企業に対処する趣旨で設けられた，といわれている(注36)。
(4) なお，国税庁長官または国税局長が指定した納税地に不服がある法人は，再調査の請求または国税不服審判所長に対する審査請求をし（通法75①），さらに訴訟を提起することができる。ただし，これら争訟により納税地の指定処分が取り消された場合であっても，その取消しの時までになされた申告，申請，請求，届出，納付等の効力には影響を及ぼさない（法法19）。法的安定を図るためである。

1-6　課税所得の概念

〔所得源泉説と純資産増加説〕

(1) これまで主として法人税の手続的な面をみてきた。これからは，法人税の実体面をみていく。そこでまず，法人税の**課税所得**の範囲をどのようにとらえるか，という課税所得の概念をみておこう。

　租税は，納税者間における負担の公平を基本理念とする。公平とは，同一の条件にある者に対しては同一の取扱いをする，すなわち同一の負担を課すことである。ここで条件というのは，言葉を換えていえば**担税力**のことを意味する。その担税力の尺度を何に求めるかであるが，法人税は「所得」に求めている。法人税は所得を課税標準として課される税である（法法5）。

　法人に同一の条件を提示するためには，その課税所得の概念を明らかにする必要がある。課税所得の概念に関しては，伝統的に二つの考え方が主張されてきた。所得源泉説と純資産増加説とである。

(2) **所得源泉説**は，収入の元本は所得に含めず，毎年，継続的，規則的に労働，営業，資産などの所得源泉から生じる収入だけを所得とする考え方である。

（注36）　武田昌輔著『立法趣旨法人税法の解釈（平成10年度版）』（財経詳報社，平成10）43頁．

土地，株式等から生じるキャピタル・ゲインや保険，贈与等の一時所得のような臨時的，偶発的な所得は，所得の範囲に含めない。キャピタル・ゲインや一時所得については，その偶発的，非回帰的な性質から担税力がなく，所得概念から除外すべきであるというのである。それゆえこの説は，**限定説**ともいわれる。イギリスおよびフランスにおいて発展してきた。

　これに対して**純資産増加説**は，その発生原因を問わず，一定期間内の純資産の増加すべてを所得とする考え方をいう。キャピタル・ゲインや一時所得のような臨時的，偶発的な所得についても，所得の範囲に含めるのである。それゆえこの説は，限定説に対応して**包括説**とも呼ばれる。ドイツおよびアメリカにおいて主張されてきた考え方である。

(3)　所得源泉説と純資産増加説とのいずれが優れているかは，一概には決められない。課税所得をどのようにとらえるかは，課税の目的，財政需要の大小などに応じて種々の考え方があるからである。

　しかし，包括的な課税ベースを定義する純資産増加説の方が，負担の公平の観点からは適当であろう。特に，今日のように経済取引の高度化，国際化に伴い，所得の稼得形態や内容が多様化しているもとにおいては，継続性や反復性の概念自体があいまいになり，キャピタル・ゲインや一時所得と他の所得との区分も判然としない。課税所得を包括的にとらえなければ真の法人の担税力は測定できず，負担の公平が図れない，といえよう。

〔現行法の所得概念〕

(4)　それでは，現行法人税はどのような所得概念をとっているのであろうか。
　現行法人税の課税標準の最も基本であるのは，**各事業年度の所得**である。この所得に関しては，まずこの所得金額は，その事業年度の益金の額から損金の額を控除した金額とする，と規定されている（法法22①）。そして，あと益金の額と損金の額にはどのようなものが入るか，というその中身が定められているに過ぎない（法法22②③）。

　このように，現行法人税法は，所得の概念そのものを直接的には定めてい

ない。益金の額と損金の額との差額概念として所得の計算方法を規定しているだけである。しかし，益金と損金の中身をみてみれば，現行法人税がどのような所得概念を予定しているかがわかる。

そこで，その中身をみてみると，益金および損金には，資本等取引以外の取引にかかるすべての収益および費用が含まれることになっている。この結果，キャピタル・ゲインや一時所得のような臨時的，偶発的な所得もすべて課税所得になる。現行法人税は，純資産増加説の立場に立っているのである。

(5) しかし，純資産増加説の立場に立っているといっても，現行法人税が法人が稼得した所得をそのまますべて課税所得としてとらえているわけではない。今日の租税は，財政収入の確保を図るという本来の目的のほか，経済的，社会的な政策を達成するという役割をも担っているからである。それが端的に現れているのが租税特別措置である。

たとえば，新鉱床探鉱費等の特別控除（措法59〜61），各種の圧縮記帳（措法64，65の7等），収用換地等があった場合の所得の特別控除（措法65の2〜65の5の2）などは，純資産増加説からすれば所得でありながら，課税所得としてとらえられていない。

逆に，純資産増加説の考え方からすれば所得でないにもかかわらず，課税所得になっているものもある。交際費等の損金不算入（措法61の4），過少資本税制による負債利子の損金不算入（措法66の5，66の5の2）などである。

まさに純資産増加説が優れた租税理論だとしても，実際にそのとおり制度化され，執行される可能性は乏しく，理論と実際が乖離しているという批判が従来から存する[注37]。社会・経済情勢の変化に対応して，真に何が公平かということを基本から問う必要があろう。

このような状況からみると，課税所得の概念を所得源泉説か純資産増加説かといって論議すること自体，もはや陳腐化しているのかもしれない[注38]。

（注37） 宮島　洋著『租税論の展開と日本の税制』（日本評論社，1986）12頁.
（注38） 忠　佐市稿「課税所得の基本概念」（『税務会計体系第1巻』ぎょうせい，昭和59所収）86頁参照.

1-7　課税所得の計算原理

〔総　説〕

(1) 前述したところにより，抽象的な課税所得の概念は明らかになった。つぎはその課税所得を具体的にどのように計算し，数額化していくかが問題となってくる。

　法人税の具体的な課税所得の計算に関しては，いくつかの計算原理ないし解釈原理がある。①期間所得計算，②損益法による計算，③商事貸借対照表基準性の原則，④実質所得者課税の原則，⑤公正妥当な会計処理の基準，⑥確定決算基準などである。

　以下，これらの**計算原理**や解釈原理が現行法人税にどのように表れているかをみていくが，①に関してはすでに「1-4　事業年度」の項で述べた。すなわち，現行法人税の課税所得は，継続企業を前提に，事業年度という期間を単位に期間所得として計算されることを明らかにした。

　⑤と⑥の基準は，現行法人税を理解するために必須かつ重要なキーワードであるので，別に項を改めて検討する。ここでは，②と③と④について概観しておく。

〔損益法による計算〕

(2) 企業会計における期間損益計算の方法には，財産法と損益法の二つがある。

　まず**財産法**は，期首と期末の二時点の純財産額を算出し，両者の差額として損益を計算する方法をいう。その純財産額を算出するためには資産と負債の実地調査が必要である。

　これに対して**損益法**は，一期間の収益から費用を差し引いて損益を計算する方法である。会計帳簿の記録から収益，費用を把握し損益を決定する。今日の企業会計は，損益法によっている。もっとも，期末商品の実地棚卸しなど財産法の助けを借りている場面もある。

法人税の課税所得も財産法または損益法により計算することができる。事実，わが法人税も戦前は財産法的な考え方であった。しかし，現行の法人税は損益法によっている。損益法は，シャウプ勧告に基づく昭和25年の税制改正以来の考え方で，昭和40年の全文改正後の法人税法に受け継がれ，今日に及んでいる。

(3) 昭和40年改正前の法人税法では，課税所得は「各事業年度の総益金から総損金を控除した金額による。」と規定されていた。そして，その取扱通達で，総益金とは，資本の払込以外において純資産増加の原因となるべき一切の事実をいい，総損金とは，資本の払戻しまたは利益の処分以外において純資産減少の原因となるべき一切の事実をいう，と解されていた（旧基通五一，五二）。

この通達の「純資産増加」または「純資産減少」という言葉をとらえて，税法上の所得計算は財産法である純資産増加説によっている，という議論もあった。しかし，この通達は益金または損金の概念を端的に定義したものであって，現在でもその概念は立派に通用する。したがって，この通達をもって財産法というのは当たらない。

(4) 現行法人税の課税所得は，「当該事業年度の益金の額から当該事業年度の損金の額を控除した金額」である（法法22①）。この益金とは資本等取引以外の取引による収益をいい，損金とは原価，販売費・一般管理費等および損失をいう（法法22②③）。益金または損金は，たとえば，期間帰属を明らかにするため収益，費用は繰延べと見越しにより計算される。また，損金には減価償却費や引当金・準備金の繰入額が含まれる。このような点からみて，現行法人税は明らかに損益法によっているのである。もちろん，企業会計と同じく期末商品の棚卸しなどは財産法の手法に依存している部分がある（基通5－4－1参照）。

(5) 最近，会計基準の国際的統一化のためのコンバージェンスが進み，ＩＦＲＳ（国際財務報告基準）の導入論議が盛んである。そのＩＦＲＳにおいては，企業利益を株主たる所有者の持分の変動額とし，包括利益概念で把握する方向性にある。すなわち，企業利益を単なる収益と費用との差額とする収益費

用アプローチだけでなく，資産負債アプローチによる金融商品の時価評価損益などを含めた包括的なものとして計算する。

　これは，損益計算書よりも貸借対照表を重視する，いわば財産法により利益を計算するのに近い考え方といえよう。今後，わが国企業会計へのIFRSの導入論議に注目して，やっかいな問題ではあるが，法人税の課税所得概念に与える影響や今後のあり方などについて検討し，議論を尽くしていく必要があろう(注39)。

〔商事貸借対照表基準性の原則〕
(6)　法人税の課税所得をどのように計算するか，という手法に関しては，上述の財産法か損益法かという議論のほか，別の観点から次のような議論が存する。

　すなわち，課税所得は，どの程度商事貸借対照表（すなわち企業会計）に依存して計算されるかという問題である。主としてドイツで議論されてきた問題で，これには三つの考え方がある(注40)。

　まず，一つの考え方は，商事貸借対照表とは完全に独立した税法独自の貸借対照表を作成して課税所得を計算する，というものである。商事貸借対照表は債権者保護と企業維持を目的に保守的に作成される傾向があるから，課税の適正・公平を確保するためには，租税目的の貸借対照表が別途作成されなければならないという。したがって，この考え方によれば，税法に課税所得計算のための網羅的，完結的な規定を置いて，企業利益と関係なく，税法独自に課税所得を計算することになる。これを**税務貸借対照表説**という。

(7)　つぎに，二つめの考え方は，税法独自には貸借対照表を作成せず，商事貸借対照表で計算される利益をそのまま課税所得にするというものである。企業の存続期間における全利益（全体利益）は，時が経過すれば結局のところ

(注39)　日本租税研究協会編『企業会計基準のコンバージェンスと法人税法の対応』（日本租税研究協会，平成23）4頁。
(注40)　品川芳宣著『課税所得と企業利益』（税務研究会，昭和56）148頁。

商事上も税務上も同一の結果になるから，各事業年度の所得計算は法人の自治にゆだねるべきであるという。特に減価償却費の計算などは，耐用年数が経過すれば同じになるというのである。これを狭義の**商事貸借対照表説**と呼ぼう。

　さらに，三つめの考え方は，企業利益と課税所得は基本的に同じものであるから，商事貸借対照表の利益を基礎に課税所得を計算すればよい，というものである。商事貸借対照表に対する信頼感を基礎に，税務と企業会計との異なった取扱部分だけを調整すればよいという現実的手法である。この考え方によれば，税法には企業会計と税務上の取扱いが異なる事項だけを規定すれば足り，網羅的，完結的な規定は不要である，ということになる。これを**結合貸借対照表説**と呼ぶが，広義にはこれも商事貸借対照表説である。このように，商事貸借対照表に依存し，これを基準に課税所得を計算する考え方を**商事貸借対照表基準性の原則**という。

(8) 税務貸借対照表説と狭義の商事貸借対照表説は，観念的，理想的に過ぎ，実行可能性に乏しい。特に狭義の商事貸借対照表説は，貸借対照表の作成方法いかんにより課税に著しい不公平が生じ，非現実的である。

　問題は結合貸借対照表説であるが，いくら税務貸借対照表といっても，現行のような課税所得を前提とする限り，税法に網羅的，完結的な規定をすること自体不可能と考えられ，どうしても企業会計に依存せざるを得ない。税務貸借対照表の作成に当たり，商事貸借対照表とその作成の原則を無視して，全く独自にこれを決定することはできない。必ず商事貸借対照表をまず作成し，次に税務貸借対照表が誘導的に作成されるはずである[注41]。そのような意味で，結合貸借対照表説は，実際的，現実的な手法であり，実行可能である。

　現行の法人税が結合貸借対照表説（広義の商事貸借対照表説）の考え方に

（注41）　黒澤　清・湊　良之助・宮坂保清共著『企業会計と税務会計』（日本税経研究会，昭和27）17頁参照．

立っているのは明らかである。すなわち，課税所得の計算に関する規定は網羅的，完結的でなく，企業会計と取扱いの異なる事項だけが定められ，課税所得は企業利益から誘導的に計算される仕組みとなっている。企業会計と取扱いの異なる事項が**別段の定め**（法法22②③）であり，商事貸借対照表の利益に別段の定めによる調整を加えれば課税所得が計算される。

(9)　ところで，租税の経済的，社会的な政策達成に果たす役割が高くなると，企業会計と税務との乖離が著しくなってくる。特に平成10年の法人税制改革による引当金制度の廃止・縮小や減価償却方法の制限等の傾向をみると，その感が強い。一方，実業界でも，平成11年度から企業会計と課税所得計算との相違に基づく法人税等を適正に期間配分するための**税効果会計**が導入されたので，企業会計と税務とは乖離してよい，という意見も少なくない[注42]。

　そうすると，むしろ法人税独自に税務貸借対照表を作成した方が手っ取り早い，ということになる。後述する確定決算基準に関して，最近「確定決算基準からの離脱」という議論があるが，その議論と軌を一にする。そのときには税務貸借対照表説が現実味のあるものとなるが，実行はなかなかむずかしいであろう。企業にとっては計数管理等が二重になって，実務的な混乱が生じかねない。

〔実質所得者課税の原則〕

(10)　すでに繰り返し述べたように，法人税の課税標準は「所得」である。このような所得に対する課税に当たっては，その所得が形式的にも実質的にも一人の所得者に帰属していることが前提となる。

　ところが，現実の経済取引にあっては，種々の理由により形式上と実質上の所得者が異なっていることが少なくない。たとえば，名義株がそれである。かつての自己株式の取得禁止や独占禁止法上の制約から法人自身が株式を保

(注42)　日本租税研究協会「税制についての租研会員の意見調査結果」（平成12.10）9頁．

有できない場合，その役員や使用人の名義で保有する例がある。このような株式を**名義株**というが，その名義株から生じる配当を誰に帰属するものとするかが問題である。

(11) 法人税に限らず，およそ人の稼得した所得を課税標準とする**人税**においては，**実質主義**（ないし**実質課税の原則**）と呼ばれる原則がある。

実質主義とは，税法の解釈適用に当たり，法形式よりも経済的な実質を重視して課税所得の算定を行う考え方をいう。法形式と実質とが一致しない場合に，法形式を重視するあまり所得のないところに課税したり，逆に実質的に所得がありながら課税を免れることのないようにするためである。租税の公平負担の原則に支えられている。

課税所得は経済的な利益の増加というすぐれて経済的な概念であるから，法律的側面よりも経済的な側面から取引を観察するのである。それゆえ，実質主義はまた**経済的観察法**ともいわれる。

(12) この実質主義が法人税法に具体的に表れているのが，**実質所得者課税の原則**と題する第11条である。その第11条では「資産又は事業から生ずる収益の法律上帰属するとみられる者が単なる名義人であって，その収益を享受せず，その者以外の法人がその収益を享受する場合には，その収益は，これを享受する法人に帰属するものとして，この法律の規定を適用する。」と定めている。この規定は，創設的なものではなく，租税法に内在する基本原則を宣言したものであると解される。

所得の帰属者について「単なる名義人」と「収益を享受する法人」とがある場合には，収益を享受する法人に課税するというのである。名義株の例でいえば，実質の所有者である法人がその株式を有し，また，配当を受けたものとして課税関係を律していく（基通1－3－2，1－3の2－1，3－1－1）。

(13) この第11条の解釈については，二つの考え方がある。一つは，資産や取引の名義人と私法上の真実の権利者とが異なる場合に，真実の権利者に帰属するものとして課税する趣旨であるという考え方である。これを**法的帰属主義**と呼ぶ。

いま一つは，**経済的帰属主義**といわれるものである。これは，資産や取引の私法上の権利者と経済的な収益の享受者とが異なる場合に，経済的な享受者に課税する趣旨であるという考え方である。

文理的にはどちらの解釈も可能である。しかし，経済的帰属主義をとると，納税者の立場からは，法的安定性が害されるという批判があるし，税務行政の見地からは，経済的に帰属を決定することは実際上多くの困難を伴うという批判があり得る。その意味で，法的帰属主義が妥当な解釈であるといわれる(注43)。

〔信託財産の収入・支出の帰属〕

(14) いま一つ実質主義が法人税法に表れているのが，信託財産にかかる資産・負債と収益・費用に関する取扱いである。

信託とは，信託契約等により，特定の者が一定の目的に従い財産の管理または処分その他の目的達成のために必要な行為をすべきものとすることをいう（信託法1）。財産の名義人は受託者となるが，その信託の利益はもっぱら受益者が受ける。

これもまた法形式と実質が異なる例であり，形式どおりに解すれば信託財産から生じる収益・費用はいったん受託者に帰属することになる。しかし，信託はそもそも財産の所有および管理とその収益・費用を分離しようとする制度である。しかも，受託者は管理手数料としての信託報酬を得ることはあっても，その信託財産から生じる収益・費用そのものは得ていない。

(15) そこで実質主義の観点から，信託の受益者は，信託財産に属する資産・負債を有するものとみなし，かつ，信託財産に帰せられる収益・費用は，受益者の収益・費用とみなして，課税関係を処理する（法法12）。

もっとも，集団投資信託，退職年金等信託，特定公益信託等または法人課税信託については，この限りでない。これら信託は，たとえばその利益が直

(注43) 金子　宏著『租税法』（弘文堂，昭和51）140頁．

ちに受益者に分配されるか、または証券化されて転々流通しており、課税の機会が確保されているからである。

また、法人課税信託は、平成19年の税制改正により、法人税の課税対象とされた（法法4の6）。

1-8　公正妥当な会計処理の基準

〔導入の経緯〕

(1) 法人税の課税所得は、その事業年度の益金の額から損金の額を控除した金額である（法法22①）。この場合の益金の額に算入すべき収益の額と損金の額に算入すべき原価、費用、損失の額は、別段の定めがあるものを除き、一般に公正妥当と認められる会計処理の基準に従って計算しなければならない（法法22④）。これが**公正妥当な会計処理の基準**であり、課税所得計算の基本原理となっている。

(2) 法人税法の全文改正後の昭和40年当時、その改正後の益金または損金の明確化を図るため、その内容に関して細部にわたる数多くの取扱通達が出された。法令の細密化とともにその通達が年々膨大となる傾向にあったため、税制および税務行政の簡素化が問題となった。

　この問題の一環として、課税所得の計算の簡素化につき企業会計審議会でも検討が行われた。その結果、同審議会は、「たとえば、法人税法の課税標準の総則的規定として、『納税者の各事業年度の課税所得は、納税者が継続的に健全な会計慣行によって企業利益を算出している場合には、当該企業利益に基づいて計算するものとする。納税者が健全な会計慣行によって企業利益を算出していない場合又は会計方法を継続的に適用していない場合には、課税所得は税務官庁の判断に基づき妥当な方法によりこれを計算するものとする。』旨の規定を設けることが適当である。」と提言した[注44]。

(3) また、税制調査会からは、次のような答申がされた。すなわち、「課税所得は、納税者たる企業が継続して適用する健全な会計慣行によって計算する

旨の基本規定を設けるとともに，税法においては，企業会計に関する計算原理規定は除外して，必要最少限度の税法独自の計算原理を規定することが適当である。」と(注45)。

これらの提言や答申をうけて，この基準は，昭和42年の税制改正により法人税の課税所得計算の基本原理として導入された。

〔基準の性格〕

(4) このようにして法人税に公正妥当な会計処理の基準が導入されると，その性格や趣旨をめぐっていろいろな議論が行われた。税に対する企業会計の優位性が確立したといった論調もあり，なかには「ついに税は会計の軍門に降った」というようなコメントまであった。

しかし，この基準の導入はそれほど大げさなことなのであろうか。

もともと法人税の課税所得は企業利益に依存しているのであるから，公正妥当な企業会計の慣行にゆだねている部分が多く，税がその慣行を尊重するのは当然のことである。このことは基準の導入前と導入後でなんら変わるところはない。この基準の導入は，従来にない全く新しい原理を取り入れたということではなく，単に従来からの考え方を確認ないし宣言したに過ぎない，といえよう。したがって，この基準は確認的ないし訓示的なものであって，創設的なものではない。むしろ現在では，当たり前であるとして，この基準の廃止論すらある。

(5) ただ，この基準が法定されたことにより，課税所得と企業利益は原則として一致すべきものであることが，法的に根拠づけられ一層明確にされた。税制の簡素化に寄与することが大いに期待されている。したがって，課税実務に当たっては，もちろん税の論理も重要ではあるが，いたずらに税の論理だけを振りまわすことなく，従来以上に企業会計との調和に留意した解釈に努

(注44) 企業会計審議会中間報告「税法と企業会計との調整に関する意見書」(昭和41.10.17)．
(注45) 税制調査会「税制の簡素化についての第一次答申」(昭和41.12)．

める必要があろう。このような観点からすれば，この基準は実質的意味を有している。

　平成30年の税制改正により，資産の販売等に係る収益の額は，目的物の引渡しまたは役務の提供の日に計上するものとする，収益計上時期の原則が定められた（法法22の2①）。ただし，一般に公正妥当な会計処理の基準に従って，資産の販売等に係る契約の効力が生ずる日など，目的物の引渡しまたは役務の提供の日に近接する日に収益計上することもできる（法法22の2②③）。

　これらの改正は，収益認識会計基準の制定に伴い行われたものであり，公正妥当な会計処理の基準が，個別具体的に作用する点に留意を要する。

〔基準の内容〕

(6)　そこで，企業会計との調和に留意するとすれば，「一般に公正妥当な会計処理の基準」とは何か，というその内容が問題となる。

　一般に公正妥当な会計処理の基準というのは，「企業会計原則」や会社法の計算規定のことではないか，という意見がある。確かに企業会計原則は，企業会計実務の慣習のうち，一般に公正妥当と認められるものを要約したものではある（会計原則前文）。しかしながら，法人税でいう公正妥当な会計処理の基準は，企業会計原則そのもののことをいっているわけではない。また，会社法のことでもない。

　法人税でいう公正妥当な会計処理の基準は，客観的な規範性を持つ公正妥当と認められる会計処理の基準という意味であり，具体的に文章化された基準があることを予定しているものではない[注46]。したがって，企業会計の実務のなかでただ単に慣習として一般に行われているというだけでは足りず，客観的な規範にまで高められた基準でなければならないのである。

　そのような意味では，「企業会計原則」や会社法の具体的内容を成してい

（注46）　国税庁編『昭和42年　改正税法のすべて』76頁．大阪高判平成3.12.19税資187号419頁．

る会計処理の基準は，おおかた法人税の公正妥当な会計処理の基準に入るといってよいであろう。ただ判例では，現に法人のした利益計算が法人税法の企図する公正な所得計算としての要請に反するものでない限り，課税所得の計算上もこれを是認するのが相当であるといっている(注47)。

(7) 企業会計原則や会計実務のなかにおいてまだ公正妥当な会計処理の基準が確立していない事項については，今後の実務の取扱いや裁決例，判例などの積み重ねにより，会計慣行として規範化していかなければならない。

　最近，企業会計においては，リース会計基準，研究開発費会計基準，退職給付会計基準，税効果会計基準，金融商品会計基準，減損会計基準，企業結合会計基準，棚卸資産評価会計基準，資産除去債務会計基準，収益認識会計基準が次々に制定された。これらの会計基準は，基本的に公正妥当な会計処理の基準といってよい。

(8) ただ，会計基準のなかには，公正妥当な会計処理とはいえないとされたものがみられる。不動産流動化実務指針（日本公認会計士協会・会計制度委員会報告第15号）における金融取引の処理である。

　その不動産流動化実務指針によれば，不動産が法的に譲渡され，資金が譲渡人に流入している場合であっても，リスク・経済価値アプローチにより，リスクと経済価値のほとんどすべてが他の者に移転していると認められないときは，不動産の譲渡取引を金融取引として会計処理する。

　土地，建物の信託にかかる受益権が法的に譲渡され，対価を現に収入している場合においても，リスク負担割合等からみて有償による信託受益権の譲渡と認識せず，収益の実現があったものとはしない。このような取扱いを定めた同指針は，法人税法の公平な所得計算という要請とは別の観点から定められたもので，一般に公正妥当と認められる会計処理の基準には該当しない，とされた(注48)。

　また，法人税においては，リース会計基準や研究開発費会計基準，金融商

(注47)　最高判平成5.11.25民集47巻9号5278頁．
(注48)　東京高判平成25.7.19訟務月報60巻5号1138頁．

品会計基準，棚卸資産評価会計基準，収益認識会計基準のように同じ方向性のものもあるが，退職給付会計基準や減損会計基準，資産除去債務会計基準とは基本的な考え方を異にしている。今後は，これら会計基準との調整が理論と実務の両面から検討課題となってこよう。

1-9 確定決算基準

〔確定決算基準の意義〕

(1) 法人税の課税所得の計算原理の一つとして，確定決算基準（または確定決算主義）がある。

確定決算基準とは，確定した決算に基づいて課税所得金額を計算し，申告納税をする方式をいう。その確定決算基準は，実定法上は「法人は，各事業年度終了の日の翌日から2月以内に，税務署長に対し，確定した決算に基づき申告書を提出しなければならない。」という規定（法法74①）に由来する。「確定した決算に基づき」というのは，課税所得金額の計算上，益金の額または損金の額に算入し，あるいは算入しないためには，確定した決算において所定の経理を要するということである。

(2) 具体的には，「損金経理」の要件がその一つである。**損金経理**とは，法人が確定した決算において費用または損失として経理することをいう（法法2二十五）。したがって，法人税法上，損金経理の要件が付されている事項については，確定した決算において費用または損失として経理しなければ，課税所得金額の計算上，損金算入はできない。たとえば，減価償却費の損金算入は損金経理が要件であるから（法法31），減価償却費は，確定した決算に償却費として計上しない限り損金にならないし，仮に計上したとしてもその計上した金額を限度として損金になる。

また，確定した決算において積立金として積み立てる方法による経理をした場合には，損金の額に算入するとされている事項がある（法法42①，措法64①等）。圧縮記帳がそれであり，圧縮損を損金とするためには，確定した決

算において積立金経理をしなければならない。

　この損金経理要件については，企業の自主的経理を阻害してるので，廃止を含め弾力的に見直す措置を講ずることが望まれるとの意見がある[注49]。

〔確定決算の意義〕
(3)　そこで，そもそも確定した決算とは何か，というその意義が重要になる。

　確定した決算とは，伝統的に，その事業年度の決算につき株主総会の承認，総社員の同意その他の手続による承認があったその決算をいうものと解されている（旧基通三一四）。

　会社の取締役は計算書類（貸借対照表，損益計算書，株主資本等変動計算書，個別注記表）および事業報告を定時総会に提出して，事業報告はその内容を報告し，計算書類はその承認を受けなければならない（会社法438）。

　ただし，会計監査人設置会社については，取締役会の承認を受けた計算書類が法令および定款に従い会社の財産および損益の状況を正しく表示していると認められる場合には，株主総会の承認を要せず，取締役がその内容を株主総会へ報告するだけでよい（会社法439）。これは決算の確定権を株主総会から取締役に移したものといえよう。

　このような手続を経て承認された決算が確定決算である。法人税法の確定した決算は，基本的に会社法における決算確定の手続を前提としている。
(4)　確定した決算に対する上記の解釈は，最高の意思決定機関である株主総会の承認（または株主総会への報告）があって最終的に決算は確定するから，その決算の結果を課税所得計算の基礎にするのが最も適している，という考え方である。

　このような解釈に対して，法人税法の確定した決算とは，税務上の調整を加えることのみによって，直ちに確定申告の内容を形成し得る程度に確定性

（注49）　日本公認会計士協会租税調査会研究報告第20号「会計基準のコンバージェンスと確定決算主義」（平成22．6．15）．

を持つものとして作成された決算という実体法的な概念であって，商法（会社法）計算規定による実体的真実を表示する決算と同一のものである，という見解がある。決して株主総会の承認等を得た決算，といった単なる形式上の手続法的な概念ではないとされる(注50)。この考え方は，今日のような中小企業の株主総会が形がい化している状況のもとにおいては，その実態によく合致する。

(5) しかし，法人税法の確定した決算は，理論的にはあくまでも上述のような手続法的な概念であるといわざるを得ない。確定申告書の提出期限に関して，会計監査人の監査を受けなければならないこと，所定の時期までに定時総会が招集されないことなどにより決算が確定しない場合には，その提出期限の延長が認められていることも（法法75の2①），その証左である。

中小企業の株主総会のあり方はもっぱら会社法の問題であって，そのことによって実定法の理論的解釈が左右されるのは適当でない。それはもはや会社法や税法の立法の問題であろう。

実定法の「確定した決算に基づき」という意味は，確定した決算の利益金額を出発点として課税所得金額を計算するということである。会社法上の実体的真実と形式的真実が異なっていれば，申告調整により一致させれば済む。その申告調整を限界づけるのが上述の経理要件である。

〔確定決算の不存在と申告の効力〕

(6) このように，確定した決算の意義を手続法的な概念であると解すると，満足に株主総会を開いていないと考えられる中小企業の確定申告は，確定した決算に基づかない違法なもの，ということにもなる。今日の株主総会の実態とどのように調和を図ったらよいだろうか。

実務的には，中小企業といえども，議事録の作成など形式的な開催手続にやや問題があるものの，実体的には株主総会は開催されている，と認定でき

(注50) 新井隆一著『税法の原理と解釈』（早稲田大学出版部，昭和42）19頁.

よう(注51)。中小企業は株主数も少なく，かつ，株主と役員が同一であることが多いから，役員会などが開かれれば，それが株主総会であるとしてもあながち不合理ではない。案外それが中小企業の実態に合致していると考えられるし，そのうえでなお株主総会の開催がないといい募るのもむずかしい。それで大部分は解決する。

(7) しかし，それは事実認定による実務的な解決法に過ぎず，理論的な問題は残る。それでもなお株主総会がなく確定した決算に基づかない申告がある場合のその効力いかん，という問題である。

「確定した決算に基づき」という規定（法法74①）を申告それ自体の効力要件と解すれば，確定した決算に基づかない申告は無効として無申告になる。旧法人税法（昭和22.3.31法律28号）のもとにおいては，「確定した決算に基かない申告書を提出した場合には，法第18条又は第21条（現行法第74条に相当）の規定による申告書とはならないのであるが，当分のうちその申告書提出後その計算について株主総会の承認または総社員の同意を得た旨を所轄税務署長に届け出たときは，法第18条又は第21条に規定する申告書の提出があったものとみなす。」という取扱いがされていた（旧基通三一六）。これは，確定した決算に基づくことが申告の効力要件である，ということであろう。

(8) しかし，確定した決算に基づかない申告であるとしても，申告という事実行為は存在する。したがって，あらゆる場合に無申告になると解するのはやや疑問が残る。

判例でも，中小企業においては，株主総会等の決議を経ることなく，代表者や会計担当者等のみで決算が組まれ，申告がなされているのが実情である。このような実情のもとでは，株主総会等の承認を効力要件とすることは実体に即応しないというべきであるから，株主総会等の承認を経ていない決算書類に基づいて確定申告が行われたからといって，その申告が無効となると解

（注51） 東京地判昭和54.9.19税資112号1269頁，国税不服審判所裁決平成5.4.19裁決事例集No.45・213頁参照。

するのは相当ではない，とするものがある(注52)。

　ただ，損金経理や積立金（剰余金処分）経理を要件として損金算入される事項は，確定した決算を欠くためその損金算入は認められないことになるかもしれない。これに対して，売上げ，仕入れ，経費の支払といった外部取引は，その生じた客観的事実を根拠にして益金または損金になるから，確定した決算には拘束されない。すなわち，確定した決算の不存在や経理のいかんにかかわらず，事実に従って益金または損金の額が計算される。

〔確定決算の修正の可否〕

(9)　確定した決算をめぐる実務上のもう一つの問題は，確定した**決算の修正**の可否である。たとえば，もともと税法限度額に満たない額で減価償却費や引当金を計上して決算を組み，その決算に基づいて申告をしたにもかかわらず，その後その決算を修正して減価償却費や引当金を増額計上した場合，その増額分の損金算入が認められるか，という問題である。税務調査によって売上計上漏れなどの問題点が指摘されると，決算を修正して当初計上していなかった部分の減価償却費や引当金の損金算入を主張するような事例が多々みられる。

(10)　そこでまず，法的に確定した決算の修正ができるかどうかが問題になる。

　違法な手続，方法によって承認された決算やその内容に重大な粉飾がある決算は，当然にその修正が認められよう。

　しかし，適法な手続，方法によってすでに確定した決算が修正できるかどうかについては，旧商法下においては積極，消極の両説があった。積極説は，決算の確定を厳格に解する必要はなく，一度確定した決算に正当でない点が発見されたときは，株主総会はのちにおいて前の承認決議を撤回できるという。これに対して消極説は，株主総会が前の定時総会で適法な手続，方法で承認した決議を撤回することはできないとする(注53)。これらが旧商法の考え

(注52)　福岡高判平成19．6．19訟務月報53巻9号2728頁．

方である。

(11) 法人税法上の確定した決算は株主総会の承認を受けた決算である，と解されていることは上述のとおりである。そうすると，法律的に，確定した決算の修正が認められれば，法人税法上もこれに従うことにならざるを得ないであろう。

　しかし，法人税法上，株主総会において決算修正の承認決議があると無条件にその修正が認められるというのは，いささか問題がある。今日の中小企業における株主総会は形がい化し，有名無実であるから，決算修正の形式を整えるのは容易である。その結果，上述した例における減価償却費や引当金なども，簡単にその金額を変更できることになる。

　このような，一度確定した決算を容易に変更できるといった便利さを生じさせることは適当でない。損金経理などの経理要件の趣旨を没却し，課税の安定性を阻害するからである。そのため，会社の納税上の便宜などの内部的な事由によって任意に決算を修正し，または故意，過失により帳簿書類に誤謬や不合理な点があったことを理由として決算を修正しても，これを認めないということが伝統的に考えられてきた(注54)。

(12) 法人税法上，確定した決算の修正には一定の制限を加えるのである。たとえば，①決議無効や決議取消しの訴えに基づく決算の変更または②行政官庁の命令など特別の事由に基づく決算の変更に限って，これを認めるものとする。外部的・客観的な事由による修正は認めるが，単なる内部的・主観的な事由による修正は認めないのである。法人税の実務はこの考え方によっており，判例や裁決例でも支持されている(注55)。

　この考え方は，現在の企業における株主総会の実態や課税の安定性を考慮

(注53) 服部栄三稿「計算書類の承認」(『注釈会社法(6)』有斐閣，昭和45所収) 42頁，倉沢康一郎稿「計算書類の報告・承認」(『新版注釈会社法(8)』有斐閣，昭和62所収) 82頁．
(注54) 片岡政一著『會社税法の詳解』(文精社，昭和18) 314頁．
(注55) 大阪地判昭和62．9.18税資159号638頁，国税不服審判所裁決昭和59．7．4裁決事例集No.28・241頁，国税不服審判所裁決平成元．4.28裁決事例集No.37・165頁．

すれば，合理性のあるものといえる。自由自在な決算の修正を認めるのが適当でないことは，誰しも異論のないところであると考えられるからである。

ただ，決算修正のすべてに外部的・客観的な事由を要するかどうかは，個々の事案の処理に当たっては考慮の余地があろう。たとえば，減価償却費について，その計算明細書では正当に1234と計算しているのに，決算書への表示に当たって単純ミスから一桁だけ位取りを誤り123としたため，1111過少になっていたという事例がある。この事例において決算修正の可否が問題となった。このような事例においては，決議取消しの訴えなどなんらかの法的手段はとれるであろう。しかし，仮にその訴えがない場合に，単に訴えがないとして決算の修正を認めない，といえるだろうか。大いに議論があると考えられる。

⒀　最近，企業会計では，過年度損益の修正に関する会計基準が制定された（注56）。この会計基準では，会計方針の変更や過去の財務諸表に誤謬が発見された場合には，新たな会計方針やその誤謬の訂正を過去の期間に遡及して適用する。具体的には，財務諸表の表示期間より前の期間に関するその累積的影響額は，その表示する財務諸表のうち，最も古い期間の期首の資産，負債および純資産の額に反映させる。また，表示する各期間の財務諸表には，その各期間の影響額を反映する。

このような会計上の過年度遡及修正は，過去の確定した計算書類の修正ではなく，確定手続という制度的制約がない財務諸表の過年度の遡及的修正であると解されている（注57）。このような会計基準が定着してくると，税務上，確定した決算の有効性とその修正の可否，それに伴う修正申告の要否や更正の請求の可否といった問題を整理し，検討する必要がある。

（注56）　企業会計基準委員会「会計上の変更及び誤謬の訂正に関する会計基準」（平成21.12.4）。
（注57）　小松岳志，渋谷　亮，和久友子稿「会社法における過年度事項の修正に関する若干の整理」旬刊商事法務No.1866（2009.5.25）20頁。

〔確定決算基準の是非〕

⑭　これまでは現行確定決算基準を前提としていくつかの問題点を検討した。しかし，従来から確定決算基準そのものの是非について議論がある。特に，最近では「確定決算基準からの離脱」ということがいわれている。以下，この点をみていこう。

　確定決算基準は，課税所得計算は企業会計に依存するといいながら，企業経理を規制している面がある。法人税が確定決算基準を採用している結果，企業が租税をできるだけ節約しようとするのは当然の行動であるから，いきおい企業経理は税法の基準に合うよう処理する傾向が出てくる。このような傾向は，今日の企業，特に中小企業においてはもはや構造的なものである。

　たとえば，償却費について，設備の実態からみて企業会計上100が相当ならば税法限度額が120であっても100を計上すればよい。ところが，法人税が確定決算基準をとっているため，120を損金経理することになる。

　特に，この問題は，平成19年の税制改正により，減価償却の方法として，いわゆる250％定率法が認められたこと（法令48の2①一イ）から，議論が再燃している。250％定率法は，加速的に償却を行うものであるから，企業はその償却費負担に耐えられないという。

⑮　企業会計は健全な会計慣行による経理である限り，個々の企業の自主的経理が最大限に尊重される。このような企業会計の立場からすれば，上記のような傾向は望ましいことではない。そのため企業からは規制をできるだけゆるめて欲しい，という要望が根強い。新税法調整意見書では，「税法の各種の規制は，企業会計をゆがめ，また企業の実体に即応しない結果を生ぜしめるので，これを大幅に緩和することとし，可能な限り課税所得の計算を，継続性を重視した企業の自主的判断に基づく適正な会計処理にゆだねることとするのが適当である。」といっている（総論，一2⑶）。

　このような観点から企業の自主的判断にゆだねるとすれば，損金経理要件は不要ということになろう。上記事例の償却費について損金経理の要件がなければ，企業経理で100を計上し，残り20は申告調整で損金にすることがで

き，企業経理は税の影響を受けない。

　また近時，企業の国際化に伴い企業会計の世界標準化が指向されている。そこで，「インターナショナルに調和を目指す財務会計基準を，ナショナルな性格を持つ税法基準に合わす発想はもともと無理である。」との指摘がある。したがって，今後は損金経理によるしばりを緩和して，全面的に申告調整を可能にする方式を検討すべきであるという(注58)。

(16)　以上は企業会計の側からの「確定決算基準からの離脱」の議論であるが，税の立場からの主張もされている。特に，最近唱えられているものである。

　税務会計は税収の確保が前提であり，また近年，租税の社会的・経済的な政策達成に果たす役割が高くなったことに伴い，特別償却や投資税額控除など税独自の制度が多くなっている。そのため企業会計と税の取扱いが離れていく傾向が強い。そうすると税が企業会計に依存する必要性は薄らいでくる。企業会計原則と税務会計基準は本来目的が違い，あるいは性格が違うものであれば，両者を切り離して両者でそれぞれの目的を追求する自由度を持った方がむしろ望ましい。税務会計の方が申告調整主義的な発想でもう少し自由度を持って対処していった方が早道ではないかという(注59)。

　また，最近，会計基準の国際的コンバージェンスの観点から，ＩＦＲＳ（国際財務報告基準）の導入が議論されている。そのＩＦＲＳが導入された場合には，確定決算基準も見直しを余儀なくされるかも知れない。ＩＦＲＳの利益概念と課税所得とを一致させることは，かなり難しいと考えられるからである。

　さらに，企業会計には経理処理の原則はあるが，それは必ずしも具体的な処理基準となっていない。それに比べれば，税の処理基準は，画一性と明確性を求めるため具体性がある。企業実務を処理するにはもちろん具体性のある方がよい。そこでむしろ企業会計の方が税の取扱いに合わせるべきではな

（注58）　中田信正著『財務会計・税法関係論』（同文舘出版，平成12）261頁．
（注59）　宮島　洋稿「税務論から見た確定決算主義と申告調整主義」租税研究No.528
　　　　（平成5.10）47頁，税制調査会報告「法人課税小委員会報告」（平成8.11）．

いか，といういわゆる**逆基準性の原則**の主張が出てくる。

⒄　これが最近の確定決算基準からの離脱の議論である。このような議論をどのように考えるかは，確定決算基準を採用することの功罪を検討しなければならない。

　　現行法人税が確定決算基準を採用しているのは，端的には税務上の便宜によるものである。課税所得は企業利益と基本的に同一のものであるから，健全な会計慣行により処理されることが前提とされている企業会計の数値を信頼し，これに依存するのが便利なわけである。企業にとっては二度手間が省けるし，税務当局にとっても税務調査の手数が大幅に節約できる。

　　税務が企業会計に依存する必要性は薄らいでいるといっても，それは従来と比較すればということであって，絶対的にはまだ企業会計と同じ取扱いの方が多い。それを企業会計から脱却して税独自にすべてを手当てするとしても，相当にむずかしいし不可能ですらある。このような観点からしても，逆基準性の原則の主張には無理がある。

　　また，企業会計のいう自主的経理の尊重はそのとおりであるが，税の立場からすれば，課税の公平上問題がある。同一の状況にある法人であっても，経理処理いかんにより租税の負担が異なってくる。

　　このような利点のある確定決算基準を廃止するかどうかは，慎重な検討を要するであろう。その場合，確定決算基準の維持か廃止かという二者択一的な問題ではなく，あくまで程度の問題としてとらえるのが合理的であると考えられる[注60]。

　　特に，損金経理要件に関しては，たとえば償却費や引当金・準備金は税法で損金算入限度額が定められているから，損金経理要件は廃止し，評価損や貸倒損失は損金算入額が一義的でないので，損金経理要件を維持する，といった選択肢があろう[注61]。

（注60）　坂本雅士稿「会計基準の国際的統合化と確定決算主義」(『企業会計基準のコンバージェンスと会社法・法人税法の対応』日本租税研究協会，平成22所収) 118頁．

1-10　税務調整

〔総　説〕

(1) 法人税の課税所得は、確定した決算上の企業利益を基礎に計算される。しかし、企業会計と法人税との間には取扱いの異なる事項が少なくない。そこで企業利益を出発点として課税所得を計算するためには、企業利益に所要の調整を加える必要がある。この調整を税務調整という。

　税務調整は、①決算調整と②申告調整との二つに大別され、申告調整はさらに①必ず申告調整しなければならない必須調整事項と②申告調整するかどうかは法人の任意である任意調整事項とに分けて説明されるのが一般的である。

(2) しかし、決算調整については、その概念自体が適当でなく、税務調整の範ちゅうで考えるべきではない、という意見がある。すなわち、税法の要求する経理が確定した決算に織り込まれることを前提に税法上の効果が認められることを**決算調整**と呼ぶ。しかし、それは税務計算の基礎を確定した決算上の数値に求めているだけであって、決算調整事項といわれるものは、企業会計自体の問題として当然そのように処理されているはずであり、そこには「調整」と呼ばれるべきものは存在しない。したがって、税務調整とは企業利益から出発して課税所得を導き出すための手続であるから、税務調整の範囲から決算調整事項は除外すべきであるという(注62)。

(3) 確かに、一般に決算調整事項といわれているものは、企業会計でも当然そのように処理すべきものである。ただ税法で限度額が定められているから、企業が経理した金額が税務上そのままには認められないこともある、というだけに過ぎない。それにもかかわらず、決算調整事項を税務調整に含めて説

（注61）　日本租税研究協会編『企業会計基準のコンバージェンスと法人税法の対応』
　　　　（日本租税研究協会，平成23）92頁．
（注62）　渡辺　進稿「税務調整について」税経通信25巻10号（昭和45.9）8頁．

明するのは，税務上，決算調整事項を決算に織り込むかどうかはあくまでも企業の自由であり，税務上の効果を得るためにはその決算に織り込む操作が必要であるからであろう。

〔**決算調整事項**〕
(4) ここでは，一般の例に従って説明を進めよう。

　税法の要求する経理が確定した決算に織り込まれることを前提にして，課税所得の計算上，益金または損金の額に算入し，あるいは算入しない事項を**決算調整事項**という。企業利益の計算要素として決算に織り込み，企業利益に反映させておく必要がある項目である。

　しかし，決算に織り込むかどうかは全く法人の任意である。決算に織り込んでいなければ，課税所得の計算上，損金算入や益金不算入の効果が生じないだけである。決算に織り込んでいないのに，税務署長が進んで認めるようなことはしない。

　その決算調整事項は，法人の取引のうち内部取引に属するものがほとんどである。

(5) 法人の取引は，内部取引と外部取引とに区分できる。**外部取引**は売上げや仕入れ，経費の支払といった，対外的に生じたいわば眼に見えるものである。これに対し**内部取引**は，法人のなかだけで生じ，客観的事実として存するものではない。法人の意思決定があってはじめて取引として認められる。そこで，法人の意思決定を客観的存在として確認するため，内部取引は決算調整事項とされている。

　もっとも，外部取引でも決算調整事項とされているものがある。また，客観化できる事象が外部取引だけに限られるかどうかは，むずかしい問題であるとの指摘がある。たとえば，内部取引とされる減価償却には，企業の意思とは無関係に，資産の減価という事実が基礎にあるからである[注63]。

(注63)　浦野晴夫著『確定決算基準会計』(税務経理協会，平成６) 141頁。

〔決算調整事項の分類〕

(6) このような性質を持つ決算調整事項を経理方法から分類してみると，次のとおりである。

　イ　損金経理を要件とする事項

　　　これは法人が損金経理をした場合に限って損金算入が認められる事項であり，次のようなものがある。

　　① 減価償却費（法法31，法令133，133の2，措法67の5）

　　② 繰延資産の償却費（法法32，法令134）

　　③ 資産の評価損（法法33②）

　　④ 役員の業績連動給与（法法34①三，法令69⑲）

　　⑤ 未払使用人賞与（法令72の3）

　　⑥ 圧縮記帳による圧縮損（法法50，措法65，65の10，66の10，67の4①）

　　⑦ 引当金への繰入額（法法52）

　　⑧ 資産に係る控除対象外消費税額等（法令139の4）

　　⑨ 貸倒損失（債権切り捨てによるものを除く）（基通9-6-2，9-6-3）

　　　④，⑤以外の項目は内部取引であるが，④，⑤の項目は外部取引である。しかし④，⑤の項目は，内部取引的で費用性と利益性の両面があるので，損金性の判断を確定した決算に求めようとするものである。

　ロ　損金経理または剰余金処分経理を要件とする事項

　　　これは，法人が損金経理または剰余金処分経理のうちいずれかの経理をした場合に損金算入が認められる事項であり，次のものがある。

　　① 圧縮記帳による圧縮損（上記イの⑥を除く）（法法42～49，措法61の3，64，64の2，65の7～65の9，66，66の2，67の4②）

　　② 特別償却準備金の積立額（措法52の3）

　　③ 準備金の積立額（措法55～57の8，58，61の2）

　　④ 新事業開拓事業者に対する出資に係る特別勘定（措法66の13）

　　　剰余金処分経理の選択適用ができるのは，これらの項目は会社法上または企業会計上その費用性に疑義があるので，企業会計等との調整を図るた

めである。剰余金処分経理をした場合には，企業利益の計算過程では費用とされないから，申告調整により企業利益から減算する。

ハ　延払基準等の経理を要件とする事項

これは，法人が①延払基準（法法63）または②工事進行基準（法法64②）の方法による経理をした場合に，益金不算入または益金算入が認められる事項である。

なお，長期大規模工事については，必ず工事進行基準の方法により損益を計上しなければならない（法法64①）。

ニ　帳簿価額の増・減を要件とする事項

これは，資産の帳簿価額を増額または減額することを要件に，益金算入または損金算入が認められる事項である。更生計画認可の決定に伴い，会社更生法等に従って行う評価換えにより生ずる評価益または評価損がこれに当たる（法法25②，33③）。

この場合の評価損の損金算入は，必ずしも評価損を損金経理する必要はないものと解される。

〔申告調整事項〕

(7) 上述のように決算調整事項は，あらかじめ所定の経理をし，法人の決算に織り込んでおかなければ効果が生じない。これに対して，**申告調整事項**は，経理のいかんを問わず法人税申告書の上で調整でき，それで効果が生じるものである。

申告調整事項は，租税理論や産業政策，課税技術上の目的から設けられている税法固有の制度に関するものが多い。そのため決算に織り込むことができず，申告調整するのである。申告書上で調整するという点で，最も端的に課税所得と企業利益との差異が表現される。それゆえに，上述したように税務調整とは申告調整だけのことである，という意見が存するのである。

(8) 課税所得と企業利益との差異を表すのが税法の**別段の定め**である（法法22②③）。別段の定めは，具体的には企業会計の損益計算にかかわらず，課

税所得の計算上,「益金の額に算入しない」,「益金の額に算入する」または「損金の額に算入しない」,「損金の額に算入する」という形で定められている。益金,損金二つずつ合わせて四つのパターンがある。したがって,申告調整の基本形は次のようになる。

項　　　目		金　　額
企業利益（当期純利益）		10,000
加算	益 金 算 入 額	2,000
	損 金 不 算 入 額	5,000
減算	益 金 不 算 入 額	1,000
	損 金 算 入 額	3,000
課税所得		13,000

　申告調整を実際に行う申告書別表四《所得の金額の計算に関する明細書》は,これを詳細に具体化したものである。

〔申告調整事項の分類〕
(9)　申告調整事項は,申告調整が強制されるかどうかという観点から,二つに区分される。法人税の申告に当たって,必ず申告調整しなければならない**必須調整事項**と申告調整するかどうかは法人の任意である**任意調整事項**とである。

イ　必須調整事項
　　これは必ず申告書の上で益金算入,損金不算入または益金不算入,損金算入の調整を行うことを要する事項である。法人がこれを行わなければ,税務署長が更正・決定をして強制的に是正する。これには次のようなものがある。
　(イ)　益金算入項目
　　　① 更生計画認可の決定による資産の評価益（法法25②）
　　　② 譲渡損益調整資産の譲渡損益（法法61の13）
　　　③ 組織再編成による移転資産等の譲渡損益（法法62～62の5）

④　非適格合併等による負債調整勘定（法法62の8②）
　　⑤　移転価格税制による移転所得（措法66の4）
　　⑥　外国子会社合算税制による留保金額（措法66の6，66の9の2）
(ロ)　損金不算入項目
　　①　資産の評価損（法法33①⑤）
　　②　定期同額給与，事前確定届出給与，業績連動給与に該当しない役員給与（法法34①）
　　③　過大な役員給与（法法34②）
　　④　隠ぺい・仮装による役員給与（法法34③）
　　⑤　過大な使用人給与（法法36）
　　⑥　寄　附　金（法法37，措法66の4③，66の11の2）
　　⑦　法人税額等（法法38，39）
　　⑧　外国子会社配当の外国源泉税額（法法39の2）
　　⑨　税額控除をする所得税，外国法人税（法法40，41）
　　⑩　不正行為に係る費用等（法法55）
　　⑪　特定適格組織再編成等による特定資産譲渡等損失額（法法62の7）
　　⑫　交際費等（措法61の4）
　　⑬　関連者等に支払う負債利子（措法66の5，66の5の2）
　　⑭　圧縮記帳，引当金，準備金，償却費の限度超過額
　　⑮　事実認識の違い，公正な会計慣行によっていない等のため損益に誤りがあるもの
(ハ)　益金不算入項目
　　①　資産の評価益（法法25①）
　　②　完全支配関係会社からの受贈益（法法25の2）
　　③　還付金等（法法26）
(ニ)　損金算入項目
　　①　更生計画認可の決定による資産の評価損（法法33③）
　　②　青色欠損金，災害損失金（法法57〜58）

③ 協同組合等の事業分量配当等（法法60の2）
④ 非適格合併等による資産調整勘定（法法62の8①）
⑤ 利益処分による圧縮積立金，特別勘定，準備金（法令80，措法55①，64①等）

これらの項目は税法の強行規定に属するものであるから，いきおい損金不算入項目が多くなっている。

ロ　任意調整事項

これは申告調整を行うかどうかは，法人の任意である事項である。法人が申告調整をしなければ課税上の効果が生じないだけで，税務署長が進んで更正・決定して是正するようなことはしない。この事項に属する項目は，原則として当初申告に当たって申告調整した場合に限ってその適用が認められる。これには次のようなものがある。

(イ)　益金算入項目

○　再生計画認可の決定による資産の評価益（法法25③）

(ロ)　益金不算入項目

① 内国法人からの受取配当金（法法23，措法67の6〜67の8）
② 外国子会社等からの受取配当金（法法23の2，措法66の8，66の9の4）

(ハ)　損金算入項目

① 再生計画認可の決定等による資産の評価損（法法33④）
② 債務免除等に係る欠損金（法法59）
③ 新鉱床探鉱費，海外新鉱床探鉱費の特別控除（措法59）
④ 沖縄の認定法人の所得の特別控除（措法60）
⑤ 収用等による資産譲渡の特別控除（措法65の2〜65の5の2）
⑥ 特定目的会社等の支払配当（措法67の14，67の15）

これらの項目は多く特典的なものであるから，法人の申告があってはじめてその適用が認められるのである。

〔当初申告要件と適用額の制限〕

⑽　従来，受取配当等の益金不算入制度については，確定申告書等に益金不算入の配当等の額およびその計算に関する明細の記載をすることを要件に，その適用ができる**当初申告要件**が付されていた。そのため，確定申告書等にその記載を失念すると，修正申告や更正の請求によって，その適用を受けることはできなかった（旧法法23⑧⑨）。

　　ところが，平成23年12月の税制改正により，受取配当等の益金不算入（法法23⑧，23の2⑤）や所得税額控除（法法68④），外国税額控除（法法69⑮⑯）等については，当初申告要件は廃止された。その趣旨は，措置の目的・効果や公平の観点からみて，事後的な適用を認めても問題がないものについて，更正の請求を認める範囲を拡大することにある。更正の請求期間も，法定申告期限から5年（従来は1年）に延長された。

　　そこで，今後は，当初申告要件が廃止された措置にあっては，修正申告や更正の請求によって，事後的にその適用ができる。

⑾　一方，受取配当等の益金不算入や所得税額控除，外国税額控除等については，あわせて適用額の制限も見直された。**適用額の制限**とは，益金不算入額や損金算入額，税額控除額を当初申告である確定申告書等に記載された金額を限度とすることをいう。

　　その適用額の制限が見直された措置にあっては，修正申告又は更正の請求により，適正に計算された正当額まで益金不算入や損金算入，税額控除ができることになる。

　　しかし，たとえば誤って受取配当等の益金不算入額を過少に確定申告した場合，正当額まで益金不算入の適用を受けるためには，法人自ら修正申告や更正の請求をしなければならない。仮に，税務署長が税務調査によりその誤りを把握したときであっても，その税務調査の結果にもとづく更正決定に際して正当額に是正することはできないのである。

　　その更正決定後，法人は改めて更正の請求をする必要がある。これは，課税庁にも納税者にも二度手間であるから，税制改正が望まれる[注64]。

研究開発税制など特別税額控除制度における税額控除限度額についても同様の問題があったが、平成29年の税制改正により、税務署長が更正決定でも是正することができるものとされた（措法42の4⑩、42の5⑥等）。

（注64） 拙稿「当初申告要件の廃止と適用額の制限の見直しに伴う実務上の処理」週刊税務通信No.3387（平成27.12.7）40頁.

第2章 益金の税務

2−1 益金の額

〔総　説〕

(1) すでに繰り返し述べたように，法人税の課税所得は，当期の益金の額から損金の額を控除した金額である（法法22①）。

　　この**益金の額**には，具体的には次に掲げる取引によって生じた収益の額が入る。ただし，税法に「別段の定め」があるものおよび資本等取引によって生じたものは除かれる（法法22②）。

　イ　資産の販売
　ロ　有償または無償による資産の譲渡
　ハ　有償または無償による役務の提供
　ニ　無償による資産の譲受け
　ホ　その他の取引

(2) これから知られるように，益金とは資本等取引以外の取引によって生じたすべての収益である。企業会計では収益は，売上高，営業外収益および特別利益という，三つのいわば機能別に処理されるが，法人税の益金にはこの三つのいずれの収益も含まれる。益金は経常的，付随的あるいは臨時的な取引から生じたものかどうかを問わないのである。

　　ここでいう「取引」に該当するかどうかに関し，子会社株式の第三者割当ての有利発行に伴い，親会社が有していた，その子会社株式の持株割合が減少したことによる経済的価値の喪失が，「資産の無償譲渡」または「その他の取引」に該当するかどうか争いになった事例がある。その裁判例では，その経済的価値の喪失も「取引」に該当し，収益を認識すべきであるとされている[注1]。

また，資本等取引以外の取引によって生じた収益であれば，外部取引であるか内部取引であるかは関係ない。したがって，**内部取引**である資産の評価益や引当金・準備金の戻入益も益金となる。

　これに対して，たとえば株式払込剰余金，減資差益，合併差益は資本等取引によって生じたものであるから，益金とはならない。シャウプ勧告による昭和25年の改正前には額面超過金（株式払込剰余金），減資差益も益金として計算するものとされていたが(注2)，現行法ではそれは益金ではない。

〔益金の概念〕

(3)　このように益金はグロスの概念であって，ネットの利益を意味するものではない。たとえば，商品の販売にあっては売上高，固定資産の譲渡にあっては譲渡対価，役務の提供にあっては役務収入をいう。それはおおむね収入金額に一致する。しかし，法人税法においては，「収入金額」とせずに「収益の額」と規定している。収入金額とすると，評価益や債務免除益が収入金額といえるのか，という疑義が残るからである。

　法人税の益金がグロスの概念でとらえられているのは，たとえば資産を無償譲渡した場合の寄附金の損金算入限度額のように，資産の時価すなわちグロスとしての収益を基準として計算する必要があることが少なくないからである。また，その収益に対応する原価や費用のなかには，その損金算入について規制されているものがあるから，原価や費用も収益と相殺することなく独立してとらえておく必要がある。

　このように益金がグロスの概念であるのは，租税負担の公平の要請に基づいている。

(注1)　最高判平成18.1.24判例時報1923号20頁，詳細については，大淵博義著『法人税法解釈の検証と実践的展開　第Ⅰ巻（改訂増補版）』（税務経理協会，平成26）19頁以下。

(注2)　大蔵省主税局長主秘第1号「所得税法施行ニ関スル取扱方通牒」（昭和2.1.6）「二五」参照．

(4) 以上述べたように、現行法人税法は、そもそも「益金とは何か」という益金の概念そのものは定めていない。単に益金に入るものを、ある程度具体的に規定しているだけである。

　企業会計では「収益」を定義して、収益とは資本取引以外の出資者持分の増加をいう(注3)。法人税の益金は企業会計の収益に対応するものであり、法人税の収益という用語は企業会計からの借用概念であると考えられる。そこで、法人税の益金についても、その規定された益金の構成要素をみてみれば、企業会計の収益にならって、益金とは資本等取引以外の出資者持分の増加である、ということができよう。

(5) 昭和40年法人税法の全文改正前には、課税所得は当期の総益金から総損金を控除した金額とされ（旧法法9①）、この**総益金**とは、「法令により別段の定のあるものの外資本の払込以外において純資産増加の原因となるべき一切の事実をいう」と解されていた（旧基通五一）。この解釈をとらえて、法人税の課税所得は財産法としての純資産の増加により計算するものである、という主張があったことはすでに述べた。しかし、「純資産増加の原因となるべき一切の事実」とは、動的観察の立場に立った正味財産の増加の原因となるべき一切の事実に基づく収益その他の経済的利益をいうのである(注4)。

　当時、「純資産増加の原因となるべき一切の事実」とは何をいうのか明らかでない、といった批判もあったが、現行法の具体的に例示された益金の内容と併せてみれば、より深く益金の概念と内容が理解されよう。そのような意味で、益金の概念としてこの解釈は現在でも通用する。

〔資産の販売〕

(6) **資産の販売**は、商品、製品等の大量かつ反復・継続して行われる棚卸資産の販売のことである。棚卸有価証券の販売も、資産の販売に含まれよう。

(注3)　中村　忠著『新稿　現代会計学〔九訂版〕』（白桃書房、2005）43頁.
(注4)　忠　佐市著『税務会計原論』（中央経済社、昭和33）152頁.

資産の販売は、本来的には次に述べる「資産の譲渡」に含まれる。それを資産の販売として特に例示しているのは、土地、建物等の固定資産の譲渡と区別しようとするためである。すなわち、商品の販売収入とキャピタル・ゲインとを区別するのである。

ここで、資産の譲渡には「有償または無償による」という前提がついている。しかし、資産の販売については、単に「資産の販売」というだけでそのような前提はない。それは、資産の販売というのは有償の場合であって、無償の場合はそもそも販売とはいわないからである。棚卸資産であっても無償の場合は、「資産の譲渡」になろう。

〔資産の譲渡〕

(7) **資産の譲渡**は、棚卸資産、暗号資産、有価証券、固定資産などの資産の譲渡である。売掛金、貸付金等の金銭債権の譲渡も資産の譲渡に該当する。

　ここでいう**譲渡**の概念には、通常の売買のほか、収用、贈与、交換、出資、代物弁済等による譲渡が含まれる。したがって、収用補償金、交換収益、現物出資収益、保険収益なども益金を構成する。

　本来的には棚卸資産の販売も資産の譲渡に該当する。しかし、上述のように「資産の販売」が別途例示されているので、棚卸資産の販売は資産の販売に含まれる。その結果、資産の譲渡は、事実上多くは固定資産の譲渡ということになる。

　固定資産の譲渡の典型的なものは、固定資産たる土地、建物の譲渡である。これはキャピタル・ゲインも益金に含まれるということであり、所得概念としての純資産増加説の立場を表明している。

(8) 資産の譲渡には、有償によるものだけでなく、無償で行われるものも含まれる（法法22②）。これは、無償による資産の譲渡からも収益が生じるということである。この点は法人税における重要な論点であるので、無償による役務の提供とともに項を改めて検討する。ここでは有償による資産の譲渡についてみておこう。

有償による資産の譲渡については，その譲渡対価すなわち譲渡収入が益金になる。たとえば，帳簿価額1,000の土地を譲渡のための交際費50をかけて2,200で譲渡した場合，企業経理では次のように処理する。

(借) 現 金 預 金　　2,200　　(貸) 土　　　　地　　1,000
　　　　　　　　　　　　　　　　　　固定資産売却益　　1,200
　　　交　際　費　　　　50　　　　現　金　預　金　　　50

これに対して，税務上は次のように観念する。

(借) 現 金 預 金　　2,200　　(貸) 土地譲渡収益　　2,200
　　　土地譲渡原価　　1,000　　　　土　　　　地　　1,000
　　　交　際　費　　　　50　　　　現　金　預　金　　　50

企業会計では，固定資産の譲渡益については，その譲渡収入から譲渡原価を差し引いた純額である固定資産売却益1,200だけを表示すればよい。企業会計における損益計算書上では，営業外損益および特別損益は総額主義をとっていないからである。

法人税でも固定資産売却益1,200あるいは売却益と交際費50を相殺して固定資産売却益1,150を益金としても課税所得には影響がないようにみえる。しかし，法人税法上はあくまでも益金が土地の譲渡収入である2,200，損金が譲渡原価である1,000および交際費50として益金と損金とを両建てで認識する。この例では交際費が損金不算入の規制を受けるから（措法61の4），益金および損金は総額でとらえる必要があるのである。

〔役務の提供〕

(9) **役務の提供**は，建設工事や運送，通信等の請負，不動産売買の仲介あっ旋，金銭，建物の貸付けなどの役務の提供のことである。役務の提供による収益もグロスの概念であることや無償による役務の提供からも収益が生じることは，資産の譲渡の場合と同じである。

無償による役務の提供については，項を改めて後に述べる。

〔資産の譲受け〕

(10) 法人が他の者から資産を譲り受けた場合，それが有償であれば収益は生じない。単なる金銭と棚卸資産や固定資産，有価証券との交換取引に過ぎないからである。当然のことながら，法人税法が益金になるものを「無償による資産の譲受け」と規定しているのはそのためである。

これに対して，無償で資産を譲り受けた場合には，すべて収益として益金を構成する。私財提供益，国庫補助金，工事負担金などの収入は，それが企業会計でいう資本助成を目的とするものであっても，すべて益金となるのである。これは，受贈益は法人税法上，資本等取引ではなく損益取引となることを宣言したものといえよう。

この点については，企業会計との関連や法人税独自の制度において論ずべき問題が多々ある。詳細については，項を改めて「2－7　受贈益」のところで述べる。

〔その他の取引〕

(11) これまで述べてきた収益以外のその他の取引による収益には，評価益や債務免除益のほか，引当金・準備金，圧縮記帳のための特別勘定の戻入益などが含まれる。

また，無償により役務の提供を受けたことによる受贈益も，「その他の取引」による収益に含まれる。上述したように，「無償による資産の譲受け」は益金になる旨が例示されているが，無償により役務の提供を受けることについては格別そのような例示はない。これは，無償により役務の提供を受けた場合，ことさら収益を認識しなくても自動的に利益が増加するからである，と考えられる。

たとえば，本来，家賃100を払うべきビルを無償で借りた場合には，その支払うべき家賃100が損金に表現されないだけすでに利益が100増加しているのである。本来支払うべき家賃100を受贈益として認識するのであれば，次のような処理をする。

| (借)支払家賃 | 100 | (貸)未払費用 | 100 |
| (借)未払費用 | 100 | (貸)受贈益 | 100 |

　支払家賃と受贈益が相殺されれば利益は生じないから，特にこのような処理をする必要はない。受贈益を積極的に収益として認識せず，なんらの処理をしなくても結果は同一になるのである。ただ，平成22年の税制改正により，完全支配関係がある法人から受けた役務の提供による受贈益は益金不算入とされたことから，このような処理をした方が課税関係が明確になるかもしれない（法法25の2，基通4-2-6）。

〔収益の額の企業会計との相違点〕

⑿　この項の最後に，これまで述べた資産の販売，譲渡または役務の提供による収益の額をいかに算定するかをみておこう。

　平成30年の税制改正により，資産の販売・譲渡または役務の提供による収益の額は，その販売・譲渡した資産または提供した役務の時価相当額とすることが法定された（法法22の2④，基通2-1-1の10）。この改正は，同年3月の「収益認識に関する会計基準」（企業会計基準委員会）の制定に伴い，行われたものである。

　その時価の算定について，二つの制限が設けられている（法法22の2⑤）。すなわち，①資産の販売等の対価につき貸倒れの可能性がある場合または②資産の販売・譲渡につき買戻しの可能性がある場合であっても，これらの可能性がないものとして時価を算定するという点である。なぜ，このような個別，具体的な制限を設けているのであろうか。

　収益認識会計基準では，資産の販売等をした場合，その販売対価の回収可能性を判断し，その回収可能額で収益を認識する（同基準適用指針〔設例2〕）。また，返品権付きの販売をした場合，返品されると見込む部分については収益を認識しない（同基準適用指針〔設例11〕）。

　そこで，法人税では，収益認識会計基準のような取扱いは認めないことを明らかにするため，制限を課している。同基準のような取扱いを適用すると，

引当金の設定を容認する結果になるからである。ただし，企業会計上，貸倒れの可能性があるとして，売掛金に計上していない金額は，貸倒引当金勘定への繰入額とすることができる（法令99）。

同基準の各種の取扱いは，法人税にほぼ取り入れられたが，この2点は企業会計と決定的に異なることに留意を要する。

2－2　無償取引

〔総　説〕

(1)　法人税の課税所得の計算上，「無償による資産の譲渡」および「無償による役務の提供」（以下これらを「**無償取引**」という）からも収益が生じ，これも益金を構成する旨，規定されている（法法22②）。

たとえば，帳簿価額1,000，時価2,000の土地を子会社に無償で譲渡した場合，常識的にはこの無償取引からは収益は生じない。むしろ損失が生じる。企業会計ではこの取引は通常次のように処理する。

　　（借）寄　　附　　金　　1,000　　（貸）土　　　　　地　　1,000

また，子会社に無利息で資金を貸し付けた場合，企業会計では，通常収受すべき利息を収益として認識するようなことはせず，したがって，なんらの処理もしないのが普通である。

このように企業会計では，無償取引からは収益は生じないと考えており，それを前提とした処理が行われる。もっとも，資産を無償譲渡または低廉譲渡した場合に，その資産の適正時価を導入して収益を計上することの当否については，企業会計原則上まだ触れるところがないので，これを明らかにすることが妥当である，といわれている（税法調整意見書総論三(7)）。

これに対して法人税では，この土地の無償取引から譲渡収入2,000の収益が生じると認識する。ただ，同時に寄附金2,000の費用が生じると考える。また，無利息貸付けにあっても，本来受け取るべき利息を収益として計上しなければならない。

会計学的にも法人税のこのような考え方のほうが筋がとおっている，という見解もあるが(注5)，なぜ法人税ひとり無償取引からも収益が生じるというのか。これはどのように理解すべきであろうか。

〔規定の性格〕

(2)　それにはまず，法人税法第22条第2項の無償取引に関する規定は確認規定か，あるいは創設規定かという，この規定の性格を検討する必要がある。

　この無償取引に関する規定は，昭和40年の法人税法の全文改正によって初めて定められた。その全文改正の際の立案当局者は，この規定の改正の趣旨は，規定の具体化であって，この改正によってすでに税務慣習として十分熟していると考えられる従来の所得計算の変更が意図されているものでは全くない，として確認規定であると考えていた(注6)。

　しかし，学説上は，創設規定であるという考え方が有力である。すなわち，昭和40年改正前の旧法人税法のもとでは無償取引（特に無償による役務提供取引）から収益が生じると解することは必ずしも一般に承認されていなかった点からみて，全文改正を機に定められた一種のみなし規定であり，創設規定であるという(注7)。

　旧法人税法のもとにおいても，無償取引は時価を基準に収益を認識して課税するのが課税当局の立場であったし，それが判例でも支持された例は少なくない(注8)。これに対して，学説は反対論が強かった。このような旧法人税法下における解釈，立場の違いが，現行無償取引に関する規定の性格づけに

(注5)　中村　忠著『新版　財務諸表論セミナー』（白桃書房，平成3）103頁，中村忠編『対談　会計基準を学ぶ』（税務経理協会，昭和61）85頁．
(注6)　国税庁編『昭和40年　改正税法のすべて』102頁．
(注7)　金子　宏稿「無償取引と法人税－法人税法22条2項を中心として－」（(財)法学協会編『法学協会100周年記念論文集第2巻（憲法・行政法・刑事法）』有斐閣，昭和58所収）156頁，金子　宏著『所得課税の法と政策』（有斐閣，1996.1）320頁．
(注8)　最高判昭和41.6.24民集20巻5号1146頁，東京高判昭和43.5.31税資52号1020頁．

も表れている。課税実務の実態からみれば，この規定は確認規定であるといわざるを得ない。

なお，平成30年の税制改正により，資産の販売・譲渡または役務の提供による収益の額は，その販売・譲渡をした資産またはその提供をした役務の時価相当額とすることが明らかにされた（法法22の2④，基通2－1－1の10）。

これは，無償取引であっても，その取引の対象である資産または役務の時価を基準として収益を認識すべきであるということを意味する。無償取引からも収益が生じるということが，法文上，一層明確にされたといえよう。

〔規定の根拠と目的〕

(3) つぎに，無償取引に関する規定はどのような根拠によって定められているのかが問題になる。それは，無償取引から収益が生じるということをいかに説明するかである。その説明に合理性が見いだせないとすれば，この規定の当否自体が問われよう。

その説明の仕方には三つある[注9]。

一つは，資産についてはそのキャピタル・ゲインまたはロスは未実現ではあるがすでに客観的に生じており，それに課税しあるいは控除するため，無償譲渡の機会をとらえて時価相当額の益金が生じる，と説明するものである。これを**実体的利益存在説**という。この説には，資産の無償譲渡はよいが，役務の無償提供が説明できないという難点がある。

いま一つは，**同一価値移転説**と呼ばれるものである。この説は，無償取引の場合には，同一価値の資産や役務が一方の当事者から他方の当事者に移転し，受贈者に時価相当額の利益が発生する以上，贈与者にも同額の益金が生じると説明する。しかし，受贈者側は資産や役務を獲得するから利益が生じるとするのはよいとして，だからといってなぜ贈与者側にも益金が生じるのかが説明不十分である。贈与者はむしろ「得べかりし利益」を失うからであ

(注9) 金子　宏稿，前掲，161頁参照。

る。

(4) 最後の一つは，**有償取引同視説**である。これは，無償取引をした場合には，いったん時価相当額での有償取引があり，その後その代金を相手方に贈与したと観念し，有償取引の段階で益金が生じるというものである。取引を二つの段階に区分するので**二段階説**とも呼ばれる。

無償取引は，たとえば資産を有償で譲渡し，その代金を相手方に贈与する有償取引と経済実質的にはなんら異ならないから，有償取引との課税の権衡を図るために，有償取引と同様に取り扱うというのである。課税の公平を念頭においた最も無難な考え方であり，課税実務はこれによっているといってよい。

上述した土地の無償譲渡は，税務上，次のように処理する。

（借）	未 収 金	2,000	（貸）	譲 渡 収 入	2,000
	譲 渡 原 価	1,000		土 地	1,000
（借）	寄 附 金	2,000	（貸）	未 収 金	2,000

法人税では，いったん譲渡収入2,000を収益として認識したうえ，譲渡原価1,000および寄附金2,000を費用とし，結果的には1,000の損失とするのである。この限りでは，企業会計における処理の結果と同じである。しかし，寄附金は無条件で損金になるわけではないから（法法37），企業利益と課税所得は同一にならない。まさにこのような事態に対処するため，法人税では無償取引からも収益が生じると観念しているといえる。

〔無償取引の範囲〕

(5) 無償取引に関する規定の根拠はいちおう明らかになったが，次に無償取引の意義ないし範囲が問題になる。

まず，この規定は実際の取引価額が時価よりも低いいわゆる**低廉取引**にも適用があるのかどうか議論がある。

一つの考え方は，法人税法第22条第2項は「無償による」と規定しており，対価の支払のある取引はその対価が仮に時価に比して低廉であるとしても，

無償ではないから、低廉取引にはこの規定は適用されないという。

しかし、法人税法が無償取引に関する規定を置いたのは、上述のように有償取引との間の課税の公平を確保するためである。このような趣旨からすれば、法律上の言葉使いが適当であるかどうかの問題はあるとしても、「無償」という言葉にこだわってその適用がないというのは妥当な解釈態度とはいえない。法人税の**無償**というのは、厳密な意味におけるそれよりも範囲が広く、低廉取引をも含む趣旨であると解すべきである。また、理論的にも時価と実際の取引価額との差額すなわち低廉部分は無償である、という構成が可能であろう。

したがって、低廉取引についても無償取引に関する規定の適用がある、と考えられる。それが、低廉取引を行った場合の低廉部分は寄附金に含まれる（法法37⑧）とする寄附金課税の趣旨とも合致し、法人税法の一体的な解釈ができる(注10)。

(6) 従来、無償取引に関する規定の適用範囲について、限定説と無限定説の対立があった。

限定説は、無償取引によって相手方に移転する収益が寄附金に該当する場合にのみ収益が生じるという(注11)。また、資産の無償譲渡には限定をつけないが、役務の無償提供については、その収益が寄附金や配当、賞与に該当する場合に限って、収益が生じるというものである(注12)。

一方、**無限定説**は、法人が行う無償取引すべてから収益が生じるのであって、その適用範囲に限定はない、という考え方をいう。その主張の根拠は、無償取引によって収益を認識するかどうかは益金サイドの問題であって、損金サイドでそれがどのように処理されるかは無関係である、という点にある(注13)。

(注10) 最高判平成7.12.19裁判所時報1163号1頁.
(注11) 中川一郎編『法人税法コンメンタール』（三晃社、昭和50）A1870頁.
(注12) 渡辺伸平著『税法上の所得をめぐる諸問題』（司法研修所、昭和42）24頁、松沢　智著『租税実体法』（中央経済社、昭和51）131頁.

前述したとおり，平成30年の税制改正により，資産の販売・譲渡または役務の提供による収益の額は，その資産または役務の時価相当額とすることとされた（法法22の2④，基通2－1－1の10）。これは無償取引を含むすべての取引につき時価を基準として収益を認識するということであり，上記無限定説の立場に立つものといえよう。

2－3　益金の認識基準

〔年度帰属の重要性〕
(1)　法人税の課税所得は，各事業年度の益金の額から損金の額を控除して計算する（法法22①）。これはすでに述べたように，法人税の課税所得は，継続企業を前提に事業年度を単位とする期間所得として把握するということである。そこで，適正な期間所得の計算に当たっては，益金（および損金）をいつの事業年度で計上するかが重要になってくる。

　　これが**益金の認識基準**，すなわち年度帰属の問題である。ところが逆に，今日の課税所得は継続企業を前提に計算されるから，益金をいつの事業年度に属するものとするかは，あまり厳格に考える必要はないともいわれる。確かに重要性の原則の適用により，弾力的に取り扱ってよい場合もあろうし，現に認められている事柄もある（たとえば，基通2－1－24, 2－1－29）。

　　しかし，益金の帰属事業年度をさして問題にする必要はないという考えは，今日の期間所得として計算される課税所得概念をみずから否定するものであって適当でない。益金の帰属事業年度を問題にする必要がないとすれば，そもそも脱税犯は成立しなくなる。また，税法は毎年改正され事業年度ごとに適用関係が異なってくるから，その改正を実効あるものとするためにも，それぞれの事業年度ごとに適正に益金の帰属を決定する必要がある。各年度

（注13）　金子　宏稿，前掲，167頁，中村利雄稿「法人税の課税所得計算と企業会計」税務大学校論叢11号（昭和52）195頁.

の株主に対し剰余金に応じた適正な配当を行うためにも，その帰属は重要である。重要性の原則の適用も，節度を持った限界があることに留意しなければならない。

〔会計上の収益認識基準〕

(2) このように益金の年度帰属が重要であるとして，では法人税では益金をどのような基準で認識するのであろうか。

　企業会計における収益の認識基準には，伝統的に①実現主義，②現金主義および③発生主義の三つがある。実現主義が原則的な基準である。

　実現主義は，財貨または役務を販売または提供した時に収益を認識するという基準である。実現といえば販売と解するのが普通であるから，この基準は**販売基準**とも呼ばれる。販売というのは商品を引き渡すことである。

　つぎに，**現金主義**は，販売した財貨または提供した役務の対価を現金で受け取った時に収益を認識する基準である。代金を回収した時に収益を計上するので，**回収基準**ともいわれる。

　さらに，**発生主義**は，収益が発生した時に収益を認識する基準である。原則的な基準である実現主義が妥当でない場合に適用される。たとえば，長期工事についての工事進行基準による収益や，利息，地代，家賃等の時間の経過に伴って収益が発生する継続的な役務提供による収益である。後者は**時間基準**とも呼ばれる。

(3) 平成30年3月に収益認識会計基準が制定された。これは，国内外の企業間における財務諸表の比較可能性の観点から，国際会計基準（IFRS第15号）の基本的な原則を取り入れたものである（同基準97項）。

　その基本的な考え方は，企業は約束した財またはサービス（資産）を顧客に移転することにより履行義務を充足した時に，または充足するにつれて，収益を認識するということである（同基準35項）。ここで**履行義務**とは，顧客との契約において，資産を顧客に移転する約束をいう（同基準7項）。

　このように，収益認識会計基準は「履行義務の充足」という新たなメルク

マールを導入し，資産の顧客への移転，すなわち顧客がその資産に対する支配を獲得した時に収益を認識する。これは伝統的な「実現主義」からの転換である，といわれている。

ただ，収益認識会計基準は，中小企業者には適用がなく，また，金融商品会計基準における利息や固定資産売却損益などには適用されない。そのような意味で，企業会計に実現主義や発生主義の考え方が全くなくなったわけではない，と考えられる。

〔税務上の収益認識基準〕

(4) 一方，法人税法には，従来，収益認識基準について一般的な明文の規定はなかった。わずかに，延払基準および工事進行基準に関する特例規定が存するのみであった（法法63，64）。そこで，法人税法第22条第2項の「当該事業年度の収益の額とする。」という規定における「の」の一字が，一般に収益の帰属ないし実現を表している，といわれてきた[注14]。

この点，平成30年の税制改正により，法人の資産の販売・譲渡または役務の提供（資産の販売等）に係る収益の額は，その資産の販売等による目的物の引渡しまたは役務の提供の日（引渡し等の日）に計上すべきことが，法令上明らかにされた（法法22の2①）。ただし，一般に公正妥当な会計処理の基準に従って，資産の販売等に係る契約の効力発生日など，引渡し等の日に近接する日において収益計上をすることもできる（法法22の2②③，基通2-1-4，2-1-14，2-1-16，2-1-21の11，2-1-29等）。

これは実現主義としての**引渡基準**ということができよう。

(5) これら収益計上時期の法定は，前述した収益認識会計基準の制定に伴って行われたものである。そのため，実務上，同基準の考え方や取扱いは，ほと

(注14) 小宮　保著『法人税の原理』（中央経済社，昭和43）207頁，武田昌輔稿「法人税法第22条談義」（七夕会編『税務同時代外史』平成3所収）17頁，渡辺淑夫・山本守之共著『法人税法の考え方・読み方（四訂版）』（税務経理協会，平成9）75頁．

んど法人税に取り入れられている。

　たとえば，棚卸資産の販売による収益計上日である，「引渡しの日」については，出荷した日，船積みをした日，相手方に着荷した日，相手方が検収した日，相手方において使用収益ができることとなった日など，合理的と認められる日を継続適用すればよい（基通2－1－2，同基準適用指針98項，171項）。

　また，役務の提供について，①履行義務が一定の期間にわたり充足されるもの（清掃や運送サービス，資産の賃貸借，建設請負等）は，期間の経過に応じて日々収益計上を行い（基通2－1－21の2，2－1－21の4），②履行義務が一時点で充足されるもの（供与時点で存在する知的財産のライセンス等）は，役務の提供の日に収益計上を行う（基通2－1－21の3）。法人税にも「履行義務」の概念が取り入れられている。

　ただ，ガス，水道，電気等の販売の検針日基準による収益計上について，法人税では認められているが（基通2－1－4），収益認識会計基準では認められていない（同基準96項，同基準適用指針188項）。今後は，その調整が課題となろう。

(6) 現金主義は，期間損益計算を適正に行うことができないので，今日の企業会計では原則として適用されない。それは法人税でも同じで，現金主義により収益を計上することはできない。ただ，重要性の原則等により，受取利息，地代，家賃等については，特例的に現金主義が認められている（基通2－1－24，2－1－29）。

　また，発生主義については，法人税でも工事進行基準が採用されており，その適用がある。利息，地代，家賃等の収益についても，発生主義により収益を計上する（基通2－1－24，2－1－29等）。

〔権利確定主義〕

(7) 課税所得計算における収益の認識基準として権利確定主義の議論がある。**権利確定主義**についての明確な定義はないが，一般に次のようにいわれてい

る。すなわち,「財貨または役務の受渡に伴う権利義務の発生の事実,換言すれば,企業の損益の確定を権利義務の確定という証拠によらしめる」基準である,と(税法調整意見書 総論,第一・一)。

　権利確定主義は,税法上いかなる時点で収益の発生を確実なものとして認識し得るかを,主として法律的側面からとらえようとするものである。これに対して,実現主義は主として経済的・会計的側面から収益をとらえようとする。そのため,従来,とかく権利確定主義と実現主義(ないし発生主義)は対置して説明されてきた。

(8)　しかし,権利確定主義と実現主義とが具体的にどのように異なるのか,必ずしも明らかではない。たとえば,小売業の商品の販売をみてみれば,法的な契約の成立と商品の引渡しはほとんど同時であるから,いつ収益を計上するかについてどちらの考えでも大差がない。

　また,固定資産の譲渡についてみても,その権利が確定するためには,契約締結,代金支払,権利書の引渡し,目的物の引渡し(登記)といったいくつかの役務や手続の履行が必要である。しかし,最終的には目的物の引渡しがあってはじめて権利が確定し,収益は実現する。これからすれば,権利確定主義といおうが実現主義といおうが,「引渡し」をもって収益を計上すべきことになる。

　このようにみてくれば,「権利確定主義という考え方と販売基準というものが違っているという認識そのものが,理解しがたいものがある。」[注15]ということになる。同一内容の同じ概念のものを,単に異なった表現をしているに過ぎないといえよう。

　それはともかく,現在では権利確定主義はあまり議論されないように思われる。それは,昭和42年に公正妥当な会計処理の基準(法法22④)が導入されたこと,昭和44年の法人税基本通達の全文改正で収益の認識基準として引渡基準すなわち販売基準が明確にされたことなどによるものである[注16]。

(注15)　吉國二郎著『法人税法』(財経詳報社,昭和40)221頁.

特に，前述したとおり，収益認識基準の制定に伴う税制改正により，資産の販売または譲渡による収益は，その目的物の引渡しの日に計上すべきことが，法令上明らかにされた（法法22の2①）。そのことからすれば，権利確定主義か実現主義かという議論は，ほとんど不必要であろう。

〔確定収入の認識基準〕

(9)　法人税では上述した棚卸資産や固定資産の収益のほか，役務提供収益，請負収益等の計上時期を具体的に定めている（基通2－1－21の2，2－1－21の3，2－1－21の7等）。それは実現主義や発生主義などにのっとった企業会計と本質的に同じものである。

　ただ，企業会計の取扱いと考え方が異なるものに，商品券の収益計上時期がある。税務では商品券の発行収入は，その商品の引渡日に計上するのを原則とし，未引換商品券は，その発行日から10年経過した日に収益計上すべきであるとしている。商品券のような，将来返還する必要のないことがすでに確定している収入を，税務では一般に**確定収入**（または確定収益）という。

　確定収入は，商品券のほかに営業補償金，権利金，社債のプレミアムなどの収入がある。これら確定収入のうち，営業補償金および権利金は，税務上それを受け取ったときに収益計上しなければならない。それは実際に現金が入ってくるので，それを自由に使用収益することができ，担税力の点からみて課税適状にある面が見逃せないからであろう。

(10)　一方，企業会計でも同様に考えているものがある。権利金や社債のプレミアム収入であり，これらは実現した収益である。しかし，企業会計ではこれら確定収入，つまり実現した収入を，いくら実現したとはいえ一時の収益に計上することへの問題提起がされている。すなわち，実現した収入を将来に繰り延べるための「繰延収益」の概念を確立すべきであるという議論である。

(注16)　忠　佐市著『税務会計法（第6版）』（税務経理協会，昭和53）125頁参照，渡辺淑夫著『法人税解釈の実際』（中央経済社，平成元）42頁．

これは，従来，税務ではあまり議論されていない概念であり，現行法人税を理解するためのキーワードではないかもしれない。しかし，今後はこの問題が法人税の重要な論点になろう，という指摘もある。あえて取り上げるゆえんである。

なお，会計上の繰延収益の例として，権利金収入や社債のプレミアム収入のほか，繰延割賦売上利益，受け入れた国庫補助金・工事負担金などがある。

〔商品券の収益計上時期〕

(11)　**商品券**については，その発行をしたときは前受金等の負債として処理し，顧客が商品券で買い物をしたときにその負債が減少して売上を計上する。これが企業会計の伝統的な処理方法である。

　ところが，税務では昭和55年の通達改正により，次のように処理すべきであるとされた（旧基通2－1－39，2－2－11）。この取扱いの是非が争われた例もあるが，この取扱いは，判例でも承認されている[注17]。

　イ　商品券を発行した場合には，その発行時に収益を計上する。そして，期末の未引換券について売上原価を見積り計上する。

　ロ　商品券を発行したときには収益とせず負債としてよいが，発行年度の翌年度開始の日から3年を経過した日における未引換券は，その日（発行年度を含めて5年目の年度）に収益計上する。

　イが原則である。ロは商品券を発行年度ごとに区分し，税務署長の確認を受けなければならない例外である。

(12)　この税務の処理については，会計の立場から疑問が呈されている。一つは発行時に収益計上するのは企業会計の慣行にもなく適当でないというもので，いま一つは5年目の年度に一律に収益計上させるのは問題である，というものである[注18]。

　商品券は贈答のための利用が断然多く，買う人と使う人が違うから商品と

（注17）　名古屋地判平成13．7．16訟務月報48巻9号2322頁．

引き換えられないものが相当に生じる。百貨店などでは戦前に発行された商品券が依然として負債に計上されていた例もあったと聞く。

　税務の取扱いは、このような実態と商品券の収入は将来とも返還しない収入である点に着目して設けられている。過去の経験則からみてもはや使用される見込みのない商品券の収益を課税対象にするということについては、ほぼ異論がない。

⒀　問題は収益計上時期に関する企業会計の慣行との調和である。この点につき、最も簡単なのは企業の過去の経験をもとに、商品券発行高のうち永久に使用されそうもない分を見積もり、その額を「雑収入」に振り替える方法である、との提言がある。これなら従来の処理法の延長であり、無理がないといわれる(注19)。確かに理論的に明快であり、採用を検討してよいといえる。

　最近、企業会計において、商品券の発行企業は、**商品券回収損引当金**を設定している(注20)。この引当金は、商品券につき負債計上を中止して利益に振り替えた後の、返還（支払）リスクに対する備えとして設定するものである。その負債計上を中止し利益計上後の返還状況が実績データとして集積され、返還金額も無視し得ないものであるとすれば、税務上の収益振替期間がいわゆる足かけ５年でよいのかどうか、検討する必要があると思われる(注21)。

⒁　この点、平成30年３月の収益認識会計基準の制定に伴う通達改正により、商品券の発行収入は、顧客への商品の引渡しの日に益金算入することとされた（基通２－１－39）。これは、企業会計の処理と同じにする趣旨である。

　一方、顧客がもはや権利行使をしないと見込まれる未引換商品券（**非行使部分**）については、その発行日から10年が経過した日に収益に振り替える。10年経過日に収益計上するのは、その後の非行使部分の発生の実績等からす

(注18)　武田昌輔稿「商品券等の収益計上基準」税経通信45巻４号（平成２.４）２頁.
(注19)　中村　忠・成松洋一共著『税務会計の基礎』（税務経理協会、平成10）52頁.
(注20)　日本公認会計士協会「租税特別措置法上の準備金及び特別法上の引当金又は準備金並びに役員退職慰労引当金等に関する監査上の取扱い」（平成19. 4.13改正）.
(注21)　拙稿「商品券の収益計上時期と商品券回収損引当金等の設定の可否」週刊税務通信No.3044（平成20.12. 1）62頁.

れば，合理的であろう。

ただ，10年経過日に収益計上する方法は，収益認識会計基準では認められていない（同基準適用指針187項）。同基準では，非行使部分の金額について，顧客による権利行使のパターンと比例的に収益を認識する（同基準適用指針54項）。この方法は，法人税でも認められているが，あくまでも特例である（基通2－1－39の2）。

〔営業補償金等収入〕

⒂　つぎの確定した収入は，**営業補償金等**の収入である。

　法人が他の者から営業補償金，経費補償金などの名目で支払を受けた金額は，その支払を受けたときに一時の収益として計上しなければならない。その金額の支払がたとえ将来の逸失利益または発生経費の補てんに充てることを目的とするものであっても，同様である（基通2－1－40）。これは，これら補償金収入は将来返還する必要のないことが確定しているからである。

　公共事業の施行による収用に伴って受け取る補償金がその典型例である。収用による営業補償金や経費補償金については，別途，収益計上につき特例がないではないが（措通64⑶－15，64⑶－16），基本的にはその収入時に収益計上する。

〔返金不要な収入〕

⒃　資産の販売等を開始するに際して，中途契約のいかんにかかわらず，取引の開始当初から返金不要な支払を受けた場合には，その取引開始日に収益計上を行う。ただし，その返金不要な支払が，契約期間における役務の提供と具体的な対応関係をもって発生する対価の前受けと認められるときは，契約期間の経過に応じて収益計上をすることができる（基通2－1－40）。これは，収益認識会計基準の制定に伴い，設けられた取扱いである（同基準適用指針57項～59項，141項）。

　この「返金不要な支払」には，工業所有権やノウハウの実施権設定によ

る一時金や頭金，スポーツクラブの入会金などがある（基通2－1－40（注））。これら支払を受ける一時金や頭金，入会金等が，そもそも取引開始当初から返金義務がないのであれば，その取引開始日に収益が確定し実現するから，取引開始日に収益計上する。

　しかし，返金義務はないからといって，その支払が将来の役務提供の対価と認められる場合まで，取引開始日に一時の収益計上をすることは，適正な期間損益計算の観点からみて合理的でない。たとえば，スポーツクラブの入会金を支払えば，実際の利用料金が割安になるといった場合には，その入会金の一部は将来の役務提供の対価といえよう。そのような意味で，返金義務がないからといって，一時の収益計上を求めるのではなく，前受処理の途を開いたことは評価されてよい。

〔**権利金収入**〕

⒄　つぎの確定した収入は，権利金収入である。

　土地や建物などの賃貸に当たっては，契約の履行を担保する等のため**権利金**，**保証金**，**敷金**等を受け取ることが慣行化している。その権利金は，受け取った時の一時の収益として計上する。また，保証金，敷金は原則として契約の中途解約や終了に際して返還するが，なかには償却費等と称して賃貸期間に応じた一定の金額は返還しない場合がある。その返還しない部分の保証金，敷金は，返還しないことが確定したときに収益計上しなければならない（基通2－1－41）。

　このような権利金，敷金，保証金に関する取扱いは，判例の承認するところでもあり[注22]，定着したものといってよい。判例では，返還しない部分の敷金，保証金は一種の権利金であるといっている。権利金収入は，将来契約の解除や終了があっても返還する必要のない確定し実現した収入であるから，一時の収益として計上すべきものとされている。

（注22）　東京高判昭和57.9.29税資127号1107頁，最高判昭和61.9.25税資153号824頁。

なお，平成30年の通達改正により，この取扱の範囲から「賃貸借の開始当初から返還が不要なもの」が除外された。この「賃貸借の開始当初から返還が不要なもの」は，前項(16)の〔返金不要な収入〕の取扱いを適用することになる。そうすると，返還する必要のない権利金等についても，将来の賃貸の対価として前受処理ができる可能性が出てこよう。

〔社債のプレミアム収入〕

(18) つぎの確定した収入は，社債の**プレミアム収入**である。

最近ではあまりみられないが，わが国企業が外国で社債を打歩発行する例がある。社債を打歩発行するといわゆるプレミアム収入が生じる。たとえば，額面100円につき102円の条件で社債を発行した場合，次のように処理する。

(借) 現 金 預 金　　102　　(貸) 社　　　　債　　100
　　　　　　　　　　　　　　　　　社 債 発 行 差 金　　2

この貸方・社債発行差金2がプレミアム収入であるが，これが一時の収益になるのかどうかが問題である。従来，これはすでに将来とも返還する必要のないものであるから，発行時の一時の収益に計上すべきである，と解されていた(注23)。

しかし，割引発行の場合の借方・社債発行差金は，繰延資産として処理することになっていた（旧法法2二四，32，旧法令14，64）。そこで，平成10年および平成19年の税制改正により，借方・社債発行差金とともに，貸方・社債発行差金すなわちプレミアム収入については，社債の償還期間にわたって均等額ずつを損金または益金に算入することとされた（法令136の2）。立法的に両者に対する取扱いの平仄を図ったのである。

〔繰延収益の概念〕

(19) 上述の権利金収入や社債のプレミアム収入について，企業会計では繰延収

（注23） 渡辺淑夫著『コンサルタント国際税務事例』（税務研究会，平成3）4頁．

益＝繰延負債の概念を確立すべきであるという議論が存する。**繰延収益**とは，収益は実現しているにもかかわらず，期間損益計算上その全額を受け取った年度の収益とすることは正しくないので次期に繰り延べるものをいう。対価を受け取っているという点では繰延収益と前受収益は同じであるが，繰延収益には債務性がない点に特徴がある。その意味で商品券の収入は確定した収入ではあるが，繰延収益にはならない。

　繰延費用には繰延資産という概念が確立している。だからこれに対応して，繰延収益に繰延負債という概念を確立しなければならないというのである。そこで権利金は，全額受け取った年度の収益とみるのは妥当でなく，その契約期間に割り振って収益とすべきであるという。また，プレミアム収入すなわち貸方・社債発行差金は，借方・社債発行差金と同様に繰延経理されなければならない。借方の発行差金は繰り延べるが，貸方の発行差金は全額その年度の利益とするのでは筋がとおらないからである(注24)。この点，プレミアム収入について，税法は立法的解決を図ったことは前述のとおりである。

⒇　平成2年の商法改正に際して，会計学者を中心として商法に繰延収益に関する包括規定を設けるべきである，との提言がされた。しかし，経済界の賛同が得られなかったことなどから，実現しなかった。経済界の反対理由は，繰延収益の概念は企業会計上まだ定着していないこと，工事負担金，割賦販売等の現行実務に混乱が起きることといったもので，必ずしも本質的なものではない。このようなことからすれば，繰延収益の概念は傾聴に値する考え方といえよう。

　また，上述した営業補償金等および権利金の収益計上時期に関しては，費用収益対応の原則からみて健全な会計慣行に抵触するのではないか，という指摘がある。これらの収入はいずれも確定した収入であることは間違いないが，その背後に負債を負っていたり，ある期間における家賃や経費などの調

(注24)　中村　忠著『新版　財務諸表論セミナー』(白桃書房，平成3) 74頁，中村忠稿「繰延資産と繰延負債」企業会計41巻9号（平成元.9）4頁以下.

整金としての性格を有しているから，一時の収益とするのが妥当かどうかといった議論である。企業会計や会社法におけるこれら議論の進展を見守りつつ，課税適状の時期はいつかといった税の要請との調和をどのように図るか慎重な検討が必要であろう。

2-4 延払基準と工事進行基準

〔延払基準の概要〕
(1) 法人税法では「収益及び費用の帰属事業年度の特例」として，延払基準と工事進行基準が定められている（法法63，64）。

　ところが，資産の販売・譲渡等の延払基準は，平成30年の税制改正により廃止された。これは同年の収益認識会計基準の制定により割賦基準が廃止されたことに伴うものである（同基準35項，同基準適用指針182項）。ただし，令和5年3月31日までに開始する事業年度においては，経過的に従来どおり延払基準の適用が認められている（平成30改正法附則44①）。

　そこで，まず，延払基準を簡単にみておこう。

　法人税では，昭和40年に法制化されて以来，「割賦基準」と「延払基準」との二つがあり，その適用要件において明確に区分されていた。しかし，平成10年の税制改正により割賦基準が廃止され，延払基準に一本化された。その改正後の延払基準が適用されるのは，長期割賦販売等である。

(2) ここで延払基準が適用される**長期割賦販売等**とは，次の要件に適合する条件を定めた契約に基づき行われる資産の販売もしくは譲渡，工事（製造）の請負または役務の提供をいう（旧法法63⑥，旧法令127）。

　イ　月賦，年賦その他の賦払の方法により，3回以上に分割して対価の支払を受けること。

　ロ　目的物または役務の引渡しまたは提供の期日の翌日から最後の賦払金の支払期日までの期間が2年以上であること。

　ハ　契約による目的物の引渡しの期日までに支払を受けるべき賦払金の合計

額が対価の額の3分の2以下であること。

これらの要件を満たさなければ，延払基準は適用できず，損益の計上を繰り延べることは認められない。従来の割賦基準の適用対象をも取り込めるようにはなっているが，その要件が厳しくなったため，結果的に従来の適用対象を一部排除することになった。

(3) 税務上の**延払基準**は，賦払金の支払期日の到来するつど，その賦払金に対応して損益を計上する方法である。具体的には，次の算式により計算した金額を，当期のそれぞれ収益の額及び費用の額とする（旧法令124①②）。

収益の額＝長期割賦販売等の対価の額×賦払金割合
費用の額＝長期割賦販売等の原価（販売手数料を含む）の額×賦払金割合

$$\text{賦払金割合} = \frac{\text{当期中に支払期日が到来した賦払金の合計額} - \text{左のうち前期末までに支払を受けた金額} + \text{当期中に支払を受けた賦払金で翌期以降のもの}}{\text{長期割賦販売等の対価の額}}$$

また平成19年のリース税制の整備により，賃貸人はリース資産を譲渡したことになるが，その譲渡（**リース譲渡**）による損益については，次の算式により計算した金額を，それぞれ当期の収益，費用の額としてよい（法法63①②，法令124）。現行法では，このリース譲渡についてだけ延払基準の適用が認められている。

$$\text{収益の額} = \left(\text{リース譲渡の対価の額} - \text{利息相当額} \right) \times \frac{\text{当期の月数}}{\text{リース期間の月数}} + \text{当期に属する利息相当額}$$

$$\text{費用の額} = \text{リース譲渡の原価の額} \times \frac{\text{当期の月数}}{\text{リース期間の月数}}$$

〔延払基準の趣旨と廃止理由〕

(4) このような延払基準が認められているのは，企業会計の慣行と担税力を考慮した結果である。すでに述べたように，棚卸資産の販売や固定資産の譲渡をした場合には，その収益は代金を回収したかどうかにかかわらず，その引渡しの時に計上するのが原則である（法法22の2①，基通2－1－2，2－1－14）。長期割賦販売等の収益についても例外ではない。しかし，割賦販売は通常の販売や譲渡と異なるところから，企業会計原則では，賦払金の①回収

期限の到来の日または②入金の日をもって収益を計上してよいとしている（注解6⑷）。①を**回収期限到来基準**（または**履行期限到来基準**），②を**回収基準**という。

　また，割賦販売を税の観点からみれば，契約に基づきその代金の回収が長期にわたることが明らかで，その回収がない段階では担税力がないといえる。そこで，税務上も延払基準の適用が認められている。

(5)　しかし，割賦や延払いによる商品の販売等は，販売する者が商品等の供給機能と金融機能との双方を果たしていると考えると，商品等の供給機能のみを果たし金融機能は第三者にゆだねている者の収益計上時期との比較において不均衡が生じているから，基本的には商品等の引渡し時に収益計上を行うべきである，との指摘がされている(注25)。平成10年の税制改正による延払基準への一本化に伴う適用対象の範囲の縮減には，このような背景がある。

　また，平成30年の長期割賦販売等に係る延払基準の廃止は，その延払基準を存置すると，収益認識会計基準を適用しなければならない法人とそうでない法人との間で不公平が生じることになるので，同基準の導入を契機として，上記指摘をも踏まえて行われたものである(注26)。

　延払基準の廃止は，企業の国際的な比較可能性の確保のためとはいえ，伝統的なわが国の会計慣行や法人税実務を大きく変えることになった。

〔工事進行基準の概要〕

(6)　つぎに，工事進行基準をみておこう。

　建設，造船その他の建設工事等の請負による収益は，建物，船舶等の目的物の全部を完成して注文主に引き渡したときに計上するのが原則である（法法22の2①，基通2－1－21の7）。これを**工事完成基準**という。この原則によれば，目的物を引き渡した時に一時に収益が計上される。しかし，目的物を

(注25)　税制調査会「法人課税小委員会報告」（平成8.11）．
(注26)　財務省主税局「平成30年度税制改正の解説」273頁．

引き渡した時にはじめて収益を認識するのでは，かえって企業の経営成績が適正に示されない。工事期間中の事業年度といえども収益獲得に寄与しているからである。それは工事期間が長期であればあるほど，なおさらである。

　そこで，企業会計原則では長期工事について，工事完成基準と工事進行基準との選択適用を認めている（注解7）。この会計慣行にならい，税務でも昭和25年の法人税基本通達でその適用が認められた後，昭和40年に立法化され工事進行基準が取り入れられている（法法64）。これは実現主義の例外であり，収益の認識基準としての発生主義の適用例である。上述の延払基準が利益の後出しであるのに対し，工事進行基準は利益の先出しである。

(7)　税務上，工事進行基準は，長期大規模工事については必ず適用しなければならない。これは強制適用であるから，利益が出ると見込まれる工事はもとより，損失が生じると見込まれる工事についても工事進行基準を適用する。長期工事についての収益の計上時期は，工事進行基準による方が各事業年度の企業業績を適切に表すことになること，国際的にも工事進行基準を採用する方向にあること等にかんがみれば，長期工事については，工事進行基準を原則的な収益計上基準とするのが適当である，との考え方に基づき平成10年に改正された(注27)。

　ここで**長期大規模工事**とは，次に掲げる要件を満たすものをいう（法法64①，令129①②）。平成10年の税制改正時には，工事期間が2年以上，請負対価が50億円以上とされていたが，平成20年の改正により，長期大規模工事の範囲が拡大された。

イ　その着手の日から目的物の引渡期日までの期間が1年以上であること。
ロ　その請負対価の額が10億円以上であること。
ハ　その請負対価の額の2分の1以上が目的物の引渡期日から1年を経過する日後に支払われることになっていないこと。

　長期大規模工事以外の工事（短期小規模工事）については，法人の選択によ

（注27）　税制調査会「法人課税小委員会報告」（平成8.11）．

り工事進行基準の方法によってよい（法法64②）。ここで工事進行基準の方法が任意に適用できる工事は、着工事業年度中にその目的物の引渡しが行われないものに限られる。従来、短期小規模工事のうち赤字工事については、工事進行基の適用はできないことになっていたが、平成20年の改正によりその適用ができるようになった。

(8) 工事の請負に適用される**工事進行基準**は、その工事の着工事業年度から完成事業年度までの各事業年度において次の算式により計算される収益および費用の額を計上する方法である（令129③）。

$$\text{収益の額} = \text{工事の請負対価の額} \times \text{工事の進行割合} - \text{前期までに計上した収益の額}$$

$$\text{費用の額} = \text{期末の現況による見積工事原価の額} \times \text{工事の進行割合} - \text{前期までに計上した原価の額}$$

$$\text{工事の進行割合} = \frac{\text{既に実際に要した工事原価の額}}{\text{期末の現況による見積工事原価の額}}$$

工事の進行割合は、上記の計算による割合のほか、工事の進行の度合を示すものとして合理的と認められるものに基づいて計算した割合でもよい。

このように、法人税の工事進行基準は、各事業年度で計上する損益の基礎となる工事の進行程度を工事原価の発生額により測定するのが原則である。工事の進行程度は、物量的、技術的な面からも測定することができるから、合理的である限りそれによってもよい。しかし、工事の技術的な進行と費用の発生とは必ずしも比例的ではないから、一般的には工事原価によるのが妥当であろう。

なお、平成30年3月の収益認識会計基準の公表に伴い、「工事契約に関する会計基準」は廃止された（同基準90項）。しかし、これは同基準の取扱い（同基準35項、38項、41項、同基準適用指針15項〜22項等）により工事進行基準による収益計上は可能であり、企業会計上、工事進行基準の考え方が廃止されたわけではない。

2-5　受取配当金

〔概　要〕

(1) 近年，多かれ少なかれほとんどの法人が他の法人の株式や出資を有している。法人がその保有株式や出資から生じる配当金を受け取った場合，課税所得の計算上，その配当金は益金の額に算入されない。受取配当は法人税の課税対象にならないのである。これを**受取配当等の益金不算入制度**という。

　　この制度の概要はおおむね次のとおりである（法法23〜24，法令19〜23，措法67の6）。

イ　内国法人から受ける配当等は，保有する株式等の種類に応じて，次の金額は益金の額に算入しない。

　① 完全子法人株式等　　受ける配当等の全額
　② 関連法人株式等　　　受ける配当等の額－負債利子の額
　③ 非支配目的株式等　　受ける配当等の額×20％相当額
　④ その他の株式等　　　受ける配当等の額×50％相当額

ロ　外国子会社（株式等の保有割合が25％以上）から受ける配当等は，その配当等の額の95％相当額は益金の額に算入しない。

ハ　益金不算入の対象になる配当等は，剰余金の配当，利益の配当，剰余金の分配，投資信託・投資法人法および資産流動化法による金銭の分配，特定株式投資信託の収益分配金のほか，みなし配当である。

ニ　みなし配当が生じることを予定して取得した自己株式の譲渡から生じるみなし配当については，益金不算入の適用はない。

(2) 上記イ②の「負債利子の額」の控除の立法時の趣旨は，会社が借入金で株式を有している場合には最終収益に含まれるのは配当の額から見合いの負債の利子の額を控除した金額であるから，その控除は当然であるということであった(注28)。それは現在でも同じである。

　　上記ロの外国子会社からの配当等の益金不算入の特例は，平成21年の税制

改正により創設された。その趣旨は，国際的二重課税を排除するとともに，わが国親会社の設備投資資金の確保等のため，外国子会社に留保されている資金をわが国に還流させることにある。

ただし，平成27年の税制改正により，外国子会社から支払われる配当等の額の全部または一部がその外国子会社の所在地国で損金算入される場合には，益金不算入の適用はないこととされた（法法23の2②一）。これは国際的二重非課税を排除する趣旨による。

また，上記ニの自己株式のみなし配当の特例は，平成22年に設けられた。これは，受取配当等の益金不算入（法法23）と株式の譲渡損益の計上（法法61の2）による租税回避行為を防止する趣旨のものである。みなし配当が生じることを予定して取得した自己株式には，たとえば上場株式の公開買付期間中に取得した株式が該当する（基通3-1-8，3-3-4）。

〔二重負担の調整方法〕

(3) 受取配当は，受け取る法人にとっては純資産の増加をもたらすものであり，配当可能利益の源泉となる。したがって，企業会計上は当然に収益に計上される。

それにもかかわらず，法人税が受取配当を益金不算入としているのは，現行法人税の基本的仕組みに基づく。すなわち，すでに述べたように（「1-1 課税根拠」参照），現行法人税は基本的に法人税は個人所得税の前払であるとの考え方に立っているから，配当に対する法人・個人間の二重負担を調整するためである。

配当に対する二重負担を調整する方法として，大別してインピュテーション方式と支払配当損金算入方式とがある。

インピュテーション方式は，法人段階では法人所得に対して通常どおり法

（注28） 市丸吉左ヱ門稿「私の税務の思い出」（七夕会編『税務同時代外史』平成3所収）5頁.

人税を課し，株主段階で受取配当を法人税課税前の金額にグロス・アップし，そのグロス・アップした後の配当所得を加えた総所得を基礎に算出された所得税額からその配当に対応する法人税額を控除するものである。二重負担の調整を株主段階で行う方法であり，**グロス・アップ方式**とも呼ばれる。

これに対して，**支払配当損金算入方式**は，法人が支払う配当は損金の額に算入し，その配当部分の所得には法人税を課さない方法である。二重負担の調整は法人段階で行うが，配当に対する課税はすべて株主段階でなされる。

〔現行法の調整方法〕

(4) そこで現行法をみてみると，現行法が両方式のうちどちらの方法をとっているかといえば，基本的にインピュテーション方式であろう。もっとも，インピュテーション方式は実務的な方法としては複雑に過ぎる面があるので，これを修正したものとなっている。

法人税の課税においては，支払配当は損金の額に算入しない（法法22⑤）とともに，受取配当も益金の額に算入せず，法人の所得に対して通常どおり法人税を課す。受取配当を益金の額に算入しないのは，法人株主の段階でその受取配当に法人税を課すと，配当に対する法人税の課税が累積し個人株主の段階での調整が複雑になるので，法人株主段階では受取配当の課税関係を起こさせない趣旨である。法人・個人間の二重負担を調整する見地からは当然の措置であるといえよう。そして，個人株主が受け取った配当については，その個人株主が納付すべき所得税額からその受取配当に含まれる法人税額相当額を控除する**配当控除**が認められている（所法92，措法9）。ただ，配当控除は，いちいち受取配当をグロス・アップし法人税額を算出するのは面倒であるところから，個人株主の総所得金額と受取配当の金額に応じて法人税額とみられる法定の金額を控除する簡便法である。

(5) このような受取配当等の益金不算入制度は，シャウプ勧告に基づく昭和25年の税制改正により創設された[注29]。しかし，昭和63年12月の税制の抜本改革により，その保有割合が25％未満の株式等から生じる受取配当については，

益金の不算入割合が80％に改められた。その結果，受取配当のうち20％部分は法人税が課されることになった。その後，平成14年に益金不算入割合が段階的に50％にまで引き下げられた。

法人間での株式の相互持ち合い，安定株主対策として機関投資家による株式保有の拡大，財テク投資としての株式保有の増大が目立っている。このような経済実態を踏まえて，投資対象として保有する株式の配当についてまで，その全額が益金不算入の対象になっていたことへの問題意識から改正が行われた。

しかし，このような純粋な配当に対する法人・個人間の負担調整措置としてみる限り，やや後退したものとなっている。この点からみて，20％（現行50％）部分を課税するのは二重課税で問題だとする指摘がある[注30]。

ただ，親子関係等の支配関係にある法人からの配当についても一部を課税するとすれば，子会社化をやめて支店，事業所形態への移行が起こると考えられ，これでは税の中立性を損なう。そこで，25％以上の保有割合がある関係法人株式等の配当については，従来どおりその全額が益金不算入とされていた[注31]。

(6) また，平成22年の税制改正により，100％の持株関係がある完全子法人株式等の配当等については，全額が益金不算入とされた（法法23①⑤）。関係法人株式等の配当との取扱いの違いは，完全子法人株式等の配当等については負債利子の控除を要しない点である。

さらに，平成27年の税制改正により，関連法人株式等（配当等の支払基準日以前6月間継続して3分の2以上の持株比率がある法人の株式等）および非支配目的株式等（配当等の支払基準日に5％以下の持株比率がある法人の株式等）の概念

（注29） 吉国二郎総監修『戦後法人税制史（創立50周年記念出版）』（税務研究会，平成8）78頁．
（注30） 吉國二郎・大島隆夫対談「平成6年度税制改正の方向」税経通信49巻5号（平成6.4）130頁．
（注31） 税制調査会「税制改革についての中間答申」（昭和63.4.28）．

が導入され，それぞれ益金不算入割合が定められた（法法23①⑥⑦）。これは，持株比率が高い支配目的株式等とその他の株式等の違いをより一層明確化し，支配目的が乏しい株式等の配当について，他の投資機会との中立性を確保する観点から，課税を適正化する趣旨であるといわれる[注32]。

これまでの改正の経緯，特に平成27年の改正の趣旨などからみると，受取配当等の益金不算入制度は，法人・個人間の二重負担を調整するという機能から相当違ったものになりつつある，といえよう。

〔みなし配当の態様〕

(7) 受取配当等の益金不算入制度は，通常の剰余金や利益の配当，剰余金の分配などのほか，いわゆるみなし配当についても適用がある。

みなし配当は，通常の剰余金や利益の配当等ではないが，その経済的実質が通常の剰余金や利益の配当等となんら異ならないため，税法上配当とみなされるものである。法人税法上，みなし配当が生じる事由として，次の七つの態様がある（法法24①）。

イ　合併（適格合併を除く）

ロ　分割型分割（適格分割型分割を除く）

ハ　株式分配（適格株式分配を除く）

ニ　資本の払戻しまたは解散による残余財産の分配

ホ　自己の株式の取得（証券市場からの取得を除く）

ヘ　出資の消却，出資の払戻し，社員や出資者の退社または脱退による持分の払戻し等

ト　組織変更

株主である法人がイからトまでの事由により金銭や新株等の資産の交付を受けた場合，その交付を受けた資産の価額が旧株に対応する資本金等の額を超えることがある。その超える部分の金額は出資先である法人の利益積立金

（注32）　財務省主税局『平成27年版　改正税法のすべて』340頁

から成るものであるから、それはこれまで留保されていた利益が合併等を契機に分配されたとみられる。そこで、このような場合には剰余金や利益の配当等があったとみなされるのである。

(8) 合併法人が合併の直前に保有している被合併法人の株式（いわゆる**抱合株式**）に対しては、合併に際して株式割当を行わないことが多い。抱合株式に新株を割り当てることは、自己の会社の株式を自ら引き受けることであり、実務的にはこれを行う例もみられるが、理論上は反対論がある。

しかし税務上は、抱合株式については合併法人が株式割当を受けたものとみなしてみなし配当の計算を行う（法法24②）。平成13年の税制改正により、みなし配当は、各株主が記帳している旧株の帳簿価額ではなく、旧株に対応する資本金等の額を基準にして計算することとされた。これは各株主に同額のみなし配当が生じるということであるから、抱合株式に新株を割り当てない場合にも、その割当を行ったものとして同額のみなし配当が生じるようにしたものである。

〔利益積立金額の資本組入れ〕

(9) 以上に述べたみなし配当の態様のほか、従来、利益積立金額の資本または出資への組入れによってもみなし配当が生じるものと定められていた（旧法法24②）。

この場合は、上述の資産の交付を受ける場合と異なり、株主は金銭等の資産の交付を受けるわけではない。しかし、株主にとっては実質的な持ち分の増加があり、それは利益配当を受けるのと経済実態的には同じである。そこで、その増加部分が配当とみなされ、同時にその金額の交付を受けたものとみなされていた。

このような利益積立金額の資本組入れに関するみなし配当について、商法学者を中心として異論があった。特に、平成２年の商法改正により配当可能利益の資本組入れが認められたが（旧商法293ノ2，293ノ3）、その改正に際して大いに議論された。

商法の立場からの議論は，配当可能利益や**利益準備金の資本組入れ**は自己資本の振替という会社の内部事情に過ぎず，株主にとって配当が生じたとはいえない，というものである(注33)。

　　　これに対して税の立場からは，一般的に利益積立金が資本に組み入れられるとその分株式の価値が増加するが，それをその組入時に課税しておかないと譲渡時まで課税が延期され不公平であるといった説明がされていた(注34)。

　　　判例では，みなし配当は未実現の収益であるとの主張に対して，みなし配当として課税するかどうかは立法政策の問題であるといっている(注35)。

　　　このような議論や資産の交付がない場合のみなし配当は益金不算入となって課税の対象にならない一方，そのみなし配当額だけ株式の帳簿価額が増額になって将来の評価損益や譲渡損益を増減させるといった問題点が指摘され，平成13年の税制改正により，このみなし配当は廃止された。

⑽　平成18年5月1日施行の会社法においては，資本と利益の混同を禁止する企業会計との整合性を図る等のため，利益および利益準備金の資本組入れは認められていなかった。

　　　ところが，平成21年3月に会社計算規則が改正され，再び利益および利益準備金の資本組入れができるようになった（同規則25）。

　　　そこで，会社が利益および利益準備金の資本組入れを行った場合，税務上，みなし配当が生じるかどうかである。この点，現行法人税法では，みなし配当が生じる事由に利益および利益準備金の資本組入れは含まれていないから，みなし配当は生じない。上述したような，平成13年の税制改正の経緯からすれば，将来とも利益および利益準備金の資本組入れによるみなし配当が復活することはないであろう(注36)。

(注33)　竹内昭夫稿「株式配当・無償交付と株式分割規定の整理と課税のあり方について　下」商事法務No.1182（1989.5.25）6頁，大谷禎男稿「改正商法のポイントはここだ（上）」週刊経営財務No.2000（1990.9.17）13頁．

(注34)　金子　宏稿「商法改正と税制－株式配当および利益積立金の資本組入れを中心として－」商事法務No.1223（1990.7.25）27頁以下．

(注35)　最高判昭和57.12.21税資28号731頁．

〔現物分配による配当等〕

⑾ 法人が受ける配当等は，現金であるのが普通であるが，たとえば孫会社株式など現物であることがある。株主等が出資者たる地位に基づいて受ける一切の経済的利益は配当等であるから（基通1－5－4），現物で受けるものも当然，配当等に該当する。

　このように，法人が株主等に対し剰余金や利益の配当等として金銭以外の資産を交付することを**現物分配**という（法法2二の五の二）。そして，その現物分配のうち，現物分配を受ける者が完全支配関係（100％の持株関係）がある普通法人または協同組合等のみであるものを**適格現物分配**という（法法2十二の十五）。

　適格現物分配による配当等は，受取配当等の益金不算入の対象になる配当等に含まれない（法法23①）。しかし，適格現物分配による配当等が即益金算入になるわけではない。別途，適格現物分配により資産の移転を受けたことによる収益は，益金不算入とする旨定められている（法法62の5④）。これは，平成22年の税制改正により設けられた。たとえば持株会社制に移行するため親会社が孫会社を子会社化するような，組織再編等に際して課税関係が生じないようにする趣旨である。

　非適格現物分配による配当等は，受取配当等の益金不算入の対象になる配当等に含まれ（法法23①），所定の配当等が益金不算入となる。

2－6　評　価　益

〔概　要〕

⑴　法人税の課税所得の計算上，資産の**評価益**は原則として益金の額に算入されない（法法25①）。仮に法人が所有資産につき評価益を計上して帳簿価額を

（注36）　拙稿「利益準備金の資本組入れをした場合等のみなし配当課税の有無」週刊税務通信No.3094（平成21.12.14）48頁．

増額しても，その増額はなかったものとみなされる（法法25④）。

ただし，次に掲げる評価換えの場合には，例外的に評価益の計上ができる（法法25②③，法令24，24の2）。

イ　更生計画認可の決定による資産の評価換え
ロ　保険会社が保険業法第112条の規定に基づいて行う株式の評価換え
ハ　再生計画認可の決定等による資産の評定

これらは，継続企業の前提に疑義が生じ，あるいは特定の目的をもって資産の評価換えを行うものであるから，評価益は益金となる。

したがって，平成10年3月に成立した「土地の再評価に関する法律」に基づく土地の再評価であっても，税法上は評価益を計上してよい場合に該当しないから，その再評価差額金は益金とはならない（同法7参照）。

評価益の計上が認められ，法人が現にその計上をした場合には，評価換え後の帳簿価額が以後の減価償却や譲渡損益の計算の基礎になる。その点において，更生計画や再生計画の認可の決定があった場合には，むしろ評価益を計上するのが得策である。

なお，評価換えに類似するものに，割引発行された社債の帳簿価額の増額，すなわち**アキュミュレーション**（accumulation）がある。このアキュミュレーションによる収益を税務上では**調整差益**といい，これは評価益ではないから単純に益金になる（法令139の2）。

また，①資本的支出の金額を減価償却資産へ加算するに当たっての帳簿価額の増額および②圧縮積立金の取崩しによる収益も評価益ではないから，益金の額に算入される（基通4－1－1）。

〔資産評価に対する法人税の態度〕

(2)　このように，法人税では資産の評価益の計上は基本的に認められない。資産の価額は取得原価で記帳するのが原則である。評価益は未実現の利益であるからである。この基本的な考え方は後述する評価損にも妥当する（法法33）。それゆえ，企業会計や旧商法と同じく法人税も**取得原価主義**に立脚している

といわれる。

しかし，法人税が伝統的に評価損益の計上を禁止してきたわけではない。昭和40年の法人税法の全文改正前には，企業会計上計上した評価損益は課税所得の計算上も益金または損金の額に算入されていた（旧法規17②）。

昭和37年改正前の商法は，財産の評価原則として**時価以下主義**をとり，原則として時価以下であれば企業が自由に評価損益を計上してよいことになっていた（旧商法34）。それが昭和37年の改正で，評価益の計上はできないことになった。これに伴って，昭和38年に企業会計原則も改正され，ほぼ商法と足並みをそろえた。これら商法や企業会計原則の改正にならい，昭和40年に法人税法も改められたのである。このように評価損益の取扱いは，旧商法や企業会計の影響を受け，基本的にはこれらと整合性のあるものとなっている。

〔取得原価主義の問題点〕

(3) ところが，最近の証券・金融市場のグローバル化や企業の経営環境の変化と，それに伴う企業会計の透明性の確保や世界標準化の動きを背景として，取得原価主義の問題点が改めて指摘されている。

すなわち，まず土地や有価証券の貸借対照表価額が現実の経済的価値から遊離しているということが挙げられる。企業の資産の実態が財務諸表に明瞭に表示されず，財政状態の適正な開示という点で問題がある。

つぎに企業の利益操作が可能であることである。取得原価主義のもとでは，企業の自由意思により資産の含み損益を吐き出したり，先送りしたりすることができる。たとえば，株式の**クロス取引**やデリバティブ取引による利益操作などである。

〔金融商品に対する時価会計の導入〕

(4) そこで企業会計では，平成12年4月1日から金融商品の評価基準として**時価会計**が導入された(注37)。一方法人税においては，企業のデリバティブ取引を利用した利益操作や租税回避が問題点として指摘されていた(注38)。このよ

うな問題点の解消を図るため企業会計の動きに合わせて，法人税においても平成12年の税制改正により，金融商品の評価につき時価会計が導入された。すなわち，次の金融商品はそれぞれ次のように取り扱う。

イ　**売買目的有価証券**については，期末時価により評価し，その評価益または評価損は益金または損金に算入する（法法61の3）。

ロ　**有価証券の空売り**，**信用取引**，**発行日取引**または**有価証券の引受け**で期末に未決済となっているものについては，期末に決済したものとみなして算出した利益または損失を益金または損金に算入する（法法61の4）。

ハ　**デリバティブ取引**で期末に未決済となっているものについては，期末に決済したものとみなして算出した利益または損失を益金または損金に算入する（法法61の5）。

ニ　資産・負債の価額変動等による損失を減少させるためのデリバティブ取引，すなわち**ヘッジ取引**を行った場合には，デリバティブ取引のみなし決済損益の計上を繰り延べる**繰延ヘッジ処理**（法法61の6）またはヘッジ取引の対象とした売買目的外有価証券を時価評価する**時価ヘッジ処理**（法法61の7）を適用する。

ニは，税務上も**ヘッジ会計**の適用があることを意味している。

また平成19年の税制改正では，短期売買商品について，期末に時価法により評価し，その評価益または評価損は益金または損金に算入することとされた。ここで**短期売買商品**とは，短期的な価格の変動を利用して利益を得る目的で取得した，金，銀，白金その他の資産をいう（法法61，法令118の4～118の8）。令和元年の税制改正により，**暗号資産**（資産決済に関する法律2条5項）についても，短期売買商品と同様に取り扱うこととされた（法法61）。

（注37）　企業会計審議会「金融商品に係る会計基準の設定に関する意見書」（平成11.1.22），日本公認会計士協会「金融商品会計に関する実務指針」（平成12.1.31），同「金融商品会計に関するQ&A」（平成12.9.14）。

（注38）　錦織康高稿「金融商品の時価主義課税」（金子宏他編『租税法と市場』有斐閣，2014所収）205頁以下。

これも，売買目的有価証券と同じく，時価会計の導入である。

〔今後における時価会計の動向〕

(5) いうまでもなく時価会計は基本的に資産・負債を期末時価で評価するというものである。ただ現在導入されている時価会計は，あくまで現行の原価主義会計の枠内で時価評価が可能な資産を時価で評価しようというに止まる。全面的な時価会計の導入ではなく，金融商品に限定された原価主義会計の手直し程度のものである，ということができよう。

しかし今後は，わが国企業会計の国際化や適正な財務情報の開示という観点から，売買目的外有価証券や土地，建物等の固定資産をはじめ，負債についても時価で評価する方向へ動いていくものと思われる。現に適用されている退職給付会計は，負債面の時価会計ということができよう。

特に最近，わが国企業会計でも導入が議論されているＩＦＲＳ（国際財務報告基準）では，資産負債アプローチを指向し，負債についても時価評価を行う。

自己が発行した社債の時価が下落した場合には，負債としての社債の額面金額と時価との差額の評価益を計上すべきである，といった議論もあり，現に米国会計基準では評価益の計上ができる(注39)。時価の下がった社債を買い戻せば，発行会社は利益を計上することも可能である。

もっとも，時価会計の危うさも指摘されている。たとえば，期末時価は実現される保証のないものであり，時価主義が映し出すという企業の実態は実体のない虚構の数値ではないかとか(注40)，経営者からすれば期末一時点の時価により変動する損益をコントロールして経営を行うことは事実上不可能ではないか，といった疑問である。

(注39) 拙稿「債権譲渡があった場合の債務免除益又は評価益の計上の要否」週刊税務通信No.3302（平成26.3.10）48頁。
(注40) 田中　弘著『時価主義を考える（第２版）』（中央経済社，平成11）270頁，120頁以下。

このような状況のもと，法人税においては，企業会計，特にIFRS導入の動向を注視しながら，税独自の立場からの未実現の損益に対する課税の限界に関する検討が今後の課題となろう。

2－7　受　贈　益

〔概　要〕

(1) すでに述べたように（「2－1　益金の額」），法人税の課税所得の計算上，「無償による資産の譲受け」による収益は，益金の額に算入する（法法22②）。一方，贈与を受けた資産の取得価額は，その資産の時価相当額とされている（法令32①三，54①六，118の⑤二，119①二十七）。

　したがって，金銭，商品，暗号資産，固定資産，有価証券などの資産の無償譲り受け，すなわち贈与を受けた場合の**受贈益**はすべて益金になる。私財提供益，国庫補助金，工事負担金の収益などである。債務免除益も広い意味の受贈益に含まれよう。この場合の益金になる金額は，その資産の時価相当額である。

(2) ただし，法人がその法人との間に完全支配関係がある法人から受けた受贈益は，益金としなくてよい（法法25の2）。

　また，**広告宣伝用資産の受贈益**については，次のような特例が認められている（基通4－2－1）。広告宣伝用資産の贈与には，贈与者側にもメリットがあることを考慮したものである。

イ　看板，ネオンサイン，どんちょうのような広告宣伝専用の資産の受贈益はないものとする。

ロ　自動車，陳列棚，陳列ケース，冷蔵庫，容器，展示用モデルハウス等で広告宣伝を兼ねているものの受贈益は，贈与者がその資産を取得した価額の3分の2相当額とする。ただし，その3分の2相当額が30万円以下であるときは，受贈益はないものとしてよい。

　なお，家賃，地代，利息など役務（サービス）の無償提供による受贈益に

ついては，通常の場合，積極的に認識する必要はない（「2-1　益金の額」参照）。

〔低廉譲受け〕

(3)　まず，「無償による資産の譲受け」に**資産の低廉譲受け**が含まれるかどうか議論がある。含まれないとする考え方は，法律で明確に「無償による……」と規定されている以上，低廉であっても対価の支払のある資産の譲受けは，無償ではないからこれに含まれないという。

　この考え方によっても，対価が本当に名目的である場合には，実質的に無償であると認定することができよう。しかし，名目的でない対価である場合にそのまま認められるとすれば，無償である場合との課税の権衡が崩れる[注41]。また，理論的には，低廉譲受けの場合には低廉部分の一部贈与を受けたといえる[注42]。さらに，実定法上も，たとえば有利発行による株式の取得は一種の低廉譲受けであるが，その株式の取得価額はその時価とされている（法令119①四）。したがって，低廉譲受けも無償譲受けに含まれるというべきである。課税の実務もそのように取り扱っている（基通7-5-1(4)参照）。

〔完全支配関係法人から受けた受贈益〕

(4)　平成22年の税制改正により整備されたグループ法人税制の一環として，完全支配関係がある法人から受けた受贈益は，益金の額に算入しないこととされた（法法25の2）。この場合の**完全支配関係**とは，発行済株式等の100％を保有する関係をいう（法法2十二の七の六，法令4の2②）。

　一方，後述するように（「3-11　寄附金」），完全支配関係がある法人に対して支出した寄附金は，全額損金とならない（法法37②）。

　このような処理を行うのは，完全支配関係がある法人間における贈与は，

（注41）　最高判平成7.12.19裁判所時報1163号1頁。
（注42）　中村　忠著『新稿　現代会計学〔九訂版〕』（白桃書房，2005）69頁。

実質的には出資であるということである。すなわち、グループ法人の一体的運営が進展している状況を踏まえ、実態に即した課税を実現する観点から、完全支配関係がある法人グループは一つの法人とみて、グループ内の取引については損益を認識しないという趣旨といえよう。

(5) そのため、たとえば完全支配関係がある子会社間で贈与をした場合には、その子会社株式を保有する親会社では、贈与を受けた子会社の株式の帳簿価額を増額し、贈与を行った子会社の株式の帳簿価額は減額する、いわゆる**簿価修正**を行う（法令9①七，119の3⑥，119の4）。

　この簿価修正は、贈与を受けた会社の純資産額は増加する一方、贈与を行った会社の純資産額は減少する、ということを前提としている。

　たとえば親会社、子会社、孫会社と完全支配関係が三層構造になっている場合において、子会社が孫会社に1,000の贈与をしたときは、子会社は保有する孫会社株式の帳簿価額を1,000増額する。一方、親会社は、子会社が孫会社に1,000の贈与を行った結果、その純資産額がそれだけ減少したとして、保有する子会社株式の帳簿価額を1,000減額しなければならない。これが現行法の解釈である。

　しかし、子会社の純資産額が1,000減少したとしても、子会社は別途孫会社株式の帳簿価額を増額するから、子会社の純資産額には増減がないことになる。それにもかかわらず、親会社は子会社株式の減額をしなければならないことには違和感が残る(注43)。

(6) この場合の益金不算入となる受贈益は、従来から定められている寄附金と同様の内容のものであり、経済的な利益の無償または低額の供与も含まれる（法法25の2②③）。そこで、たとえば親会社から無利息の資金を借り入れた場合、子会社では支払うべき利息相当の受贈益が益金不算入になる。その場合、企業会計の実務では、利息相当の受贈益は特に計上しないのが普通であ

（注43）　拙著『問答式グループ法人税制の実務事例集〔第3版〕』（大蔵財務協会，平成30）74頁。

るが，その場合でも益金不算入の適用が認められるのかといった問題がある。この点，利息相当の受贈益を計上するような経理処理がなくても，益金不算入の適用はあると考えられる（基通4－2－6）。

なお，この受贈益と寄附金の課税の特例は，「法人による完全支配関係」がある場合に限って適用される（法法25の2①，37②）。この**法人による完全支配関係**とは，たとえば親会社Aが子会社Bおよび子会社Cの発行済株式等の全部を保有する関係をいう。個人Aが会社Bおよび会社Cの発行済株式等の全部を保有する場合には，**個人による完全支配関係**となり，受贈益と寄附金の課税の特例の適用はないことに留意する。

この場合，法人による完全支配関係と個人による完全支配関係の双方がある場合にも，この課税の特例の適用がある（基通9－4－2の5）。

〔企業会計との相違点〕

(7) 上述のとおり，法人税では原則として受贈益はすべて益金とされ，課税の対象になる。私財提供益，債務免除益，国庫補助金，工事負担金などもその目的のいかんを問わず，例外ではない。

一方，企業会計においても，贈与を受けた資産は公正な市場価額すなわち時価を評価額として資産に計上する。企業会計では，この場合，貸方側の受贈益を利益とするか，資本剰余金とするかが問題である。

企業会計でも基本的に受贈益は利益として認識する。ただ，会計理論的には，欠損てん補を目的とする私財提供益および債務免除益，資本助成を目的とする国庫補助金および工事負担金は，資本剰余金に属する。現に昭和49年改正前の「企業会計原則」では，これらは資本剰余金とする旨例示されていた（旧注解7）。

(8) また，会社法では，貸借対照表の資本剰余金に係る項目は「資本準備金」と「その他の資本剰余金」である（計規76，141③）。この「その他の資本剰余金」にどのような項目が含まれるかは明らかでないが，一般に公正妥当と認められる企業会計の基準や慣行により，「その他の資本剰余金」になるも

そこで、会計理論的には、国庫補助金や工事負担金等の贈与剰余金を「その他の資本剰余金」とする余地があるかもしれない。その意味では、資本を株主の出資によるものに限らず、非株主の出資をも認めるものといえよう。

これに対し、法人税では国庫補助金や工事負担金については、圧縮記帳の適用を認め、贈与剰余金等を資本金等の額とする余地はない。法人税は資本の概念を株主から払い込まれたものに限定しているからである。

ただ、会計実務では、贈与剰余金を「その他の資本剰余金」に計上するようなことはないであろうから、法人税と大きく異ならない。

なお、圧縮記帳に関しては論ずべき点が多々ある。これについては、「3 －17　圧縮記帳」の項で述べる。

2－8　借地権課税

〔概　要〕
(1)　都会地では、建物や構築物の所有を目的とする土地の賃貸借に当たって、権利金を授受することが慣行化している。このような土地の賃貸借によって生じる権利が**土地の賃借権**である。この土地の賃借権と**地上権**とを合わせて**借地権**という（法令137）。

　法人が借地権または**地役権**の設定あるいは借地権の転貸により、他人に土地を使用させた場合の課税関係の概要は、次のとおりである。これらの取扱いを総称して**借地権課税**と呼ぶが、これが法制化されたのは昭和37年である。

イ　土地の使用の対価として権利金を収受した場合には、その権利金は益金に計上する。

ロ　権利金を収受する慣行があるにもかかわらず、権利金を全く収受しないか、または低額しか収受しなかった場合には、通常収受すべき権利金と実際に収受した権利金との差額相当額は、借地人からいったん収受して益金に計上したうえ、その借地人に贈与（借地人がその法人の役員または使用人で

ある場合には，給与を支給）したものとする（基通13－1－3参照）。これを**権利金の認定課税**という。

ハ　しかし，権利金を収受する取引上の慣行がある場合においても，その権利金の収受に代え，賃貸した土地の価額に照らしその使用の対価として相当の地代を収受しているときは，その取引は正常なものとする（法令137）。

ニ　また，通常収受すべき権利金も相当の地代も収受しない場合であっても，土地の貸借契約において将来借地人がその土地を無償で返還することを明らかにし，その旨を借地人との連名により遅滞なく所轄税務署長に届け出たときは，権利金の認定は見合わせる。この場合には，貸付期間中の各年度において，相当の地代と実際に収受している地代との差額相当額を借地人に贈与したものとする（基通13－1－7）。

ホ　このようにして，借地権の設定等により権利金を収受し，または権利金の認定課税が行われた場合において，その土地の価額が2分の1（または4分の1）以上下落したときは，借地権価額に対応する土地の帳簿価額を損金の額に算入する（法令138①）。

ヘ　借地権等の存続期間を更新するため**更新料**を支払った場合には，その更新料に対応する借地権等の帳簿価額を損金の額に算入する。この場合，その更新料は借地権等の帳簿価額に加算する（法令139）。

ト　借地権の譲渡等に当たっての借地権価額の評価は，おおむね次による（基通13－1－15）。

　(イ)　権利金を収受している場合　　通常取引される借地権価額
　(ロ)　相当の地代を収受している場合　　それぞれ次の価額
　　　A　地代の額を地価の上昇に応じて順次改訂しているとき　　零
　　　B　A以外のとき　　それぞれ次の価額
　　　(A)　収受している地代の額が一般地代の額になる前に譲渡等したとき　次の算式により計算した金額

$$土地の更地価額 \times \left(1 - \frac{実際に収受している地代の年額}{相当の地代の年額}\right)$$

　　　(B)　(A)以外のとき　　通常取引される借地権価額

〔権利金の認定課税〕

(2) まず，権利金の認定課税の趣旨をみていこう。

　借地権の設定等により土地に堅固な建物や構築物が建設された場合には，その土地の利用は恒久的に制限され，もはや地代収受権としてのいわゆる**底地**の価値しかなくなる。それでも地代が高い水準に定まり，地価の上昇に応じて引き上げられればよいが，それは一般的に望み得ない。このような事情により地価は下落するから，その下落分の対価として権利金を収受する慣行が確立されてきた。

　ところが，法人がその関係会社や役員に対して土地を貸し付ける場合には，権利金を全く収受せず，あるいは低額しか収受しないことがある。このような場合に権利金の認定課税が行われる。営利の追求を目的とする企業にあっては，権利金を収受する慣行がある以上，権利金を収受するのが経済的合理性のある行動である，と考えられるからである。

　このようなことから，権利金の認定課税の根拠を同族会社の行為計算の否認規定（法法132）に置く意見があり，判例でも認められた例がある。しかし，その根拠は法人税法第22条第2項の「無償による資産の譲渡」からも収益が生じる，という規定に求めることが妥当であると考える[注44]。借地権は土地に準ずる資産価値を有する資産であるからである。もちろん，地域によっては権利金を収受する慣行のないところもあり，その慣行がなければ借地権は資産性がなく，その価額はゼロである。その場合には単に益金がゼロになるに過ぎない。

(3) 上述したように借地権をめぐる課税は，権利金を収受する慣行のあることが前提となっている。また，権利金の認定課税は実際に収受していない権利金に課税するものであるから，権利金額が僅少なものについてまで，その認定を行うのは適当でない。したがって，その土地の使用の目的が①単に物品置場，駐車場等として土地を更地のまま使用し，または②仮営業所，仮店舗

(注44)　東京高判平成3.2.5税資182号276頁．

等の簡易な建物の敷地として使用する場合には、権利金の認定は行われない（基通13－1－5）。①は更地としての使用、②は明らかな短期使用であり、通常権利金の授受がないと認められるからである。

　また、課税実務上、権利金を収受する慣行があっても、相続税評価上の借地権割合が3割未満とかなり低い場合には、権利金の認定はしない取扱いがされている。**借地権割合**とは、通常収受すべき権利金の額の更地価額に対する割合をいい、大都市圏では7割から9割までに達している。3割未満というのは地方部であり、そもそも地価自体が低いから、権利金額も少額になる。

〔相当の地代による貸付け〕

(4)　つぎに相当の地代による貸付けの場合には、相当の地代を収受すれば、権利金を収受しなくても権利金の認定課税は行われない。これは、権利金の授受を行った場合に比べて高額の地代を受け取っている例については、理論的に地代の資本還元額は、地代収受権としての土地の価額に等しく、これと更地としての土地の価額とが同じである場合には、権利金を収受するいわれがないからである[注45]。

　このような観点から、**相当の地代**を算定する基礎となる相当の地代率は昭和37年の法令改正に伴い定められたが、その基本的な考え方は、権利金の額に換算される土地の上土権の価額を資本として運用する場合、どれだけの利回りを予定しておけばよいか、というものである。そのうえで、昭和36年当時の国債の応募者利回り年6.2％に固定資産税等の租税公課を加えて8％とされた[注46]。

(5)　以来、この8％が相当の地代率とされてきたが、昭和60年代のバブル期に土地価格の異常な高騰が社会問題化し、8％の率では高すぎると指摘されるに至った。そこで、国債の応募者利回りや金利の低下の状況を勘案し、相当

(注45)　税制調査会昭和36.12.7答申。
(注46)　高木文雄著『法人・個人をめぐる借地権の税務（改訂版）』（清文社、昭和49）106頁、白石満彦著『借地権課税百年史』（清文社、平成4）180頁。

の地代率は，当分の間，6％でよいことにされている。これと併せて，土地高騰による激変を緩和するため，相当の地代額の算定の基礎となる更地価額は過去3年間の平均額でよいことにされた。

ここで**更地価額**とは，原則として借地権の設定等をした時におけるその土地の更地としての通常の取引価額をいう。ただし，課税上の弊害がない限り，①その土地につきその近傍類地の公示価格もしくは標準価格から合理的に算定した価額または②相続税評価額の過去3年間における平均額を更地価額としてもよい（基通13－1－2，平成元.3.30直法2－2通達）。

(6) ところが，地価の高い都市部にあっては，6％の地代率を適用してもなお相当の地代額が高額になる。そのため，依然として6％でも高すぎるという指摘がある。特に，都会地では地域再開発の一環として，地主は土地を，デベロッパーは資金をそれぞれ提供して，その土地の上に貸ビルを建設するような例がみられる。この場合，貸ビルの所有者となるデベロッパーは地主に相当の地代を支払うことにしたいが，その地代が更地価額の6％では到底貸ビルとして採算がとれないという。そこで，このような場合には，貸ビルから生じる利益の範囲内で地主とデベロッパーが利益を適正に配分することとし，その地主に配分される額を相当の地代として認めるべきである，との意見がある。

確かに採算性といった観点からすれば，6％でも高いかもしれない。しかし，そもそも相当の地代というのは，権利金に代えて受け取るものであるから，単に採算性といった観点から決められるべきではない。仮に権利金を収受するとすれば，その権利金は当然土地の時価を基準として決定されるのであるから，相当の地代も土地の時価を基準としなければ平仄が合わない。相当の地代は，その制度創設の経緯等からみて，底地価額に対する通常の地代とは区別される，もともとある程度高い水準を維持すべき性質のものなのである。

〔権利金の認定見合せ〕

(7) 上述したように，法人が借地権の設定等をした場合には，権利金か，または相当の地代を収受しなければならない。どちらも収受していなければ，権利金の認定課税がされる。しかし，土地の無償返還届を提出すれば，権利金の認定は見合わされ，**地代の認定課税**が行われる（基通13－1－7）。

　利害を異にする第三者間での土地の貸借に当たっては権利金を授受するのが通例であるから，権利金の認定課税が問題となるのは，通常，関係会社や役員との間の貸借である。利害が共通する関係会社や役員との土地の貸借にあっては，双方ともに借地借家法に基づく権利・義務を主張し合うといった意識が希薄で，しばしば権利金も相当の地代も収受しない場合があるからである。

　このような関係会社や役員との間の土地の貸借について，直ちに権利金の認定課税をするというのは必ずしも実際的ではない。将来，双方とも権利・義務を主張せず無償で借地を返還するというのであれば，そのまま認めるのが実情に合う。ただ，地代をいくらでもよいとすると，相当の地代制度が骨抜きになるから，相当の地代を認定する。これが**権利金の認定見合せ**の趣旨である。

(8) このような趣旨から，権利金の認定見合せは，使用貸借契約により他人に土地を使用させた場合にも適用される（基通13－1－7）。むしろその趣旨からすれば，権利金の認定見合せは使用貸借のための制度であるともいえる。

　従来，法人税の取扱いでは，土地の使用貸借についても賃貸借と同じように，法人は純経済人であるとの観点から権利金の認定課税の対象にしていた（旧昭和38.2.5直審（法）12通達「8」）。**使用貸借**は，無償による資産の貸借であるが，これは民法で認められた法制度であるとの法的基準を重視する立場から，無償であるからといって権利金ないし借地権を認定するのは問題であるとの議論がされてきた。判例においても，相反する判断が示されている(注47)。

　現在でも，法人は営利追求団体であるから，使用貸借の名のもとに自己の

土地に無償で堅固な建物を建てさせるなどの非経済的行動は許されない，という考え方が基調であろう。しかし，れっきとした法制度として使用貸借があり，実際にもその例が認められる以上，これを税務上だけとはいえ全く否定することはできない。

　使用貸借に関する権利金の認定見合せは，法人税の課税上も使用貸借があり得るとの前提のもとに，現実的解決を図ったものといえる。

〔借地権価額の評価〕

(9)　法人がその有する借地権を無償もしくは低額で譲渡し，または借地を返還するに当たり，立退料等を授受する慣行があるにもかかわらず，これを収受しなかった場合には，収受すべきであった借地権の対価または立退料等の額は相手方に贈与したものとする（基通13－1－14）。この場合，借地権価額をいくらとみるかが評価の問題である。

　権利金を授受して借地権を設定している場合には，その借地権価額は，通常取引される金額である。この点はそれほど問題がない。問題は，相当の地代により賃借した土地に関する借地権の価額である。

　これについては，前述したように，相当の地代の額を地価の上昇に応じて順次改訂している場合には，借地権の価額はゼロである。しかし，地価の上昇に応じて相当の地代の額を改訂していない場合には，地価と地代の額が乖離すればするほど，これに比例して借地権価額が自然に発生する。これを一般に**自然発生借地権**という。そして，現に支払っている地代の額が一般地代の額になった時点で，自然発生借地権の価額は通常取引される金額と同額になる。ここで**一般地代の額**とは，通常支払うべき権利金を支払った場合に地価の上昇に応じて通常支払うべき地代の額をいう。

(10)　この点に関して，なぜ高額の地代を支払っても借地権は生じず，逆に地代が低額であればあるほど借地権が生じるのか，という疑問の声がよく聞かれ

（注47）　大阪高判昭和44.11.26税資57号583頁，名古屋高判昭和47.12.21税資66号1364頁。

る。話が逆ではないか，というわけである。

　法人税では借地権の価額は，地代の額から資本還元して底地価額を算出し，これを更地価額から控除するという順序で評価するという考え方に立っている。これを地主の側からみれば，地代を収受できるのは地主がその土地の地代収受権すなわち底地を持っているからであって，地代が高額であればあるほどその底地の価額が高いことを意味する。底地の価額が高ければ，必然的に**上地**すなわち借地権の価額は低くなる。相当の地代の水準を常時維持していれば，その土地は更地と同じであるから，借地権は生じないのである。借地人の側からみれば，借地人に帰属すべき利益は生じる余地がないことになる。このような考えは，判例でも支持されている(注48)。

　逆に地代が低ければ，底地の価額は低く，借地権の価額が高くなる。そして，実際に収受している地代がもはや一般地代の水準にまでなってしまえば，権利金を収受して借地権を設定したのと同じ状態になるから，借地権の価額は通常取引される金額で評価されるのである。

〔定期借地権をめぐる問題〕

(11)　借地権課税をめぐって議論になっているのは，平成4年の借地借家法の施行により新たに導入された定期借地権である。

　定期借地権とは，借地契約の期限が到来すると借地人側からの更新の請求ができず，その権利が消滅する借地権をいう。従来の借地権は，期限が決められていても借地人が更新を望む限り地主の側からこれを拒むことはできないため，半永久的な権利となっている。これと異なり定期借地権は，借地人の権利が制限された有期のものである。

　現実の取引がどのように動き，どのような慣行が確立するのか，まだ不明の部分が多い。今後，取引慣行が定着してくれば，その取扱いが明らかにされると思われるが，当面の基本的な考え方は現行の借地権のものと変わらな

(注48)　東京高判昭和48.3.12税資69号634頁，最高判昭和49.6.28税資75号1123頁。

いであろう(注49)。

　事業用定期借地権の設定の際に，不動産業者に支払った，仲介手数料の損金性が争われた事件において，事業用定期借地権は当然借地権に含まれるという前提で，その仲介手数料は事業用定期借地権の取得価額に算入すべきであるとされた例もある(注50)。

⑿　一方，そもそも定期借地権は，単なる債権（土地利用請求権）にすぎないので，権利金を授受する取引上の慣行は生じないという意見がある(注51)。

　確かに，現在，都会地であっても，定期借地権の設定に際し，一定額の一時金（保証金）や一括前払いの一時金を授受する例はみられるが，普通借地権のような権利金を授受することはほとんどなく，権利金を授受する慣行は確立していないと思われる。したがって，権利金を授受する慣行の存在を大前提にする借地権課税にあって，権利金や相当の地代の授受がないからといって即，問題になることはないものと考える。

　上述したような，定期借地権の設定期間の有期性や取引慣行の未形成等の状況からすれば，理論的には定期借地権は繰延資産として整理し，償却をするのが合理的であるといえるかもしれない(注52)。

　なお，地主が収受する「一時金」は将来とも一切返還を要しないものであれば，一時の収益に計上する一方（基通2－1－41），借地人は，借地権の取得価額に算入する(注53)。

　また，「一括前払いの一時金」は，定期借地契約の契約期間にわたって，

（注49）　渡辺淑夫・小林栢弘共著『借地権課税実務事典（第三次改訂）』（ぎょうせい，平成17）8頁，16頁．
（注50）　東京地判平成24．7．3税資262号順号11985，東京高判平成24.12.12税資262号順号12115，最高判平成25．9．3上告不受理．
（注51）　若林孝三著『借地権の税務』（大蔵財務協会，平成16）94頁．
（注52）　田中豊稿「定期借地権をめぐる問題点」（税理士桜友会編『国税ＯＢによる税務の主要テーマの重点解説』大蔵財務協会，平成28所収）207頁．拙著『Ｑ＆Ａ法人税の身近な論点を巡る実務事例集』（大蔵財務協会，平成31）290頁．
（注53）　国税不服審判所裁決平成14．9.17裁決事例集第64集311頁．

または契約期間の最初の一定期間について、賃料の一部または全部に充当されることになっていれば、「前受収益」または「前払費用」として処理し、賃料に充当されたときに益金または損金に算入することができる（国税庁通達・平成17.1.7「定期借地権の賃料の一部又は全部を前払いとして一括授受した場合における税務上の取扱いについて」）。

2 − 9　移転価格税制

〔導入の趣旨と経緯〕

(1)　企業活動の国際化に伴い、多国籍企業が増加している。この多国籍企業のなかには、海外に所在する親会社や子会社など特殊関係企業との間における取引価格を操作しているものがみられる。たとえば、海外の親会社がわが国に所在する子会社への商品の売上価格を高く、逆にその子会社からの商品の仕入価格を低く設定する。これをそのまま放置すると、わが国子会社の所得が海外に移転し、わが国の課税権が侵害されてしまう。

　これが移転価格（transfer price）の問題であり、諸外国では早くからこの問題に対処するため、**移転価格税制**（transfer pricing taxation）を整備している。ところが、従来わが国にはこの税制がなく、所得計算の通則規定（法法22）や寄附金の損金不算入の規定（法法37）、同族会社の行為計算の否認規定（法法132）などで対処していた。

　しかし、これらの規定だけでは、具体的な取引価格の算定基準がなく、あるいは寄附金の概念では適用場面が限られるといった難点があり、移転価格問題に対して実効性があるとはいえなかった。

　そこで、昭和61年の税制改正により、わが国も諸外国の例にならい移転価格税制を導入した。諸外国との共通の基盤に立って、適正な国際課税の実現を図ろうとするものである。その導入後これまでに相当数の適用例があり、平成30年度の税務調査で非違があったのは257件とのことである[注54]。

〔内　容〕
(2) このようにして導入されたわが国移転価格税制の実体的内容は，次のとおりである（措法66の4，66の4の2，措令39の12，39の12の2）。

イ　法人が国外関連者との間で行った資産の販売，資産の購入，役務の提供その他の取引，すなわち**国外関連取引**が独立企業間価格に基づいてなされていないときは，課税所得の計算上，その国外関連取引は独立企業間価格で行われたものとみなす。

ロ　国外関連者に対する寄附金の額は，その全額を損金の額に算入しない。

ハ　国外関連取引の対価の額と独立企業間価格との差額（寄附金に該当するものを除く）は，所得金額の計算上，損金の額に算入しない。

ニ　**国外関連者**とは，外国法人で，その外国法人との間にいずれか一方の法人が他方の法人の50％以上の持株を直接または間接に保有する関係その他実質支配の関係にあるものをいう。

ホ　**独立企業間価格**（arm's length price）とは，棚卸資産の取引とその他の取引との別に，独立価格比準法，再販売価格基準法，原価基準法その他の方法により算定した金額をいう。

ヘ　移転価格税制の適用による更正処分に対し相互協議の申立てをした場合には，所定の手続により納税の猶予をする。

〔移転価格課税の性格〕
(3) 移転価格税制は，上述のように独立企業間価格を基準に課税関係を律していく。その独立企業間価格は，概念的には，特殊関係のない独立の企業同士が取引をするとした場合に成立するであろう取引価格である。租税回避の意図があったかどうかなどは，基本的に問わない。

　ところが，現実の企業取引は各種の思惑が入り乱れて，同一商品であってもいろいろな価格が成立するのが普通であり，企業はそれを自由に決定できる。そのため，移転価格税制は自由主義経済を阻害し，経済統制をすること

（注54）　国税庁発表「平成30事務年度法人税等の調査事績の概要」（令和元.11）．

になるのではないか，と疑念を呈する向きがある。

しかし，移転価格税制は，特殊関係企業間の取引のみを問題にし，また，特殊関係者間の取引であっても，非関連者間取引と同様に行われるものは対象にならないなど，取引すべての価格を問題にするものではない。

移転価格税制は，取引当事者間の権利義務関係になんら影響を及ぼすものではなく，単に税制上の措置として適正な課税を実現しようとするに過ぎない。仮に移転価格税制が適用されても，その移転された所得金額を返還する必要はないのである（措通66の4(9)－1）。したがって，価格統制につながるわけではないと考えられる。

もっとも私的自治ないし契約の自由を尊重するために，「安全帯」の考え方を大胆にとり入れるべきである，との提言が存する。すなわち，最も適切と認められる方法によって独立企業間価格が算出された場合に，上下一定範囲の安全帯を設け，その範囲内の価格は独立企業間価格として許容するのが合理的であるという(注55)。移転価格税制に対する企業の不満は，予測可能性と法的安定性がないことである点からみて，この提言の実現が望まれる。

〔独立企業間価格の算定方法〕

(4) すでに述べたように，具体的な独立企業間価格は，国外関連取引を①棚卸資産の売買取引と②その他の取引との二つに分けて，それぞれ次に掲げる方法により算定する（措法66の4②，措令39の12⑥～⑩）。

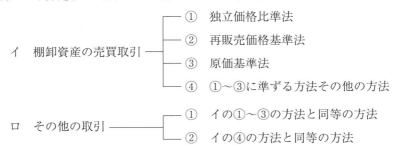

―――――――――――――

（注55） 金子　宏著『所得課税の法と政策』（有斐閣，1996）387頁．

これら算定方法のうち，独立価格比準法，再販売価格基準法および原価基準法の三つの方法が独立企業間価格の基本的な算定方法であるが，その適用に関して優先順位はない。平成23年の税制改正により優先順位はなくなった。

〔取引準拠法〕

(5) まず，**独立価格比準法**（CUP法）は，法人と国外関連者とが取引した棚卸資産と同種の棚卸資産を，特殊の関係にない買手と売手がその取引と取引段階，取引数量その他が同様の状況のもとで行った取引の価格を独立企業間価格とする方法である（措法66の4②一イ）。

つぎに，**再販売価格基準法**（RP法）とは，国外関連取引をした棚卸資産の買手が，特殊の関係にない者に対して販売した対価の額から通常の利潤の額を控除して計算した金額を独立企業間価格とする方法をいう（措法66の4②一ロ）。

さらに，**原価基準法**（CP法）は，国外関連取引をした棚卸資産の売手の購入，製造その他の行為による取得の原価の額に通常の利潤の額を加算して計算した金額を独立企業間価格とする方法である（措法66の4②一ハ）。

〔利益準拠法〕

(6) これら以外のその他の方法には，人件費，資産額，投下資本額などの関連者間における営業利益の発生について寄与した程度を基準に利益を配分する**利益分割法**（PS法）がある（措令39の12⑧一，措通66の4(5)-1）。この利益分割法はさらに①比較利益分割法，②寄与度利益分割法および③残余利益分割法に分けられる。

また，平成16年の税制改正により，取引単位でもって比較対象取引との差異を調整した営業利益率により独立企業間価格を算定する**取引単位営業利益法**（TNMM）が導入された（措令39の12⑧二〜六，措通66の4(6)-1）。これは，業種・業態，規模などが類似する法人の利益に比較して独立企業間価格を算定する**利益比較法**（CPM）を修正，変更したものといえる。

しかし，これら利益準拠法には，国により利益算定上の費用または損失の認識について著しい相違や経営・経済活動の実態に違いがみられる等の難点があり，その適用は原則として否定されるべきであるといわれる(注56)。しかし，企業の情報入手が比較的容易と考えられ，また，いずれか一方の当事者だけに極端かつ非現実的な利益配分をもたらす可能性が低いという長所を持つ利益分割法については，採用を検討してよいといえる(注57)。

〔確認方式の導入〕

(7) これらの方法は，それぞれ理屈としてはよく理解できる。しかし，現実には同じような取引がそうそうあるわけではない。したがって，独立企業間価格の算定方法の選定や比較対象取引をどのように求めるか，また，その差異の調整をいかに行うか，が実務的には重要である。

独立企業間価格を客観的に算定することは極めてむずかしく，法人と税務当局との見解が分かれやすい。そこで，予測可能性と法的安定性を図るため，独立企業間価格の算定につき**事前確認方式**が採用されている。すなわち，法人と税務当局との間で，あらかじめ①法人が採用する最も合理的な独立企業間価格の算定方法と②その具体的内容等につき互いに確認をするのである（国税庁通達，平成13. 6. 1「移転価格事務運営要領の制定について」）。

(8) ところが，移転価格の問題は二国間の課税権の競合であるから，わが国が確認方式を導入してもそれが他国に受け入れられなければ実効性がない。この点に確認方式のむずかしさがあるが，米国でも1991（平成３）年３月にわが国の確認方式に類似する「Advance Pricing Agreement」（ＡＰＡ）制度が導入された。また，平成６年10月には，環太平洋税務長官会議において日・

（注56） 小松芳明著『国際取引と課税問題』（信山社，平成６）117頁，135頁，ＯＥＣＤ租税委員会「多国籍企業と税務当局のための移転価格に関するガイドライン」（1994）参照．
（注57） 山川博樹著『我が国における移転価格税制の執行』（税務研究会，平成８）90頁以下参照．

米・加・豪の四か国は「二国間事前確認制度」を本格導入することで合意した。これら確認方式が定着してくれば，各国における企業の追徴課税も少なくなるし，いわゆる税金摩擦は軽減されることになろう。

　もっとも，独立企業間価格を算定することの困難さなどから，確認方式の実効性を疑問視する声もないではない。しかし，納税者と税務当局が事前に取引の実態を把握し，最も合理的な算定方法について検討することは，たとえ結果的に確認に至らない場合であっても，納税者と税務当局との共通認識の醸成という点で意義があるといえる(注58)。

〔独立企業間価格算定の文書化義務〕

(9)　このようにして算定される独立企業間価格は，その国外関連取引をした法人自身の個々の事情を勘案したものであるのが原則である。そこで，法人が国外関連取引を行った場合には，その国外関連取引にかかる独立企業間価格を算定するために必要な書類を，その事業年度の確定申告書の提出期限までに作成・取得し，7年間（欠損年度は10年間）保存しなければならない（措法66の4⑥，措規22の10①②）。これを**同時文書化義務**といい，国際的に**ローカルファイル**（独立企業間価格を算定するための詳細な情報）の作成・保存を義務化する流れもあり，移転価格税制の適切な執行を担保するため，平成28年に導入された。

　ただし，前事業年度において一の国外関連者との間の国外関連取引が，①50億円未満であることおよび②無形資産の取引が3億円未満であること，といういずれにも該当する場合には，同時文書化義務は免除される（措法66の4⑦，措令39の12①②）。この免除されない取引を「同時文書化対象国外関連取引」といい（措法66の4⑪），免除される取引を「同時文書化免除国外取引」という（措法66の4⑭）。

　税務職員が，この同時文書化対象国外関連取引または同時文書化免除国外

（注58）　川田　剛著『国際課税の基礎知識〔五訂版〕』（税務経理協会，平成12）201頁．

関連取引に関する書類の提示や提出を求めたにもかかわらず，その提示等がなかった場合には，推定課税が行われる（措法66の4⑫⑭）。

〔更正・決定の特例〕

⑽　移転価格の問題は，企業が自由に決定できる取引価格の適否を判断するものであり，加えてその対象が海外取引であることから，ほかの税に関する問題に比べて多くの困難を伴う。そこで，その円滑かつ適正な執行を確保するため，各種の措置が講じられている。その一つが上述の同時文書化義務である。

このほか，移転価格に関する更正・決定について特例が設けられている。すなわち，国外関連者との取引を独立企業間価格と異なる価格で行った事実に基づいてする更正・決定は，法定申告期限から7年を経過するまではすることができる（措法66の4㉖）。通常の税額を増加させる更正・決定の期間制限は5年であるから，2年の延伸がされている。

⑾　これは，取引価格に関する資料の入手や調査，関係者の協議などには長期間を要するところから，設けられている特例である。

わが国に移転価格税制が導入されたのは昭和61年と比較的新しく，諸外国，特に米国などに比べれば移転価格問題に関する経験や資料の集積などが手薄であるのは否めないと思われる。また，最近では国外関連取引も複雑化，高度化している。

このような点などから，移転価格に関する更正・決定の期間制限は，通常の更正・決定の期間と比較して延長されており，令和元年には6年から7年に延長されたが，この7年という期間が適当かどうかについては検討の余地があろう。もっとも，平成16年7月から適用される新日米租税条約では課税年度終了時から7年以内に調査を開始しなければ，その処分ができないことになった（同条約9③）。

〔相互協議〕

(12) 法人の行った取引に対して移転価格税制により課税がされた場合には，その取引の相手先企業は実際の取引価格をもとに課税を受けているから，国際的二重課税が生じる。このような二重課税を排除するため，租税条約に基づき二国間の課税当局，すなわち**権限ある当局**が適正な取引価格につき協議することになっている。これを**相互協議**という。独立企業間価格を見いだすことの困難性から，多くの場合，適正な独立企業間価格は政府間協議によって決められるべきことが予定されているともいえ，その意味で相互協議は極めて重要である(注59)。

相互協議は基本的に法人からの申立てがあって始められるが，法人は次のような場合に所轄税務署長を通じて国税庁長官に対してその申立てをすることができる（租税条約実施特例法施行省令12，平成13.6.25官協1－39通達）。

イ　わが国において租税条約の相手国にある国外関連者との取引につき移転価格税制による課税が行われた場合

ロ　国外関連者に対し，わが国が租税条約を締結している国において移転価格税制による課税が行われた場合

この相互協議は，租税条約に基づき行われるものであるから，租税条約を締結していない国との間においてはできない。

この相互協議の申立てをした場合には，更正決定により納付すべき法人税の納税猶予を求めることができる（措法66の4の2）。これは，平成19年の税制改正により導入された制度であるが，納税の猶予額と同額の担保が徴されることから，利用しづらいという意見が多い。

〔対応的調整〕

(13) 権限ある当局間において相互協議が行われ合意に達した場合には，その合意したところに従い二重課税排除のための措置がとられる。これを**対応的調**

（注59）　小松芳明著『国際取引と課税問題』（信山社，平成6）68頁．

整という。

　対応的調整の方法には，二つの方法がある。①相手国において増加された所得金額と同一金額をわが国法人の所得金額から減額する「所得調整」の方法と，②相手国において増加された税額と同一金額をわが国法人の税額から減額する「税額控除」との二つである(注60)。

　わが国は前者の所得調整の方法を採用した。具体的には，わが国法人の移転価格税制の適用に伴う所得金額を減額する。相手国の課税当局から移転価格税制の適用を受けた場合の所得金額の減額は，法人が当局間の合意が行われた日の翌日から起算して2月以内に更正の請求を行い，その請求に基づいて税務署長が減額更正することによりなされる（通法23②，通令6①四，租税条約実施特例法7）。

2-10　外国子会社合算税制

〔導入の趣旨と経緯〕
(1)　近年，わが国の海外投資が増大し，国際化が著しい。経済の国際化に伴い，いわゆるタックス・ヘイブン（tax haven）に子会社等を設立し，これを利用して税負担の不当な軽減を図る事例が見受けられる。

　その一つの典型例が**便宜置籍船**の問題であろう。たとえば，わが国海運会社がリベリアやパナマに子会社を設立し，その子会社に自己が所有していた船舶を売却して船籍をリベリアやパナマとしたうえ，発展途上国の低賃金の船員を乗船させ，その船舶を親会社である海運会社が用船するのである。便宜，船籍をタックス・ヘイブンに置くことから，この名がある。

　この場合，その子会社が企業としての実体を持ち，あるいはリベリアやパナマで通常の法人税が課されるとすれば，コスト節減策として企業の合理的

(注60)　国際税務研究グループ編『国際課税問題と政府間協議』（大蔵財務協会，平成5）133頁.

な活動と認められよう。しかし，その子会社はペーパー・カンパニーであり，また，リベリアやパナマはタックス・ヘイブン国である。

　その子会社が稼得した利益を配当せず留保すれば，内外を通じていっさい法人税が課されないか，または極めて低率の法人税が課されるだけで済む。これは，実質的にわが国海運会社の営む事業と認められるから，一種の租税回避行為である。

(2)　このようなタックス・ヘイブンを利用した租税回避行為に対しては，従来，実質所得者課税の原則の規定（法法11）により対応していた。しかし，この規定は単に原理原則を示したのみで，所得の帰属についての具体的な判定基準が明確でないこと等から，税務執行に困難をきたしていたことは否めない。

　そこで，昭和53年の税制改正により，税務執行の安定を図り，税負担の公平を確保するため，タックス・ヘイブン国に設立された子会社の留保所得をわが国法人の所得と合算して課税する外国子会社合算（タックス・ヘイブン）税制が創設された。

〔制度の概要〕

(3)　このようにして導入された**外国子会社合算税制**は，平成29年に抜本的な見直しが行われ，現行制度の概要は次のとおりである（措法66の6～66の9）。

　イ　適用対象親会社　合算課税を行う親会社は，その有する**外国関係会社**（内国法人と居住者等が50％超の持株割合を有する外国法人）の持株割合が10％以上の内国法人である（措法66の6①，措令39の14③～⑦）。

　ロ　合算対象子会社の範囲　合算対象になる会社は，次に掲げる四つのものである。

　　①　**特定外国関係会社**　ペーパー・カンパニー，事実上のキャッシュ・ボックス，ブラック・リスト国所在会社（措法66の6②二）

　　②　**対象外国関係会社**　事業基準，実体基準，管理支配基準，非関連者基準，所在地国基準のいずれかに該当しない外国関係会社（措法66の6②三）

③ **部分対象外国関係会社** 上記②の各基準のすべてに該当する外国関係会社（措法66の6②六）

④ **外国金融子会社等** 銀行業，金融商品取引業または保険業を行う部分対象外国関係会社で，本店所在地国において役員等が事業を的確に遂行するために業務のすべてに従事しているもの（措法66の6②七）

ハ　適用対象親会社の益金算入　適用対象親会社は，次の合算対象子会社の区分に応じ，それぞれ課税対象金額，部分課税対象金額または金融子会社等部分課税対象金額を，その特定外国関係会社等の事業年度終了の日の翌日から2月を経過した日を含む事業年度に益金算入する（措法66の6①②，措令39の15①⑤，措法66の6⑥⑦，措令39の17の3③，措法66の6⑧⑨，措令39の17の4）。

① 特定外国関係会社または対象外国関係会社

決算所得につき法人税法等の基準により計算した金額 － 前7年以内に生じた欠損金額 － 課税対象年度で納付する法人所得税の額 ＝適用対象金額

適用対象金額×適用対象親会社の持株割合＝課税対象金額

② 部分対象外国関係会社

特定所得の金額に係る部分適用対象金額×適用対象親会社の持株割合＝部分課税対象金額

③ 外国金融子会社等

金融子会社等部分適用対象金額×適用対象親会社の持株割合＝金融子会社等部分課税対象金額

ニ　配当等の益金不算入　外国子会社（持株割合25％以上の会社）から受けた配当等の額のうち，，過去10年以内に益金算入された課税対象金額または部分課税対象金額の合計額に達するまでの額については，益金不算入とすることができる（措法66の8②〜④，措令39の19②③）。

ホ　適用除外　租税負担割合が，①特定外国関係会社は30％，②対象外国関係会社は20％，③部分対象外国関係会社は20％以上である場合には，外国子会社合算税制は適用されない（措法66の6⑤⑩）。部分対象外国関係会社

にあっては，部分適用対象金額が2,000万円以下である場合も，適用除外である（措法66の6⑩）。

〔タックス・ヘイブンの対応策〕
(4) タックス・ヘイブンを利用した租税回避に対して，税制上どのように対応するかについては，大別して三つの方法がある(注61)。

一つは，海外にある子会社の留保所得をその株主たる親会社の所得と合算して課税する，という方式である。米国やドイツが採用している。

二つは，外国に本店を置く法人であっても，その法人の管理支配の場所が自国にあれば内国法人と同様に取扱い，課税するという方式である。内国法人と外国法人の区分の基準として**管理支配地主義**によるもので，イギリスが採用している。タックス・ヘイブンにペーパー・カンパニーを設立し，親会社が自国で実質的に管理支配していれば，そのペーパー・カンパニーの所得は自国で課税できるから，タックス・ヘイブンの租税回避にも対応できるわけである。

三つは，自国からタックス・ヘイブンに所在する法人への経費の支払について，税務上その経費性を否認するという方式である。かつて，フランスとベルギーが採用していた。

(5) これらの方法のうちいずれを採用するかである。

三つめの経費否認方式は，経費の支払を否認するという限定されたものであり，タックス・ヘイブン税制としては不十分である。また，二つめの管理支配地主義は，すでに述べたように，資本の自由化が進展している状況をみれば採用を検討してよい方式ではあるが，執行上の問題点が少なくない。また，タックス・ヘイブンと関係ない企業に与える影響も大きい。

このような点を総合勘案し，わが国は一つめの合算課税方式を採用した。この方式は，租税回避行為の否認であり，従来からわが国にある，たとえば

（注61）　高橋　元監修『タックス・ヘイブン対策税制の解説』（清文社，昭和54）44頁。

同族会社の行為計算の否認規定（法法132）などとも同列で違和感が少ないからである。

〔タックス・ヘイブンの範囲の変遷〕

(6) 外国子会社合算税制は、いうまでもなくタックス・ヘイブンをめぐる租税回避行為を規制しようというものであるから、タックス・ヘイブンとは何か、ということが決定的に重要である。

　タックス・ヘイブンとは、**税金避難地**のことであり、概念的には法人税や利子・配当に対する源泉課税がないか、または非常に安い国や地域をいう。これは①**タックス・パラダイス**（tax paradise・所得に対する課税が全くない国）、②**タックス・シェルター**（tax shelter・国内所得には通常の課税を行うが、国外所得を免税または低税率で課税する国）および③**タックス・リゾート**（tax resort・特定の企業や事業に限って税制上の恩典を与える国）に分類される。

(7) しかし、このような一般的概念だけでは現実の課税に当たって、基準として明確でない。そこで、外国子会社合算税制が創設された昭和53年の法令では、タックス・ヘイブンを**軽課税国**と定義し、「本邦における法人の所得に対して課される税の負担に比して法人のすべての所得又は特定の所得に対して課される税の負担が著しく低い国又は地域」とされていた。そして、具体的には大蔵省告示により、上記三つのタックス・ヘイブンの態様に応じて個々の国または地域が指定されていた。

　その場合の指定基準は、わが国の法人税、事業税および住民税の実効税率は約50％であり、また、わが国税法で「著しく低い」というのは50％未満と解する考え方があるから、これらを勘案して法人税等に相当する実効税率が25％以下の国または地域ということであった[注62]。

　しかし、平成22年の税制改正により、この25％は20％に引き下げられた（旧措令39の14①二）。また、平成27年には、「100分の20以下」が「100分の20

（注62）　高橋　元監修『タックス・ヘイブン対策税制の解説』（清文社、昭和54）98頁。

未満」に改正された。

(8) ところが，タックス・ヘイブンの国または地域を個々に指定する方式では，流動的に変化する各国の税制に迅速に対応できない。また，その指定がされていない国または地域にある法人であっても，個々の法人単位でみると著しく低い税負担しかしていないものがあるが，これが適用対象から外れるといった問題点がある。

そこで，平成4年の税制改正により，個々に国または地域を指定する方式を廃止した。そして，新たにタックス・ヘイブンを国または地域としてではなく，特定外国子会社等単位でとらえることになった。すなわち，次の法人である（旧措令39の14①）。

　イ　法人の所得に対する税がない国または地域に本店等を有する外国関係会社

　ロ　法人の所得に対する租税が所得の20％未満である外国関係会社

　ロが大きな改正点であり，法人単位でタックス・ヘイブンかどうかを判定する。

(9) このように，これまでタックス・ヘイブンを外国子会社の租税負担割合が20％未満であるかどうかを基準に判定してきた。この点に関し，租税負担割合が20％以上であれば，実体のない「ペーパー・カンパニー」であっても本制度が適用されず，租税負担割合が20％未満であれば，実体のある事業を行っている場合であっても合算課税がされる，といった問題点が指摘されていた。

そこで，平成29年の税制改正により，タックス・ヘイブンを外国子会社の租税負担割合によって判定する方式を廃止し，所得や事業の内容によって判定する方式に改められた。これは，「外国子会社の経済実態に即して課税すべき」とのOECDのBEPSプロジェクトの基本的な考え方にもとづき，日本企業の健全な海外展開を阻害することなく，より効果的に国際的な租税回避に対応する趣旨による[注63]。

この改正により，基本的に，租税負担割合が20％以上であっても，利子，

配当，使用料等の「受動的所得」しか得ていないペーパー・カンパニー等が合算課税の対象になる一方，経済活動の実体のある事業から生じた「能動的所得」は，外国子会社の租税負担割合にかかわらず，合算課税は行われないことになった。

〔二重課税の調整〕

⑽　外国子会社合算税制の適用により特定外国関係会社等の利益をわが国法人の所得に取り込んで課税すると，その特定外国関係会社等が現地で低率とはいえ法人税の課税を受けている場合には，国際的二重課税が生じる。また，特定外国子会社等の利益を取り込んで課税した後，その特定外国関係会社等から利益配当を受けた場合には，同じ利益に対して二度課税する結果になる。

　そこで，このような国際的二重課税を調整するため，二つの制度が認められている。

　一つは，外国税額控除である。その特定外国関係会社等の所得に対して課される外国法人税額のうち，内国法人の益金の額に算入された課税対象留保金額に対応するものとして計算した金額は，その内国法人が納付する控除対象外国法人税額とみなして，外国法人税額控除の対象とすることができる（措法66の7①）。

　二つは，すでに述べた特定外国関係会社等から受けた配当等の益金不算入である。すなわち，過去10年以内に開始した事業年度において合算課税の対象になった課税対象金額に達するまでの受取配当等は，益金の額に算入しない（措法66の8）。

〔適用対象外国関係会社の判定要件〕

⑾　上述したとおり，合算課税の対象になる外国関係会社には，①特定関係会社（措法66の66②二），②対象外国関係会社（措法66の6②三），③部分対象外

（注63）　財務省主税局「平成29年度税制改正の解説」652頁.

国関係会社（措法66の6②六）および④外国金融子会社等（措法66の6②七）がある。

　これら外国関係会社に該当するかどうかの判定に関し，基本的に実体基準や管理支配基準，事業基準，非関連者基準，所在地国基準がある。これらの一部または全部をクリアすれば，合算課税の対象法人から除外されることになる。従来，これらの基準は，合算課税の適用除外要件として機能していたが，平成29年以降は合算課税の対象法人の判定基準となっている。しかし，その内容は，従来と同様であるといってよい。

　それぞれの基準の概要は，次のとおりである。

　イ　**実体基準**　主たる事業を行うに必要な事務所，店舗，工場等の固定施設を有していること。

　ロ　**管理支配基準**　本店所在地国において，その事業の管理，支配，運営を自ら行っていること。

　ハ　**事業基準**　株式・債券の保有，工業所有権・著作権等の提供や船舶・航空機の貸付けを主たる事業としないこと。

　ニ　**非関連者基準**　卸売業，銀行業，信託業，金融商品取引業，保険業，水運業，航空運送業または物品賃貸業を営む子会社は，その事業を主として関連者以外の者と行っていること。

　ホ　**所在地国基準**　上記ニ以外の事業を営む子会社は，その事業を主として本店所在地国で行っていること。

⑿　上記ハの事業基準が設けられているのは，株式・債券の保有などは，その性格からみてわが国においても十分行い得るものであり，わざわざタックス・ヘイブンに所在することに税負担の軽減以外に積極的な経済的合理性を見いだすことはむずかしいからである[注64]。

　ただし，平成22年の税制改正において，株式等の保有を主たる事業とする特定外国子会社等であっても，被統括会社の株式等の保有を行う統括会社は，

（注64）　高橋　元監修『タックス・ヘイブン対策税制の解説』（清文社，昭和54）130頁.

株式等の保有業から除外された（措法66の6②三イ）。その趣旨は，統括会社は，いわば地域の「ミニ本社」として，その地域グループ傘下の法人の企業収益の向上に寄与している実状から，租税回避目的ではなく，その地域において事業活動を行う十分な経済合理性があると評価されることにある。

具体的には，統括会社のその事業年度末において有する被統括会社の株式等の帳簿価額が全株式等の帳簿価額の50％を超える統括会社が対象になる。ここで，**被統括会社**とは，統括業務を行う特定外国子会社等の持株割合が25％以上であり，かつ，事業従事者を有する外国法人をいう。また，**統括会社**とは，一の内国法人による100％の持株割合がある特定外国子会社等で，二以上の被統括会社に対して統括業務を行い，統括業務に必要な固定施設と人員を有しているものをいう（措令39の14の3⑱〜㉑）。

さらに，統括業務とは，被統括会社の事業の方針の決定や調整にかかるもので，二以上の被統括会社の業務を一括して行うことにより，被統括会社の収益性の向上に資するものをいう（措令39の14の3⑰）。

⒀　また，上記⑾ニとホの基準に関して，その外国子会社の営む事業が卸売業であれば非関連者基準が，製造業であれば所在地国基準が，それぞれ適用される。そこで，争いになったのが香港の来料加工と呼ばれる取引である。**来料加工**とは，原材料を無償で支給し，加工賃の価額で加工後の製品を引き取る取引をいう。わが国では，いわゆる製造問屋といわれるものに近いといえよう（措通57の9-5）。

これに対して，裁決例および判例は，香港子会社は実質的に中国工場で製品の製造と行っていたとして，卸売業ではなく製造業に該当すると判断している(注65)。

(注65)　国税不服審判所裁決平成19.10.16裁決事例集No.74・226頁，東京高判平成23.8.30訟務月報59巻1号1頁．

〔コーポレート・インバージョン対策合算税制〕

⒁　平成19年の税制改正において，内国法人の株主が，組織再編成等により，タックス・ヘイブンに所在する外国法人を通じてその内国法人の株式の80％以上を間接保有することになった場合には，その外国法人が各事業年度に留保した所得につき，その持分割合に応じて，その外国法人の株主である内国法人の所得に合算して課税する制度が創設された（措法66の９の２〜66の９の５）。これを**コーポレート・インバージョン対策合算税制**と呼ぶ。組織再編成等を通じて内国法人をタックス・ヘイブン国の法人の子会社とし，その後，タックス・ヘイブン国の親会社との取引を通じて所得移転を図るような，租税回避行為に対処する趣旨の制度である。

　　ただ，平成21年の外国子会社配当等の益金不算入制度（法法23の２）の創設後は，実際上この税制の存在理由が薄れている，との指摘がみられる[注66]。

〔今後の課題〕

⒂　このように，外国子会社合算税制をめぐる租税回避行為を防止する観点から，上述のコーポレート・インバージョン対策合算税制の創設や平成29年の大幅な見直しがされた。今後とも，このような不断の点検・見直しが肝要であろう。

　　また，実際的には有効な海外課税資料の収集が重要かつ不可欠である。そこで，少なくとも，現行の資料提出義務の範囲を拡大し，海外取引の概要，株式や不動産の取得の内訳の申告を行うこととするほか，資料申告義務の違反に対する罰則の適用，さらに一定の場合に推計課税を容認する等の規定の整備を図る必要がある，という意見がある[注67]。

　　一方，最近，タックスヘイブンを使った租税回避防止のため，脱税関連情報の提供を定めた，国際協定の締結が増えている。このような動きは欧米が

（注66）　太田洋稿「インバージョン対応税制の在り方と未来」（金子　宏編『租税法の発展』有斐閣，2010所収）724頁，740頁。
（注67）　小松芳明著『国際取引と課税問題』（信山社，平成６）175頁。

中心であったが,わが国でも平成22年8月からバミューダとの間で情報交換協定が発効した。その後,香港,バハマ,ケイマン諸島,マン島等との間で協定が結ばれ発効している。

第3章 損金の税務

3−1 損金の額

〔総　説〕

(1) 法人税の課税所得計算において益金の額から控除する**損金の額**は，別段の定めがあるものを除き，次に掲げる額である（法法22③）。
　　イ　売上原価，完成工事原価その他これらに準ずる原価の額
　　ロ　販売費，一般管理費その他の費用の額
　　ハ　損失の額で資本等取引以外の取引にかかるもの
　　これら原価，費用および損失に関して，法人税法上，格別の定義は置かれていない。しかし，これらの意義や内容は，誰もが同じ認識を持つほどに必ずしも一義的ではない。

　　それにもかかわらず，法人税法が特に定義を置いていないのは，原価，費用および損失は，別段の定めがあるものを除き，一般の用語の解釈によるほか，健全な企業会計の慣行により処理されることが前提となっているからである（法法22④）。つまり，損金という概念は法人税法固有のものであるが，その内容や範囲は基本的に企業会計上の原価，費用および損失と同じである。

(2) 企業会計では原価，費用および損失は，原価，販売費および一般管理費，営業外費用ならびに特別損失の四つに区分されるが，法人税の損金にはこれらすべてが含まれる。また，損金は外部取引であるか内部取引であるかを問わない。たとえば，仕入れ，経費の支払といった外部取引はもとより，**内部取引**である評価損や圧縮損，引当金・準備金の繰入額も損金となる。

　　これら損金は，益金と同じように，グロスの概念のものであってネットのものではない。たとえば，帳簿価額1,000の建物を700で売却した場合，企業会計では次のように処理する。

（借）現　金　預　金　　　700　　（貸）建　　　　　物　　1,000
　　　　固定資産売却損　　　　300

　この場合，税務上の損金の額は，固定資産売却損の300ではなく，建物の帳簿価額の1,000である。しかも，企業会計では固定資産売却損は「特別損失」であるが，税務上は上記ハでいう損失ではなく，イの原価として認識するのである。

　もっとも，課税実務上は，結果的に課税所得の計算に影響を及ぼさないから，企業会計のような処理であっても一向にさしつかえない。

〔損金の概念〕

(3) 以上述べたように，法人税では益金と同じように，損金の定義ないし包括的な概念そのものは定められていない。また，現在ではそれを解釈した通達もない。そこで，損金の概念に関して参考になるのは，昭和40年全文改正前の法人税法における総損金の解釈である。

　同年の法人税法の全文改正前には，法人税の課税所得は当期の総益金から総損金を控除した金額とされていた（旧法法9①）。そして，この**総損金**とは，「法令により別段の定のあるものの外資本の払戻又は利益の処分以外において純資産減少の原因となるべき一切の事実をいう」と解されていた（旧基通五二）。この解釈につき異論がないわけではなかったが，多くの判例でも支持されており[注1]，損金の包括的な概念としては，現在でも十分にあてはまるであろう。

〔原　価〕

(4) 単に原価という場合，その概念やとらえ方はいろいろある。最も広く原価という場合には，売上原価のほか販売費や一般管理費を含めて**期間原価**とい

―――――――――――――――

（注1）　福岡高判昭和25.11. 7税資15号103頁，東京高判昭和26. 3.31税資24号44頁，東京高判昭和27. 1.31税資18号411頁.

う概念がある。

　また，原価計算制度の側面からみれば，**原価**とは，一般に財貨を生産し販売するといった経営活動の過程における経済価値の消費をいう。原価計算制度において，たとえば材料費や人件費が製品生産のために投入されれば，その製品が期末在庫として残っていても，その材料費や人件費は原価となる。

　しかし，法人税の課税所得の計算上，損金となる原価は，**売上原価**，**完成工事原価**その他これらに準ずる原価である。販売費や一般管理費を含んだ期間原価を意味するものではない。

　また，法人税法上損金となる原価には「当該事業年度の収益に係る……原価」という前提がついているから（法法22③），たとえば当期に商品や製品が外部に販売され実現した収益に対応する原価でなければならない。期末に在庫として残っている製品の原価までをいうものではない。

(5)　売上原価と完成工事原価は損金になる原価の代表例であり，「その他これらに準ずる原価」は，売上原価等とはいわないが，売上原価等と同様の性格を有するものである。たとえば，修繕請負の修繕原価，加工請負の加工原価や固定資産の譲渡原価がこれに該当する。修繕原価や加工原価は，営業に属する原価で売上原価等と同列の性格のものであり，企業会計と異なるところはない。

　しかし，固定資産の譲渡原価は上述したように企業会計上は表示されず，その結果である固定資産の譲渡損益だけが計上される。その意味では，法人税の譲渡原価の概念は特異であるといえよう。それは，法人税の益金は棚卸資産の売上げも固定資産の譲渡対価も区別することなく一括してとらえているから，譲渡原価も売上原価と同様に取り扱われるのである。

(6)　企業会計上，売上原価等は費用収益対応の原則に基づき，収益と個別的に対応するものとして計算される。これは法人税でも同じである。上述したように，税法上損金となる原価には「当該事業年度の収益に係る」という前提がついているが，これが費用収益対応の原則を表明しているといえよう。

　ところが，売上原価等は費用収益対応の原則により計算されるといっても，

税法にその計算方法が具体的に定められているわけではない。たとえば，企業会計では商業における売上原価は，次の算式により計算する（損益計算書原則三C）。

　　（期首棚卸高＋当期仕入高）－期末棚卸高＝売上原価

　しかし，税法にこのような算式により売上原価を計算するという定めはない。わずかにこの算式における「期末棚卸高」に関して，棚卸資産の期末評価の方法が規定されているだけである（法法29）。これは最小限度の規定をすることによって，税法上損金となる原価は，健全な企業会計の慣行による計算が前提となっていることを間接的に表している。したがって，税法上の原価も当然にこの算式により計算される。

〔費　用〕

(7)　つぎに費用の概念についても，原価と同じように，いろいろな観点や側面からとらえることができる。一般的に**費用**とは，財貨または役務の消費された部分に対する価額をいうが，費用の最も広い概念は，原価や損失も含むものである。

　しかし，課税所得の計算上，損金となる費用は，販売費，一般管理費その他の費用である。原価や損失は，別途損金となる旨が定められているので，ここでいう費用には含まれない。費用の概念としては，最も狭いものである。

　販売費および一般管理費は，基本的に企業会計におけるそれと同じであって，企業会計からの借用概念である。これに対して，「その他の費用」は税法独自の概念であるが，支払利息，手形売却損，社債利息などの企業会計でいう営業外費用が含まれる。もっとも，販売費および一般管理費は費用の単なる例示に過ぎないから，これら費用のそれぞれの内容を詮索してみてもあまり意味がない。

(8)　上述したように，原価については「当該事業年度の収益に係る」という限定がついている。これに対して，費用は単に「当該事業年度の費用」とされているだけである。「収益に係る」という限定がついていない。

これは，費用も原価と同じように費用収益対応の原則に基づきとらえられるが，費用は収益と個別的に対応するものではないので，期間対応により計算することを表している。当期の売上総利益に対応する，すなわち収益の獲得に役立った費用が当期の費用となり，課税所得計算上の損金になるのである。

　「当期中の収益の獲得に役立った費用」という観点から，損金となる費用は，第一にはその法人自身について生じたものである必要がある。たとえば，役員の個人的な費用は，法人の収益獲得になんら寄与するものではないから，法人の費用としては認められない。第二には，一般に費用といわれるものであっても，資産の原価に算入すべきものは当期の費用ではない。減価償却計算等を通じて当期中の収益の獲得に役立った部分だけが当期の費用になる。

　ある費用が法人の当期の費用になるためには，このようなテストをクリアしなければならないが，このほかに費用は期末までに債務が確定していなければならない，という債務確定基準のテストがある。債務確定基準については，後に項を改めて検討する。

〔損　失〕
(9)　最後に損失をみてみよう。

　損失も財貨または役務の消費である点は，上述の費用と同じである。しかし，費用と決定的に異なるのは，損失は収益の獲得になんら役立たなかったものである点である。この点からみて，現在の課税所得は費用収益対応による成果計算原理に基づき計算されるから，そもそも損失に損金性があるのかどうか，本質的には議論が存する。現に昭和40年の法人税法の全文改正の際，この点が議論された(注2)。

　しかし，現在では損失は損金になることになっている。それは，損失は企業の経済的価値を絶対的に減少させるものだからである。この点に関する限

───────────────────────
（注2）　小宮　保著『法人税の原理』（中央経済社，昭和43）167頁．

り，課税所得計算は財産法である純資産増加説によっているといえるのかもしれない。

(10) このような損失の具体例は，貸倒れ，盗難，横領，災害，為替変動による損失などである。しかし，税法上の損失は資本等取引以外の取引により生じたものに限られるから，資本等取引により生じた，たとえば減資差損，合併差損，自己株式消却損などは損失と呼ばれても，損金にならない。

また，企業会計では，固定資産売却損は「特別損失」として処理される（損益計算書原則六）が，税務上はここでいう損失ではない。すでに述べたように，固定資産を売却した場合，税務上はその譲渡対価を益金として，帳簿価額を原価としてそれぞれ認識するから，その差額としての損失が独立してとらえられることはないのである。

損失は，原価や費用と異なり，収益の獲得に役立たなかったものであるから，費用収益対応の原則によってとらえることはできない。単にその発生の事実によってとらえるしかない。この場合，その発生の事実は，損失の確定性や確実性，明白性の有無を基準にして判断する(注3)。

(11) 実務上，損失に関して議論があるのは，従業員による横領損失と損害賠償請求権の収益計上時期をめぐる問題である。すなわち「同時両建説」と「異時両建説」の対立がある。

同時両建説は，従業員による横領があった場合，横領者に対して法人が被った損害額に相当する金額の損害賠償請求権を取得する以上（民法709），それは法人の資産を増加させるものであるから，同じ事業年度で横領損失を計上すると同時に，損害賠償請求権を益金に計上すべきである，という考え方をいう(注4)。

これに対し，**異時両建説**は，横領等の不正行為による損害賠償請求権はその不正行為時に権利が発生するとしても，被害者側が損害発生や加害者を知

（注3）　最高判昭和43.10.17税資53号659頁，静岡地判昭和57．7．2税資127号66頁．
（注4）　最高判昭和43.10.17訟務月報14巻12号1437頁，東京高判平成21．2.18税資259号順号11144．

らないことが多く，被害者側が損害発生や加害者を知らなければ，権利が発生してもこれを直ちに行使することは事実上不可能であるから，その事実を知った事業年度に収益計上すれば足りる，という考え方である[注5]。更には，その損害賠償請求権の現実の回収不能性に鑑み，「回収基準説」によるべきである，との主張もみられる[注6]。

古くから「同時両建説」のような，損害賠償請求権についての形式的な扱いは債権の経済的多様性を無視したもので，課税所得の範囲を不当に拡大する結果になり正当なものとはいえない，という指摘がある[注7]。

現行の課税実務は，「同時両建説」によっているものと思われる。税務調査により従業員の横領が発覚した場合，その従業員の地位や権限，債権の回収可能性の有無などの事情のいかんを問わず即，「同時両建説」での処理をする傾向にあるが，弾力的な運用があってよいものと考える。

仮に，「同時両建説」による場合であっても，横領者の資力等からみて損害賠償請求権の実現が客観的に疑わしいときは，収益計上する必要はない，といえよう[注8]。

3－2　違法支出金

〔総　説〕

(1)　違法または不法な行為もしくはこれらに関連する行為のために支出する金額を，一般に**違法支出金**という。この違法支出金が課税所得の計算上，損金として認められるかどうかについて，従来から議論がある。この議論は，法人税における損金性の判断基準いかん，という基本的な問題を含んでいる。

(注5)　東京地判平成20. 2 .15税資258号順号10895．
(注6)　大淵博義著『法人税法解釈の検証と実践的展開　第Ⅲ巻』（税務経理協会，平成29）43頁．
(注7)　渡辺伸平著『税法上の所得をめぐる諸問題』（司法研修所，昭和42）95頁．
(注8)　東京高判昭和54.10.30訟務月報26巻 2 号306頁．

法人税法上の損金は，前述したように，原価，費用および損失とされている。この損金の範囲に関して，「通常かつ必要なもの」あるいは「事業に関連するもの」に限るといった限定は，少なくとも規定の文言上はついていない（法法22③）。ところが，法人税法上の損金，特に費用については，**通常かつ必要性**のあるものあるいは**事業関連性**のあるものに限られる，という議論がある。

　アメリカ税法では，通常かつ必要な経費のみが控除性を有するとされている（内国歳入法典162(a)）。また，わが所得税法には，事業所得計算上の必要経費は「所得を生ずべき業務について生じた費用」に限る旨の規定がある（所法37①）。このような規定などを背景に，わが法人税法上の損金もこれらと本質的に異なるものではなく，通常かつ必要性，事業関連性が必要である，という議論が生じている。特にこの問題については，違法支出金の損金性の判断に当たって顕在化し，学説も区々である。

(2)　しかし，損金についての通常かつ必要性や事業関連性の要件は，ことさらに独立した損金性の判断基準になるものではなく，損金に内在する一般的性格に過ぎない，というべきであろう。すなわち，原価，費用および損失自体がすでに程度の差こそあれ通常かつ必要性や事業関連性を有しており，このような性格を持っていなければそもそも原価，費用または損失にならない，ということである。

　逆に，損失が損金になること（法法22③三）や寄附金の損金不算入規定（法法37）があること自体，現行法人税の損金には通常かつ必要性や事業関連性のない支出があり得ることを前提にしているともいえよう。また，必要性や事業関連性がなければ，その支出は役員や使用人の個人的経費であり，法人の損金とはならない。

　このような理解に立てば，ある支出の損金性の判断に当たっては，もっぱらその支出が健全な企業会計の慣行からみて，原価，費用または損失に当たるかどうかを考慮すればよいことになる[注9]。

〔違法支出金の損金性〕

(3) 一口に違法支出金といっても，いろいろなものがある。たとえば，談合金，総会屋対策費，賄賂金，脱税経費など種々である。判例では，株主優待金，暴力団対策費，特殊浴場業者の関係者対策費などもあげられている。

これら違法支出金のうち，課税実務上すでにその取扱いが明らかにされているものもある。たとえば，談合金および総会屋対策費は，交際費等として取り扱われている（措通61の4(1)－15(6)，(10)）。これは，談合金や総会屋対策費は，一応損金性を認めたうえでその性質を探り，その結果，現行法上は交際費等に当たると判断されていると考えられる。賄賂金も得意先，仕入先等の従業員に対して取引の謝礼等として支出するものであれば，交際費等に含まれることは同じである（措通61の4(1)－15(9)）。また，脱税経費についても，脱税の協力に対する一種の謝礼として交際費等に当たるのではないかという議論が存する(注10)。ただ，脱税経費については，後述するように，立法的解決が図られた。

これら課税実務上の取扱いは，現行法人税では交際費等は損金算入につき規制があるから（措法61の4），その損金算入の途をふさぐため，便宜，交際費等のなかに追い込んでいるのではないか，といった指摘がある。かつて，国会において，談合は犯罪行為であるから，会社経理上，談合金を費用として取り扱うのは公序良俗に反し，また，それを通達で定めるのは問題ではないかとの議論がされた(注11)。

(4) そこで，これら違法支出金の損金性に関する本質的な検討が必要になるが，その損金性については，学説上，対立する二つの説がある。

損金になるとする説は，法人税の損金はすべての原価，費用および損失を含む広い概念のものであり，罰科金の損金不算入規定（法法55④）のような

(注9) 最高判平成6.9.16刑集48巻6号375頁.
(注10) 無署名「架空外注費の計上に協力した下請業者に対する謝礼金」国際税務8巻3号（昭和63.3）44頁.
(注11) 四元俊明著『行間の税法解釈学』（ぎょうせい，昭和63）280頁.

損金不算入とする旨の「別段の定め」がない以上，すべて損金とするのが担税力に応じた課税を実現する観点から妥当であるという(注12)。

これに対して，損金にならないとする説は，違法支出金は公序良俗に反するものであるから損金にならないとする(注13)。これを**公序の理論**という。この系統に属するものに，必要性や反社会性の強弱によって損金性を判断するという説があり(注14)，この説によれば，たとえば賄賂金や脱税経費には一般的に損金性がないということになる。

判例においては，脱税経費の損金算入の可否が争われた事件が多いが，その損金性を認めたものはない。そこでは，脱税経費は公序良俗に違反し無効であることまたは収益を得るために通常かつ必要なものでないことを理由としている(注15)。また，株主優待金，暴力団への顧問料や警備費について，これらは違法なものであるから損金にならないとした判例もある(注16)。

(注12) 損金になるとする説に，武田昌輔稿「法人税法上の課税所得概念」(『実践租税法体系・法人税篇』税務研究会，昭和56所収) 84頁，忠 佐市著『課税所得の概念論・計算論』(大蔵財務協会，昭和55) 196頁，清永敬次稿「株主相互金融の株主優待金と損金算入の諾否」民商法雑誌61巻1号68頁，竹下重人稿「違法所得の課税をめぐって」税務弘報28巻3号 (昭和55．3) 185頁，中村利雄稿「法人税の課税所得計算と企業会計 (Ⅱ) −費用又は損失の損金性−」税務大学校論叢15号 (昭和57) 11頁などがある。

(注13) 損金にならないとする説に，須貝脩一稿「所得の捕捉と必要経費」税経通信30巻12号 (昭和50.10) 2頁，山田二郎稿「交際費課税をめぐる問題」(『田中二郎先生古稀記念・公法の理論 (下) Ⅱ』有斐閣，昭和52所収) 1927頁，松沢智著『租税実体法』(中央経済社，昭和51) 111頁などがある。

(注14) 必要性により判断するという説に，金子 宏著『租税法』(弘文堂，昭和51) 195頁，反社会性の強弱により判断するという説に，玉国文敏稿「違法所得課税をめぐる諸問題(6)」判例時報764号 (昭和50．2.21) 26頁などがある。

(注15) 公序良俗違反を理由とするものに，東京地判昭和61.11.10税資154号458頁，東京高判昭和62．4.30税資158号499頁，通常かつ必要性を理由とするものに，大阪地判昭和50．1.17税資85号152頁，東京地判昭和56．4．6税資124号625頁，東京地判昭和56．5.28税資125号784頁などがある。

(注16) 株主優待金につき最高判昭和43.11.13税資53号860頁，暴力団の顧問料等につき東京地判平成元．5.30税資170号490頁，横浜地判平成元．6.28税資170号796頁などがある。

(5) 違法または不法な行為を防止し，また，これに制裁を加える観点からは，違法支出金は損金にならないという方が妥当なことはいうまでもない。しかし，課税所得計算上の損金はすぐれて経済的な概念であるから，単にその支出の基礎になった行為が違法または不法であるというだけの理由で損金にならないとはいえない。

　法人税の課税所得は一期間における益金と損金との差額として認識され，また，損金となる原価や費用は収益に対応してとらえられる。したがって，益金に対応する損金は，違法または不法なものであるかどうかを問わず損金になる，といわざるを得ない。

(6) たとえば，麻薬や関税法に違反する違法な商品販売の場合を考えてみよう。**違法所得**も課税所得になる，というのは確立された定説であるから[注17]，法人税の益金にはこのような違法な商品販売による売上げも含まれる。この場合，違法な商品の購入費は違法支出金であるから損金として認めず，その売上収入だけを益金として原価はゼロで課税するという考え方は，今日の所得概念からは生じない。原価なしで課税するとすれば，所得のないところに課税する結果になる。たとえ違法所得に課税する場合であっても，売上げに対する原価を構成するようなものであれば，損金になるといわざるを得ない。これは賄賂金についても同じであろう。

　課税所得は，いくら利益を得たかというもっぱら経済的な側面からとらえるべきものである。違法または不法という法律的な側面から損金性を判断するとすれば，税務当局が行為の違法性，不法性を判断することになる。そもそもそのようなことが許されるのかどうかという問題とともに，大量・回帰的な処理を要する税務行政になじまず，なにより税法の中立性を損なう結果になる。税の世界に倫理感や感情論を持ち込むのは極力避けるべきであろう。仮に違法支出金を損金不算入にするというのであれば，その旨の立法措置を要するというべきである。

（注17）　最高判昭和46.11.9民集25巻8号1120頁．

〔脱税経費等の損金性〕

(7) 以上が違法支出金一般に関する損金性の議論であるが、脱税経費だけは別途の視点からの検討を要しよう。**脱税経費**とは、たとえば仕入先と通謀して架空仕入れを計上するために仕入先に支払う謝礼金や架空領収証の購入費などをいう。

この脱税経費は、もっぱら脱税するために支出するものであり、収益に対応する原価でないことはもちろんである。また費用や損失ともいえない。それにもまして、法人税法は刑罰をもって脱税を禁止しているのに（法法159）、その脱税経費の損金算入を認めるようなことは法人税法自体の自己矛盾であるという点に留意しなければならない。法人税法は、法人税の納税義務の適正な履行を確保するため定められたものなのである（法法1）。法人税法自体の目的に対して真っ向から挑戦する脱税経費については、そのこと自体を理由に損金性を否定してよいとの意見があるが(注18)、けだし至当な見解であろう。

(8) これらの点からすれば、脱税経費の損金算入が否認されるのは条理上当然であると考える。このような考え方は判例でも支持されており、最高裁判決では脱税経費の損金算入をするような会計処理は、公正妥当な処理基準に従ったものということはできないとしている(注19)。このような議論もあり、平成18年の税制改正により、脱税経費は損金にならないことが法人税法上明らかにされた（法法55①②）。

また、あわせて刑法に規定する賄賂、外国公務員等に対する不正の利益の供与による費用等は損金不算入とする旨明定されている（法法55⑤）。平成27年の税制改正により、不当景品防止法による課徴金および延滞金は損金不算入とされた（法法55④六）。

(注18) 碓井光明稿「法人税における損金算入の制限－損金性理論の基礎的考察－」（金子　宏編『所得課税の研究』有斐閣、平成3所収）318頁.
(注19) 東京高判昭和63.11.28判例時報1309号148頁、最高判平成6．9.16刑集48巻6号375頁.

このように，違法支出金の取扱いについては立法的解決を図っていくようにみえるが，残された違法支出金等についても議論を重ねていく必要があろう。

3-3　損金の認識基準

〔総　説〕

(1) すでに繰り返し述べたように，法人税の課税所得は事業年度を単位とした期間所得として把握される。この期間所得計算のもとにおいては，益金と同じように，損金をいずれの事業年度に属するものと認識するかが極めて重要である。その認識いかんによって，各事業年度の所得金額が大きく変動するからである。

法人税ではその**損金の認識基準**について，延払基準および工事進行基準に関して規定（法法63，64）があるのみで，特に明文の定めはない。わずかに法人税法第22条第3項において，原価は「当該事業年度の収益に係る売上原価……」と，費用は「当該事業年度の販売費……」と，また，損失は「当該事業年度の損失……」とそれぞれ規定されているのが，各事業年度への帰属を表している。

しかし，これとて単に当該事業年度に属するものだけが，その事業年度の原価，費用および損失になるということをいっているに過ぎない。そもそも当該事業年度に属するものをどのようにして決定するかという，具体的な方法に関しての定めはない。

そこで，益金と同じく損金も一般に公正妥当と認められる会計処理の基準に従って計算されるので（法法22④），税務上の損金についても結果として企業会計における費用の認識基準が適用される。企業会計における**費用の認識基準**には，①発生主義と②現金主義とがあり，発生主義が原則である。収益の認識基準である実現主義は，費用にはない。

〔発生主義〕

(2) 費用の認識基準としての**発生主義**は，財貨または役務を消費したときに費用を認識するものである。当期中に消費した財貨または役務は，たとえ現実には支払がされていないとしても費用として認識する。この発生主義により把握された費用が**発生費用**である。しかし，この発生費用がそのまま当期の費用，すなわち期間費用となるわけではない。発生費用のうちどの部分が期間費用となるかは，費用収益対応の原則により決定される。

費用収益対応の原則とは，当期の収益に対応する費用を当期の費用とする考え方をいう。つまり，実現主義で認識された収益と発生主義で認識された費用とをつなぐのがこの原則である。この原則は，「費用収益対応」といっており，費用を基準にするようにみえるがそうではなく，収益を基準として費用を認識するのである。たとえば，製品製造のために材料や労力を投入すれば材料費や労務費が発生するが，その材料費や労務費はそのまますべて当期の費用とはならない。当期中に販売された製品の収益に対応する部分の材料費や労務費だけが当期の費用になる。これが費用収益対応の原則の適用である。このように発生費用は，発生主義の次に費用収益対応の原則のテストをクリアして，はじめて当期の費用となるのである。

(3) 一口に費用収益対応の原則といっても，その適用形態は費用の内容によってさまざまである。売上原価や完成工事原価は，収益と個別的に対応するものとしてとらえられる。これに対して，販売費および一般管理費は，販売手数料のように収益と個別的に対応するものもないではないが，基本的に個別的には対応しない。したがって，販売費および一般管理費は，期間対応すなわち当期の売上総利益に対応する費用としてとらえられる。

もっとも，このような意味での費用収益対応の原則は現実的にはあまり機能していないから，むしろ未発生費用の計上や繰延資産の計上を基礎づける原則として役立てる方が有効であるという指摘がある[注20]。**未発生費用**は，

(注20) 中村　忠・成松洋一共著『税務会計の基礎』（税務経理協会，平成10）59頁．

財貨または役務はまだ消費されていないが，適正な期間損益計算を行うため見積計上する費用である。引当金繰入損がその例である。

〔発生主義に対する批判論〕

(4) 法人税においては，たとえば，当期末までに収益は確定したがこれに対応する売上原価となるべき費用の全部または一部が確定していない場合には，当期末の現況により原価を適正に見積もって計上することになっている（基通2－2－1）。また，支払利息，地代，家賃，保険料等は，時間の経過に応じて費用として計上するのが原則である（基通2－2－14）。さらに，税務においても限定された範囲とはいえ，引当金の見積計上が認められている（法法52，旧53）。

　これは，税務における発生主義ないし費用収益対応の原則の適用の一例である。ところが，税務に発生主義が反映していることに対して問題だとする意見がみられる。すなわち，企業会計は保守主義の原則をとっており，それが費用は発生主義，収益は実現主義という大きな非対称性として表れている。たとえば，引当金については発生主義でなるべく費用を早めに計上し，他方，収益については実現主義でなるべく遅めに計上する。このような非対称的な処理をとると，期間損益の操作ができることになる。これを税制上からみれば有力な節税対策を提供しており，政府からみれば税収のロスという問題が起こるというのである[注21]。

　確かに論理的にはそのとおりであり，傾聴に値する。しかし，これは未実現の所得に対して課税する結果となるおそれがあり，慎重な検討が必要であろう。

(注21) 宮島　洋稿「税務論から見た確定決算主義と申告調整主義」租税研究No.528（平成5.10）48頁．

〔現金主義〕

(5) 上述したように，費用の認識基準としては発生主義が原則であり，現金主義は例外である。**現金主義**は，現金の支出があったときに費用が生じたと認識するものであるから，期間損益計算を適正に行うことができない。したがって，企業会計では一般に採用されない。

しかし，企業会計に**重要性の原則**があり，期間損益計算上，重要性の乏しいものについては，厳密な会計処理によらないで他の簡便な方法によることが認められている。たとえば，消耗品，消耗工具器具備品その他の貯蔵品等のうち重要性の乏しいものは，買入時または払出時に費用として処理してよい。また，前払費用や未払費用のうち重要性のないものについては，経過勘定項目として処理しないことができる（注解1）。これは，現金主義の適用例である。

(6) この点は，法人税でも同様である。原則として現金主義により損金を計上することはできない。しかし，たとえば，事務用消耗品，作業用消耗品，包装材料，広告宣伝用印刷物，見本品等で，等量が経常的に消費されるものの取得費用は，一時の損金としてよいことになっている（基通2-2-15）。また，支払利息，地代，家賃，保険料等を前払した場合でも，その前払が1年以内分のものであれば支払った時に全額損金としてよい（基通2-2-14）。これは，重要性の原則により限定的に現金主義の適用を認めるものである。

もっとも，税の中立性や担税力という観点からすれば，現金主義は最も課税適状の要請を満たすものといえる。

3-4　債務確定基準

〔意義と内容〕

(1) 前述したように，課税所得計算上の損金は，発生主義ないし費用収益対応の原則により計算する。ところが，税務上は販売費，一般管理費その他の費用については，償却費を除き，期末までに債務が確定していなければなら

ないという要件が付されている（法法22③二）。期末までに債務が確定していなければ損金として認められないのである。これを一般に**債務確定基準（主義）**という。

償却費がこの債務確定基準の適用から除外されているのは，減価償却費や繰延資産の償却費は，もともと債務確定という概念になじまないからである。債務確定基準は内部取引でなく，外部取引に適用される基準なのである。

また，債務確定基準は，販売費，一般管理費その他の費用についてだけ適用され，売上原価等および損失には適用されない。売上原価等にこの基準が適用されないのは，売上原価等は外部との債務確定の問題ではなく，内部における原価配分の問題であるからである[注22]。また，売上原価等は売上げとの個別対応により把握されるから，売上げが計上される以上これに対応する原価が債務未確定であるからといって計上ができないのは不合理であるからでもあろう（基通2－2－1参照）。

損失については，その性格上，債務確定という問題は少ないから，特に債務確定を要件にしていない。もっとも，損失については債務確定基準が明示されていないが，税法上要請される租税収入の確保，課税の公平等の観点から，確定的な損失の計上が必要とされている，との見解が存する[注23]。たとえば第三者に与えた損害の賠償金は，その支払債務が確定したときに計上すべきであるとされている（基通2－2－13）。

〔趣　旨〕

(2) このような債務確定基準を法人税が採用しているのは，費用の見越計上や引当金の設定に制限を設け，債務性の高い確実な費用に限って損金とする趣旨である。それは費用計上についてできるだけ企業の恣意性を排除し，課税の公平を確保することを目的とする。特に平成10年の法人税制改革により税

(注22)　吉牟田　勲著『法人税法詳説』（中央経済社，昭和59）52頁．
(注23)　品川芳宣稿「法人税における損金の本質」税務会計研究8号（平成9.8）98頁．

務上の引当金は大幅に廃止・縮小された。これはまさに公平性，明確性という課税上の要請からは，そうした不確実な費用または損失の見積計上は極力抑制すべきであるとの考え方による(注24)。

　一方，債務確定基準は，益金の認識基準としての権利確定主義とともに，法的基準によって費用の帰属事業年度を決定する基準になるといわれる(注25)。確かに，債務確定基準は結果として費用の帰属事業年度を決定する機能を果たすものではある。しかし，債務確定基準をもって費用の帰属事業年度を定める基準，すなわち発生主義や費用収益対応の原則と対等の費用の認識基準とまではいえないと考える。単に企業会計における発生主義ないし費用収益対応の原則を制限するに過ぎないものというべきであろう。具体的には，企業会計では保守主義の観点からできるだけ広範囲に引当金を計上する傾向が強いから，これに税務上歯止めをかけようとするものである(注26)。

　この点，企業会計との大きな違いとなって表れる。

〔債務確定の判定〕

(3)　それでは，そもそも**債務の確定**とはどのような状態をいうのであろうか。この点について，債務が確定している費用とは，次の要件のすべてを満たしているものをいうと解されている（基通2－2－12）。これは多くの判例でも支持された解釈である(注27)。

　イ　期末までにその費用にかかる債務が成立していること。

　ロ　期末までにその債務に基づいて具体的な給付をすべき原因となる事実が発生していること。

　ハ　期末までにその金額を合理的に算定することができるものであること。

(注24)　税制調査会「法人課税小委員会報告」（平成8.11）。
(注25)　松沢　智著『租税実体法』（中央経済社，昭和51）133頁。
(注26)　吉牟田　勲著『法人税法詳説』（中央経済社，昭和59）51頁，忠　佐市著『税務会計法（第6版）』（税務経理協会，昭和53）126頁参照。
(注27)　大阪高判昭和50.4.16税資81号205頁，岡山地判昭和54.7.18税資106号74頁，宇都宮地判昭和54.8.30税資106号287頁。

たとえば、船舶の修繕の場合を考えてみよう。船舶の修繕契約を結んで発注した場合、期末までにその修繕が完了し、その代金が契約その他から合理的に見積もられれば、仮に期末までに代金の請求書が届いていなくても、債務が確定しているといえる。船舶の修繕を発注したことはイの要件を、修繕が完了したことはロの要件を、代金の合理的見積りが可能であることはハの要件を、それぞれ満たすからである。

これに対して、法人税では特定船舶につき特別修繕準備金の積立てが認められているが（措法57の8）、これはまさに準備金である。船舶は5年または6年ごとに特別修繕を行い、定期検査を受けなければならないが、その特別修繕に要する費用をあらかじめ積み立てるものである。これは債務確定の問題ではなく「別段の定め」による特例である。

3-5 棚卸資産

〔総　説〕

(1) 売上原価は、商業の場合には、次の算式により計算される。

　　（期首商品棚卸高＋当期商品仕入高）－期末商品棚卸高

　　また、製造工業の場合は、次の算式によって計算する。

　　（期首製品棚卸高＋当期製品製造原価）－期末製品棚卸高

これらの算式における「期首商品（製品）棚卸高」は、前期からの繰越額であり、「当期商品仕入高（当期製品製造原価）」は、外部的に実現した金額である。いずれも所与の事柄であるから、いくらの金額とするかにつきそれほどの問題はない。問題は、「期末商品（製品）棚卸高」をいかに計算するかである。

「期末商品（製品）棚卸高」の評価いかんにより売上原価が変動するから、その評価は重要である。また、商品の仕入単価はその時々により異なるから、期末商品の評価に当たっていずれの単価を採用するかにつき法人の恣意が入る余地も否定できない。

(2) そこで，法人税では課税の公平維持の観点から，棚卸資産の期末評価に関して，棚卸資産の範囲，取得価額および評価方法につき詳細な定めをしている。このような棚卸資産の期末評価に関する規定は，棚卸資産の会計には，特に法人税について不統一が多いといったシャウプ勧告に基づく昭和25年の法人税法の改正によって設けられた[注28]。それ以前には税法にはほとんど規定がなく，もっぱら企業会計に依存し，税法の規制はなかった。それは，それ以前には経済取引も単純で，個々の資産の流れに沿って原価を計算するという考えが底流にあったからであろう。

　昭和25年改正後は，経済取引の複雑化やインフレーションの影響もあり，個々の資産ごとに原価を把握することは不可能ないし適当でなくなったので，事業年度の総体の原価としてとらえることになった。

〔棚卸資産の範囲〕

(3) 法人税法上，ある資産が棚卸資産に該当するかどうかによって，費用化の方法や税制の適用関係が異なるから，その概念を明らかにする必要がある。しかし，税法には棚卸資産についての一般的な概念規定はない。具体的に，**棚卸資産**とは次に掲げる資産をいうものとされている。ただし，有価証券，短期売買商品および暗号資産は除かれる（法法２二十，法令10）。

　イ　商品または製品（副産物および作業くずを含む）
　ロ　半　製　品
　ハ　仕　掛　品（半成工事を含む）
　ニ　主要原材料
　ホ　補助原材料
　ヘ　消耗品で貯蔵中のもの
　ト　イからヘまでの資産に準ずるもの
　　トの棚卸資産の例として，製本業者の製本中の本，染色加工業者の染色中

（注28）　福田幸弘監修『シャウプの税制勧告』（霞出版社，昭和60）164頁.

〔棚卸資産の概念〕
(4) この規定から税務上の棚卸資産の概念が明らかになるが、企業会計では、棚卸資産は次のいずれかの実体を有するものであると定義される（連続意見書第四、七）(注29)。
　イ　通常の営業過程において販売するために保有する財貨または用役
　ロ　販売を目的として現に製造中の財貨または用役
　ハ　販売目的の財貨または用役を生産するために短期間に消費されるべき財貨
　ニ　販売活動および一般管理活動において短期間に消費されるべき財貨

　イは商品および製品を、ロは半製品および仕掛品をそれぞれ指す。また、ハは主要原材料、補助原材料および消耗品を、ニは事務用消耗品、包装荷造用品などをそれぞれいう。これは税務上のものと全く同じである。

　これらのうちニはやや異質のものである。しかし、ある資産の原価を期末に残っているものと消費分とに区分しようというのが棚卸手続の意味であることから、ニの財貨も棚卸資産とされているのであろう(注30)。ただ、ニは棚卸資産からはずした方が棚卸資産の定義が単純化されるという意見も根強い。すなわち、ニは将来売上原価になるものではなく、販売費または一般管理費になるものだからである。棚卸資産は売上原価に転化する資産に限る、とするのが理論上すっきりするという(注31)。

　このような棚卸資産の概念からも明らかなように、棚卸資産は有形のものに限られない。

　したがって、加工費のみから成る仕掛品や材料の支給を受けた場合の労務費、間接経費のみから成る半成工事も棚卸資産となる。

(注29)　番場嘉一郎著『棚卸資産会計』（国元書房、昭和38）55頁.
(注30)　武田昌輔著『税務棚卸資産会計』（産業図書、昭和32）33頁.
(注31)　中村　忠編『対談　会計基準を学ぶ』（税務経理協会、昭和61）115頁.

また，棚卸資産は機能的な概念であるから，動産に限るものではない。不動産業者の有する土地や建物は，販売用のものであれば棚卸資産である。

〔棚卸資産の取得価額〕

(5)　法人税では，棚卸資産の取得価額をその取得の方法に応じて定めている（法令32）。その主な取得の方法による**棚卸資産の取得価額**は，それぞれ次に掲げる金額にその資産を消費し，または販売するために直接要した費用の額を加算した金額である。

　　イ　購入した場合　その資産の購入の代価（引取運賃，荷役費，運送保険料，購入手数料，関税その他その資産の購入のために要した費用の額を加算した金額）

　　ロ　自己が製造，採掘，採取，栽培，養殖等した場合　その製造等のために要した原材料費，労務費および経費の額

　　ハ　贈与，交換，代物弁済等により取得した場合　その資産の時価

　　これらから棚卸資産の取得価額を一口でいえば，その資産が販売できる状態になるまでの一切の費用であるということになろう。販売できる状態以後の費用は，販売費または一般管理費である。

(6)　法人税における棚卸資産の評価は，取得原価を基礎とする**取得原価主義**を基調としており，その期末評価額は取得価額を基礎に計算する。したがって，棚卸資産の取得価額をどのようにとらえるかが極めて重要である。そこで，法人税では，上述したように棚卸資産の取得価額をその態様ごとに詳細に規定している。その取扱通達も相当な量にのぼる（基通5－1－1～5－4－1）。

　　ところが，このような棚卸資産の取得価額は，基本的に企業会計と同じであり，公正妥当な会計処理の基準（法法22④）によって処理すればよいから，わざわざ法人税が規定を置く必要はない，という意見がある[注32]。確かに，棚卸資産の取得価額は法人税と企業会計とで大きく異なるところはない。む

（注32）　吉牟田　勲講演「外国為替相場の変動及び国際金融商品の税務上の問題点」（『第45回研究大会記録』日本租税研究協会，平成6所収）84頁参照．

しろ，異なってはならないものであろう。

　しかし，棚卸資産の取得価額のとらえ方は，誰もが同じ理解に立つほど一様ではない。現実の課税実務にあって，棚卸資産のいわば本体価額が問題になることはそれほどないが，付随費用に関しては，その取得価額に算入すべきかどうかで紛糾することがしばしばある。このような紛糾防止や課税の公平維持の観点からすれば，取得価額に関する規定は十分に存在意義がある。

〔**原価差額の調整**〕

(7)　上述したように，法人税の棚卸資産の取得価額は，実際購入価額または実際製造原価によるのが原則である。これに対して企業会計では，製品等の製造原価については，適正な原価計算基準に従って，予定価格または標準原価を適用して算定した原価によることができる（注解21）。

　企業会計において予定価格または標準原価を用いる場合には原価差額が生じる。**原価差額**とは，法人の算定した原価と実際原価とが異なる場合のその差額である。もっとも，法人の算定した原価が適正な原価計算に基づいて算定されている場合には，法人の算定した原価をもって法人税法上の取得価額とみなされるから（法令32②），原価差額は生じない。

(8)　原価差額には原価差損と原価差益とがあるが，法人税における原価差額とは，法人が製造した棚卸資産につき算定した取得価額が実際原価に満たない場合のその差額，すなわち**原価差損**のことをいう。**原価差益**は原価差損と逆の現象のことであるが，法人税では**貸方原価差額**と呼んでいる（基通5－3－9参照）。

　原価差額の金額が多いときは，その原価差額のうち期末棚卸資産に対応する部分の金額はその期末棚卸資産の評価額に加算しなければならない（基通5－3－1，5－3－3）。これを**原価差額の調整**という。

　原価差額の調整方法については，古くから議論のあるところであり，昭和28年にはじめて具体的な方法が定められた（昭和28. 5.18直法1－54通達）。しかし，その方法は仕掛品，半製品および製品の順に段階的に調整する精緻な

ものであったため，実務上，煩に堪えないといった批判が強かった（連続意見書第四，五参照）。そこで，現在においては，段階的調整方式が理論的ではあるが，原価差額を一括して次の算式により計算した金額を期末棚卸資産に配賦する簡便方法でもよい，とされている（基通5－3－5）。

$$原価差額 \times \frac{期末の製品，半製品，仕掛品の合計額}{売上原価＋期末の製品，半製品，仕掛品の合計額}$$

〔棚卸資産の評価方法〕

(9) **棚卸資産の評価方法**には，大別して①**原価法**と②**低価法**とがあり，原価法はさらに次の六つの方法に区分される（法令28①）。

　イ　個　別　法
　ロ　先入先出法
　ハ　総　平　均　法
　ニ　移動平均法
　ホ　最終仕入原価法
　ヘ　売価還元法

　従来，後入先出法と単純平均法も認められていたが，平成21年の税制改正により廃止された。平成20年に「棚卸資産評価会計基準」が改正され，後入先出法は合理的でないとして評価方法から削除されたことなどに呼応したものである。

　各評価方法の内容については，特に説明するまでもないであろう。強いて説明するとすれば，**個別法**は棚卸資産のうち通常一の取引によって大量に取得され，かつ，規格に応じて価額が定められているものについては選定できない，という点である（法令28②）。

(10) これら税務上の評価方法は，企業会計でも認められており，その内容も異ならないところから，取得価額と同じように，あえて規定する必要はないという意見がある。また，規定を設けるとしても，評価方法を制限列挙的に規定することなく，一般に認められた会計方法による旨の包括規定が望ましい

が，差し当たり次のような方法をも認めるよう規定するのが妥当である，との指摘もある（新税法調整意見書，各論一1⑴）。
- イ　金額後入先出法
- ロ　後入先出売価還元法
- ハ　通算式後入先出法
- ニ　正規の売価還元法

　もっとも，これらの方法は，現行法でも所轄税務署長の承認を受ければ特別な評価方法として採用ができないわけではない（法令28の2）。しかし，後入先出法は廃止されたことなどからすれば，その承認を受けることは不可能であろう。

〔最終仕入原価法の問題点〕

⑾　以上述べたように，現行法人税法では評価方法は原価法と低価法のみであるが，昭和37年法人税法の改正前には，このほか時価法の採用が認められていた（旧法規20）。**時価法**は，期末棚卸資産をその期末時価により評価する方法である。しかし同年の商法改正によって，取得原価主義が明らかにされたことに伴って廃止された。

　この時価法に機能的に類似するのが最終仕入原価法である。**最終仕入原価法**は，その事業年度の最後に仕入れた価額をもって期末棚卸資産を評価する方法であるから（法令28①一ホ），その評価額は時価に近い価額になる。実務における簡便性を考慮して，税務上の**法定評価方法**とされている（法令31）。

　税務上の法定評価方法であることもあり，中小企業を中心としてわが国企業の多くが採用しているのが最終仕入原価法である。しかし，最終仕入原価法については，企業会計上，疑問が呈されている[注33]。

⑿　最終仕入原価法はいわば時価により評価する方法であるから，まず，原価

（注33）　中村　忠著『新稿　現代会計学〔九訂版〕』（白桃書房，2005）84頁，連続意見書第四，注解4．

法と位置づけるのが妥当かどうかという疑問がある。これはいってみれば形式的な問題に過ぎないが，実体的に問題なのは，評価損益を計上する可能性を秘めている点である。

たとえば，期末棚卸資産の取得状況が次のようであったとしよう。

　3月25日　仕　入　数量　200個　単価　100　合計　20,000
　　　30日　仕　入　　　　100　　　　　110　　　　11,000
　　　31日　在　庫　　　　150

この場合，期末棚卸資産の評価額は150×110＝16,500となる。期末在庫150個のうち100個を110で評価するのは，実際取得原価での評価であるから問題はない。問題は，あとの50個について，実質的に1個当たり10，合計で500の評価益を計上することになる点である。

このような点から，最終仕入原価法は期末棚卸資産の大部分が最終の仕入価格で取得されている場合や期末棚卸資産に重要性が乏しい場合にのみ認められるといわれている(注34)。

〔低価法の洗替え法と切放し法〕

(13)　**低価法**は，上記(9)の六つの原価法のうちいずれかの方法により評価した価額と期末時価とのいずれか低い価額をもって評価額とする方法である（法令28①二）。この低価法には，理論上，洗替え法と切放し法とがある。**洗替え法**とは，前期末に時価評価したことによる簿価切下額を当期に戻し入れる方法をいい，**切放し法**はその簿価切下額を当期に戻し入れない方法をいう。

企業会計では，洗替え法と切放し法のいずれかの方法を棚卸資産の種類ごとに選択適用することができる（棚卸資産会計基準14）。

これに対し法人税では，平成23年6月の税制改正により，切放し法の根拠条文（旧法令28②）が削られ，切放し法は廃止された。その理由は，切放し

（注34）　企業会計基準委員会「棚卸資産の評価に関する会計基準」（平成18．7．5），拙稿「棚卸資産の評価方法の変更等に伴う会計と税務の処理」週刊税務通信No.3119（平成22．6 .21）62頁参照．

法は棚卸資産の時価が回復しても，簿価切下額の取戻しが遅れるといった，過度に保守的な処理である，ということである。

　ただ，その根拠条文が削られただけで，切放し法の適用はできない，という明文の規定はなく，企業会計上は認められているため，条文上は切放し法の適用も可能ではないか，といった議論がみられる(注35)。

〔評価方法の選定〕

⑭　棚卸資産の評価方法は，法人の営む事業の種類ごとに，かつ，①商品または製品（副産物および作業くずを除く），②半製品，③仕掛品（半成工事を含む），④主要原材料および⑤補助原材料その他の棚卸資産の区分ごとに選定しなければならない（法令29①）。ただし，事業所別に，またはこれら五つの区分をさらに種類の異なるごとその他合理的な区分ごとに細分してそれぞれ異なる評価方法を選定することもできる（基通5－2－12）。

　法人がどのような評価方法を選定するかについては，上述したように個別法は代替性のある棚卸資産に対しては選定できないという制限があるだけである（法令28②）。したがって，基本的にはどのような評価方法を選定するかは法人の自由である。しかし，自由であるからといって，法人の業種，業態や処理能力，棚卸資産の種類などを無視してどのような評価方法でも選定してよいというものではあるまい。その法人や棚卸資産の実体に適合した合理的な評価方法を選定すべきである。

〔評価方法の変更〕

⑮　このようにして選定した評価方法は，継続して適用しなければならない。継続して適用しないと，適正な課税所得が計算できないし，期間比較を阻害するからである。

（注35）　拙稿「棚卸資産の評価方法につき切放し低価法を適用することの可否等」週刊税務通信No.3401（平成28. 3.21）48頁．

しかし，いったん採用した評価方法は，永久に変更できないというものではない。合理的な理由があれば，所轄税務署長の承認を受けて変更することができる（法令30①）。法人から評価方法の変更申請があった場合，所轄税務署長は，次に掲げるような事由があるときはその申請は却下する（法令30③）。
　イ　現によっている評価方法を採用してから相当期間を経過していないとき。
　ロ　変更しようとする評価方法では，その法人の所得金額が適正に計算できないと認められるとき。
　ここでイにおける「相当期間」は，「3年」をいうものとされている（基通5-2-13）。したがって，現によっている評価方法を採用してから3年経過しなければその変更は認められない。もっとも，3年経過していないからといって，すべてその変更が認められないというわけではない。たとえば合併や分割による変更など，どうしても変更しなければならない合理的な理由があれば，仮に3年経過していないとしてもその変更は認められる。
　逆に3年経過したからといって，無条件で変更ができるものではない。やはり，変更することに合理的な理由がなければならない。
　このような意味で，3年というのは一つの目安なのである。

3-6　有 価 証 券

〔譲渡損益の計算〕

(1)　簿記の教科書では，**有価証券の譲渡損益**の処理方法は次のように説明されるのが普通である。実務でも，このような処理が行われている。
　たとえば，2,000で購入した株式を2,400で譲渡したとすれば，次のような処理を行う，と。

　　　（借）現 金 預 金　　2,400　　（貸）有 価 証 券　　　2,000
　　　　　　　　　　　　　　　　　　　　　有価証券売却益　　　400

　これは有価証券の譲渡のつど，その譲渡時点で付されている帳簿価額を基礎に個々に譲渡原価を計算し，譲渡損益を計算するものである。しかし，有

価証券の評価方法として移動平均法を採用しない限り，譲渡のつど譲渡原価を算定することはできないし，その売買回数や数量が多くなれば，その計算は困難になる。

(2) そこで，有価証券についても棚卸資産と同じように，次の算式により譲渡原価を計算することが考えられる。

(期首有価証券有高＋当期有価証券購入高)－期末有価証券有高

　従来，法人税法では有価証券の範囲，取得価額および期末評価方法に関する規定だけを置き，有価証券の譲渡原価は上記算式により間接的に一括して計算することを表していた。

　しかし平成12年の税制改正により，有価証券の譲渡損益は，譲渡の取引ごとにその譲渡対価の額から譲渡原価の額を控除して直接的に正味の金額として計算することに改められた（法法61の2）。これは上述の簿記の教科書の説明に合致するものである。その趣旨は，有価証券の期末評価方法として時価法が導入されたのを機に，実務の処理と合わせることにある。

〔譲渡損益の繰延べ〕

(3) 上述したところにより計算される有価証券の譲渡損益は，譲渡契約日において計上する（法法61の2①）。ただし，法人の所有株式につき適格合併，適格分割，株式交換，株式移転，組織変更，種類株式としての譲渡などの事実が生じた場合には，その譲渡対価の額は従前の所有株式の帳簿価額相当額とし，譲渡損益の計上を要しない（法法61の2②〜⑬等）。

　これは，たとえば合併や分割により従前の所有株式に代えて新たな株式の交付を受けた場合には，従前の所有株式の帳簿価額を引き継ぐことによりその譲渡損益の課税を繰り延べるものである。企業が行う組織再編の促進を阻害しないようなインフラ整備の観点や株式の所有関係には実質的に変更がないことなどから認められている特例といえよう。

〔有価証券の範囲〕

(4) 法人税において**有価証券**とは，金融商品取引法第2条第1項に規定する有価証券その他これに準ずるものをいう（法法2二十一）。具体的には，次に掲げるようなものである（法令11，法規8の2の4）。

①国債証券　②地方債証券　③特別の法律により法人の発行する債券　④資産流動化法の特定社債券　⑤社債券（相互会社の社債券を含む）　⑥特別の法律により設立された法人の発行する出資証券　⑦優先出資法の優先出資証券または優先出資引受権を表示する証書　⑧資産流動化法の優先出資証券または新優先出資引受権を表示する証書　⑨株券または新株予約権証券　⑩投資信託または外国投資信託の受益証券　⑪投資証券，投資法人債券または外国投資証券　⑫貸付信託の受益証券　⑬特定目的信託の受益証券　⑭コマーシャル・ペーパー　⑮抵当証券　⑯外国債，海外コマーシャル・ペーパー等　⑰外国貸付債権信託の受益証券　⑱オプションを表示する証券または証書　⑲預託証券　⑳海外譲渡性預金　㉑有価証券が発行されない登録国債，地方債，社債等　㉒貸付債権信託の受益証券　㉓国内譲渡性預金　㉔株式の引受けによる権利または優先出資の引受けによる権利　㉕合名会社，合資会社または合同会社の社員持分，協同組合等の出資金等

法人税の有価証券は，まさに財産権を表彰する証券という，有価証券の一般的定義そのままのものであり，その範囲を法人の所有目的等によって画していない。したがって，たとえば証券業者の有する商品株式であっても，法人税においては棚卸資産ではなく有価証券である。また，企業会計では関係会社株式や関係会社社債，出資金は，「投資その他の資産」として取り扱われるが，税法上はすべて有価証券である。

〔自己株式〕

(5) このように法人税の有価証券の範囲は簡明であるが，有価証券の範囲に関して議論があるのは，自己株式である。**自己株式**とは，自己が発行した株式のうち自己が保有するものをいい，金庫に保管される株式という意味で**金庫**

株と呼ばれる。平成13年の商法改正により金庫株の取得が全面解禁され，目的のいかんを問わず自由に取得できることになった。

その自己株式について，商法は従来，資本の減少ではなく基本的に資産たる有価証券として取り扱っていた（旧商規12，22の２）。しかし金庫株の全面解禁に伴い，自己株式は資本の部に「自己株式の部」を設けて，控除する形式で記載することにされた（旧商規91①五，③）。

これに対して，会計学の理論では従来から自己株式の取得は資本の減少とみるのが通説である。その譲渡損益は，資本準備金に組み入れ利益とは認識しない。それは会計学は，会社が株式を発行したときは資本が増加するのであるから，逆にこれを回収したときは実質的に資本の減少とみるからである(注36)。そこで，企業会計においても，取得した自己株式は，取得原価をもって純資産の部の株主資本から控除し，期末に有する自己株式は，純資産の部の株主資本の末尾に自己株式として一括して控除する形式で表示する(注37)。そして，その譲渡損益は，**自己株式処分差益**として「その他の資本剰余金」に計上する。

(6) 一方，法人税における自己株式の取扱いは，従来，資産性と資本性との二面からの折衷的なものであった。すなわち，自己株式を購入した場合の取得価額が規定され，その購入代価からみなし配当の額（法法24①五）を控除した金額を取得価額とする（旧法令119①一）。そして，自己株式を譲渡した場合には，その譲渡対価の額は帳簿価額相当額として譲渡損益はないものとする一方（旧法法61の２⑤），実際の譲渡対価の額と帳簿価額との差額は，資本積立金額を構成することになっていた（旧法法２十七ロ）。

このように，法人税では自己株式の取得は資本の控除項目であるとする明確な定めはなかった。その後，企業会計との整合性を図る等のため，平成18

(注36) 中村　忠著『新版財務会計論』（白桃書房，1997）188頁。
(注37) 企業会計基準委員会「自己株式及び法定準備金の取崩等に関する会計基準」（平成14．2.21），同「自己株式及び法定準備金の取崩等に関する会計基準適用指針」（平成14．2.21）。

年の資本金等の額の整備の一環として、有価証券の範囲から自己株式は除外され（法法２二十一）、自己株式の取得は資本金等の額の減少（法令８①二十、二十一）、自己株式の譲渡は資本金等の額の増加（法令８①一）として、それぞれ処理するものとされた。それに伴い、同族会社（法法２十）や特定同族会社（法法67②）、国外関連者（措法66の４①）、国外支配株主等（措法66の５⑤）、外国関係会社（措法66の６②）等の判定においては、発行済株式等から自己株式は除く。

(7) 実務上、自己株式をめぐって、その株式の発行会社が自己株式を低廉取得した場合、その発行会社に受贈益課税が生じるのかどうか、という議論がされている。

この問題について、自己株式の発行会社は、まず初めに受贈益の発生という損益取引があり、その次に自己株式の取得という資本等取引があると観念し、受贈益を認識すべきである、という意見がみられる。これは損益と資本の**混合取引**の考え方といえよう。

しかし、上述したとおり、平成18年の税制改正により、会社法の制定を契機として、自己株式については、その取得や処分の場面に限らず、その保有の場面においても資産として取り扱わず、資本等取引に準じて取り扱う、と整理された[注38]。

また、自己株式を低廉取得したとしても、その発行会社に経済的価値は流入せず、利益を受けることはない。その利益を受けるのは、低廉取得により持株の価値が増加することになる、その会社の残存株主である。

したがって、その株式の発行会社が自己株式を低廉取得したとしても、基本的には受贈益は生じないものと考える[注39]。

（注38） 東京地判平成23.10.11税資261号順号11781。
（注39） 拙著『法人税の身近な論点を巡る実務事例集』（大蔵財務協会、平成31）36頁。

〔有価証券の取得価額〕

(8) 有価証券の譲渡損益や評価損益を計算するためには，有価証券の取得価額が明らかでなければならない。そこで，法人税では有価証券の取得価額をその取得の方法に応じて定めている。組織再編や有価証券の種類の多様化等に伴って，有価証券の取得価額は26の態様に応じて定められているが，その取得価額のうち主なものは次のとおりである（法令119）。

　イ　購入した場合　①その購入代価に②購入手数料その他購入のために要した費用を加算した金額

　ロ　金銭の払込みまたは現物の給付をした場合　①その払込金額または給付資産の時価に②その取得のために要した費用を加算した金額

　ハ　株式等の無償交付による場合　零

　ニ　有利な発行価額で払い込んだ場合　その有価証券の払込期日の時価

　ホ　合併により交付を受けた場合　被合併法人の株式の合併直前の帳簿価額

　ヘ　株式交換または株式移転により交付を受けた場合　子法人の株式の直前の帳簿価額

　ト　贈与，交換，代物弁済等により取得した場合　その有価証券の時価

(9) 上記ヘの株式移転に関して，子法人が有する自己株式に対し適格株式移転により完全親法人株式が割り当てられた場合，子法人が取得することになる，その完全親法人株式の取得価額は零円であるとされた事例がある[注40]。子法人は自己株式を取得したときは資本金等の額の減少として処理し（法令8①二十一，二十二），自己株式は資産として認識されないから，その自己株式に帳簿価額はない。その結果，その自己株式の帳簿価額を引き継ぐこととされている，完全親法人株式の取得価額は零円になるのである（法令119①十一）。

　その後，会社法上，子法人は親法人の株式を保有することはできないから，その完全親法人株式を譲渡した場合，譲渡原価は零円であり譲渡価額がその

（注40）　東京地判平成23.10.11税資261号順号11781，東京高判平成24.6.20税資262号順号11970．

まま譲渡益になってしまう。これに対して疑問を呈する見解は少なくない[注41]。現行法令上は，上記のように解さざるを得ないが，違和感があり立法的解決が望まれる。

⑽　そのほか，有価証券の取得価額に関して実務でよく問題になるのは，M&Aに際し外部のアドバイザー等に支払う**デューデリジェンス費用**の処理いかんである。M&Aによる買収過程のどこまでの費用を，買収した会社の株式の取得価額に算入すべきかという問題である。

　この点，外部のアドバイザー等に支払うデューデリジェンス費用や仲介手数料について，ある会社の株式の購入の意思決定をした後に発生するものは，その株式の取得価額に算入すべきである，と解されている[注42]。これは，既に個別，具体的に決定された株式を取得するために要した費用である，とみられるからである。

　これに対し，ある会社を買収するかどうかの意思決定の参考にするための，予備的デューデリジェンス費用は，取得価額に算入する必要はないといえよう。購入の意思決定前であれば，結果として購入しないこともあり得るし，個別，具体的な株式に紐付けすることはできないからである[注43]。

〔有価証券の帳簿価額の算出方法〕

⑾　前述したように，有価証券の譲渡損益は，取引ごとに有価証券の譲渡対価の額から譲渡原価の額を控除して計算する。ここで譲渡原価の額とは，次の算式により計算した金額をいう（法法61の2①）。

　その有価証券の1単位当たりの帳簿価額×譲渡した有価証券の数

　この「有価証券の1単位当たりの帳簿価額」は，①**移動平均法**または②**総平均法**で計算しなければならない（法令119の2）。従来，移動平均法や総平

（注41）　渡辺徹也稿「自己株式に関する課税問題」（金子宏他編『租税法と市場』有斐閣，2014所収）402頁．
（注42）　国税不服審判所裁決平成26．4．4裁決事例集未搭載．
（注43）　拙著『法人税の身近な論点を巡る実務事例集』（大蔵財務協会，平成31）104頁．

均法は期末評価の規定であったが、平成12年の税制改正により譲渡原価の計算規定として置かれた。

　有価証券の譲渡損益は観念的には取引ごとに計算するが、あくまでもその譲渡原価は平均単価により計算する。有価証券には同一銘柄や同一回号であれば代替性があり、個別的に譲渡原価を計算すると弊害が生じるからである。

　そうすると、総平均法は一事業年度を基礎にしたものであるから、取引ごとに譲渡原価を計算することはできない。税法が予定する取引ごとに譲渡原価を計算しようとすれば、移動平均法を採用するしかない。そういう事情もあって**法定算出方法**が総平均法から移動平均法へ変更された（法令119の7）。

　それでもなお総平均法が認められているのは、取引の都度原価を計算しなければならない負担を考慮したものであろう[注44]。ただ、総平均法では取引ごとに譲渡原価を計算することはできないから、有価証券の譲渡損益は取引の都度計上しなければならないということと、どのように調和させるのか、理解が難しい。

〔子会社株式の帳簿価額の減額〕

(12)　従来から、保有する子会社株式の譲渡に当たり、そのまま譲渡すると譲渡益が生じると見込まれる場合、その子会社から多額の配当を受けてその純資産額を減少させ、子会社株式の評価額が下落した後、その子会社株式を譲渡して譲渡損を創出するような行為がみられる。受取配当は益金不算入になり、譲渡損は損金算入になることを意図したもので、国際的な租税回避に用いられているとの指摘がされていた。

　そこで、このような租税回避行為を防止するため、令和2年の税制改正により、特定関係子法人から受ける配当等の額が、その子法人株式の帳簿価額の10％相当額を超える場合には、その配当等の額のうち益金不算入額相当額はその子法人株式の帳簿価額から減額すべきものとされた（法令119の3⑦～

（注44）　岡村忠生著『法人税法講義』（成文堂、2004）212頁。

⑬，119の4①）。ここで**特定関係子法人**とは，配当等の決議の日において特定支配関係（一の者が直接・間接に50%超の持株を保有する関係）を有する法人をいう。

これは，特定関係子法人株式の帳簿価額を減額することにより，譲渡損の創出を排除しようとするものである。ただし，特定支配関係発生日から10年経過後に受ける配当，配当金額が2,000万円を超えない配当等については，この特例の適用はない。

〔有価証券の期末評価方法〕

⑬　法人が期末に有価証券を有する場合には，決算に当たってその有価証券にいくらの価額を付すかという，期末評価の問題が生じてくる。その**有価証券の期末評価方法**には，①**時価法**，②**償却原価法**および③**原価法**がある。

有価証券の期末評価の方法は，その区分ごとに次の表のとおりである（法法61の3，法令119の2②，119の14）。これは「その他有価証券」の評価方法を除き，基本的に企業会計のそれと同じといってよい。

区　　　　　分			評価方法
売買目的有価証券			時　価　法
売買目的外有価証券	満期保有目的等有価証券	償還有価証券	償却原価法
		企業支配株式	原　価　法
	その他有価証券		原　価　法

〔売買目的有価証券と時価法〕

⑭　売買目的有価証券の期末評価は，時価法により行う。ここで**売買目的有価証券**とは，短期的な価格の変動を利用して利益を得る目的で取得した有価証券をいう（法法61の3①一，法令119の12）。また時価法とは，期末において有する有価証券をその期末の時価により評価する方法をいう（法法61の3①一，法令119の13）。この結果，売買目的有価証券には期末において評価益または評価損が計上され，これはそのまま益金または損金となり課税対象に含まれ

る（法法61の3②）。

　企業会計に時価会計が採用されたのを契機に，平成12年の税制改正によりこれら売買目的有価証券の概念や時価法が導入された。時価法の導入に伴い廃止された**低価法**は，有価証券の期末評価をその時価と原価とのいずれか低いほうの価額で行う方法であったから，評価益が計上されることはなかった。しかし時価法では，評価益も計上され課税の対象になる。この点につき未実現の収益に課税することの是非の議論は残っており，むしろ低価法のほうがより保守的で合理的であり，逆に含み損隠しを解決するには優れた方法であったという意見がある。

〔償還有価証券と償却原価法〕

(15)　満期保有目的の償還有価証券の期末評価には，償却原価法が適用される（法法61の3①二）。ここに**満期保有目的**とは，償還期限まで保有する目的で取得し，その旨を帳簿書類に記載したものを（法令119の2②，法規26の12），**償還有価証券**とは，償還期限および償還金額の定めのある売買目的外有価証券を，それぞれいう（法令119の14）。

　償却原価法は，その帳簿価額と償還金額とが異なる有価証券につき，その帳簿価額を増額するための**調整差益**または帳簿価額を減額するための**調整差損**を帳簿価額に加減算した価額を期末評価額とする方法である（法令119の14）。要するに，**アキュミュレーション**または**アモーティゼイション**を行った後の金額を期末評価額とする。この場合の調整差益または調整差損は，益金または損金に算入される（法令139の2）。償却原価法は，まさにアキュミュレーションまたはアモーティゼイションを強制するところに意義がある。

〔その他有価証券と原価法〕

(16)　企業支配株式およびその他有価証券の期末評価は，原価法により行う。ここで**企業支配株式**とは，20％以上の持株割合を有する場合のその株式をいう（法令119の2②二）。

原価法は，期末において有する有価証券をその期末の帳簿価額により評価する方法である。具体的には，前述の1単位当たりの帳簿価額の算出方法である移動平均法または総平均法により計算した期末の帳簿価額を評価額とすることになる（法令119の2参照）。

　企業会計では，「その他有価証券」は時価で評価しなければならない。そして，その評価差額は損益ではなく，直接貸借対照表の純資産の部に計上する。そのためこれは**純資産直入法**と呼ばれている。法人税では純資産直入法は認められていないから，もし企業会計で純資産直入法を適用する場合には，法人税では申告調整が必要になる（基通2-3-19）。

3-7　減価償却

〔総　説〕

(1)　法人が有する建物や機械装置，車両などの固定資産は，事業の用に供することにより，また時の経過により価値が減少していく。その価値の減少分は収益を獲得するために要した費用である。したがって，適正な期間損益計算を行うためには，その価値の減少分は各事業年度の費用として計上しなければならない。

　しかし，これら資産の各事業年度における価値の減少分を物量的に把握することは不可能に近い。そこで，企業会計においては，その価値の減少分を固定資産の取得原価を基礎にして，その耐用期間にわたり一定の償却方法により見積もり費用化していくことが行われている。これを**減価償却**という。

　この減価償却は，固定資産の取得原価を各事業年度に配分し，各事業年度の損益計算を適正に行うことに意義がある。これは法人税の課税所得の計算でも全く同様である。そこで，法人税の課税所得の計算に当たり，減価償却費は損金になることになっている（法法22③二）。

(2)　減価償却は，人為的に費用を見積もるのであるから，その見積額をいくらとするかにつき法人の恣意が介入することは避けられない。これは課税の公

平維持の観点からすれば，できるだけ排除しなければならない問題である。また，大量，回帰的な税務行政や企業実務の簡素化にも配慮する必要がある。そこで，法人税においては，減価償却に必要な要素である固定資産の範囲，取得価額，耐用年数，残存価額および償却方法を詳細に法定している。

そのため，法人税における減価償却は，企業会計のそれに比べれば画一的で弾力性に乏しい点は否めない。この点につき企業会計の側から，継続性を重視した企業の自主的判断を尊重すべきであるという指摘がされている（新税法調整意見書，総論一2）。

〔法人税の減価償却の性格〕

(3) このように法人税の減価償却は，その計算要素を法定し規制を図っている。しかし反面において，法人税の減価償却は，損金になる償却費の限度額を定めたにとどまり，その限度額の範囲内であればいくらの金額を損金にするかは法人の任意である。

つまり，減価償却費の損金算入は損金経理が要件とされているから（法法31①），その損金経理いかんにより法人は自由に償却額を設定することができる。全く償却費を計上しないことも可能であり，法人が損金経理をしなければ，税務署長が進んで損金算入を認めることはしない[注45]。

同じ税でも所得税においては，その者が償却費を計上したかどうかにかかわらず，その資産が業務の用に供されている限り，償却費は必要経費に算入される（所法49①）。その者が償却費を計上していなければ，税務署長が進んで償却費の必要経費算入を認めるのである。それゆえに，所得税の減価償却は**強制償却**と呼ばれる。所得税の減価償却が強制償却であるのは，所得税の対象となる個人は，継続した帳簿記録を持っているとは限らないこと，減価償却の計算につき内部の意思決定といったものがないこと等を考慮したものである[注46]。

(注45) 東京高判昭和51. 9. 2 税資89号714頁.

(4) この所得税の強制償却に対して、法人税の減価償却は**任意償却**といわれる。この点、企業会計の減価償却が一定の条件がそろえば自ずからあるべき償却額が定まるのと異なっている。企業会計の減価償却はいわば強制償却であり、むしろ所得税の減価償却の方が企業会計に近い性格を有する。

　法人税のこのような任意償却に対して、企業の税務政策による恣意性が介入する余地が生じ、利益操作を容易にする結果になって妥当でないという指摘がある。

　確かに、損金経理いかんにより償却費の額が操作できる。現に実務では赤字年度には償却費を計上しないといった事例も少なくない。

　しかし、法人税は企業会計を規制するものではないから、まず企業会計において公正妥当な会計処理の原則および手続によって適正な償却費が計上されるべきであろう。それを法人税では、償却限度額の設定によって、上述したような税の観点からコントロールの機能を果たそうとするに過ぎない[注47]。

〔固定資産の範囲〕

(5) それでは具体論に入っていこう。

　減価償却を考える場合には、まず、そもそもその対象になる資産の範囲を明らかにしなければならない。その対象になるのは、基本的に固定資産である。法人税において**固定資産**とは、棚卸資産、有価証券、暗号資産および繰延資産以外の資産のうち、次に掲げるものをいう（法法２二十二、法令12）。

　イ　土　　　地（土地の上に存する権利を含む）

　ロ　減価償却資産

　ハ　電話加入権

　ニ　イからハまでに掲げる資産に準ずるもの（たとえば著作権、工業所有権の実施権、温泉利用権）

(注46)　菊池　衛・疋島伸行共著『所得税・法人税対比　所得計算の要点詳解』（大蔵財務協会、平成５）134頁。

(注47)　忠　佐市著『税務会計法（第６版）』（税務経理協会、昭和53）274頁。

棚卸資産は固定資産とならないから，固定資産は売却することを予定しないものという機能的な概念である。会社法では，子会社株式，出資金，長期貸付金等は「投資その他の資産」として処理しなければならない（計規74③四）。

しかし，法人税ではこれらの資産は固定資産や投資その他の資産ではなく，有価証券や債権である。

〔減価償却資産の範囲〕

(6) これら固定資産のすべてにつき減価償却ができるわけではない。減価償却が認められるのは，固定資産のうち減価償却資産だけである。法人税で**減価償却資産**とは，棚卸資産，有価証券，暗号資産および繰延資産以外の資産のうち，次に掲げるものをいう（法法2二十三，法令13）。

　イ　有形固定資産　建物およびその附属設備，構築物，機械および装置，船舶，航空機，車両および運搬具，工具，器具および備品

　ロ　無形固定資産　鉱業権，漁業権，ダム使用権，水利権，特許権，実用新案権，意匠権，商標権，ソフトウエア，育成者権，公共施設等運営権，樹木採取権，営業権，専用側線利用権，鉄道軌道連絡通行施設利用権，電気ガス供給施設利用権，水道施設利用権，工業用水道施設利用権，電気通信施設利用権

　ハ　生物　牛，馬，豚，かんきつ樹，りんご樹，茶樹，オリーブ樹など

〔非償却資産〕

(7) もっとも，これら減価償却資産には，固定資産であっても①事業の用に供していないものおよび②時の経過により価値が減少しないものは含まない（法令13）。これを一般に**非（減価）償却資産**という。

減価償却は，すでに述べたように，収益の獲得に役立った資産の価値減少分を費用化する手続である。したがって，事業の用に供していない資産については，収益の獲得に寄与していないから，償却を認める必要はない。稼働

休止資産，建設中の資産，貯蔵中の資産などは償却ができない。

　ここで「事業の用に供した」かどうかは，必ずしも物理的に使用されたことのみをいうのではない。たとえば，貸ビルはテナントの募集を開始すれば，たとえ空室の状態にあっても事業の用に供したとみてよいであろう(注48)。また，航空機の予備エンジンや電気自動車の予備バッテリーは，現に使用したことがなくても，備えつけた時点で事業の用に供したとしてよい（基通7－1－4の2）。これらの資産は，その性格上，備えつけること自体が事業の用に供したことになるからである。これは，消火設備などの災害防止設備についても同じである。

　このように，資産を事業の用に供したかどうかは，単に物理的な使用の有無だけでなく，収益の獲得に寄与し得る状態になったかどうかにより判定するのである。

(8)　つぎに，時の経過により価値の減少しない資産も減価償却資産にならない。減価償却の意義や目的からすれば当然である。これには，土地，電話加入権，著作権，古美術品等，貴金属の素材価額が大部分を占める白金製溶解炉・白金製つぼなどが該当する（法令12，13，基通7－1－1，7－1－2）。

　土地は非償却資産の典型例であり，時の経過により価値が減少しない資産である。言葉を換えていえば耐用年数が無限のものといえよう。しかし，土地も本質的には費用性資産であるから，土地だからといってすべて非償却資産になるわけではない。たとえば，①石炭鉱業におけるぼた山用の土地のように鉱業の廃止により著しく価値が減少するものおよび②土石，砂利等を採取する目的の土地については，減価償却をしてよい（基通7－6－2，7－6－3）。

　また，電話加入権や著作権は全く価値が減少しないかといえば，必ずしもそうではない。理論的に価値の減少はあり得るが，それが明示的に確認できないか，または規則的に生じないとみられるところから，非償却資産とされ

（注48）　田中勝次郎著『法人税法の研究』（税務研究会，昭和40）336頁参照．

ている。価値の減少は，評価損で対応することになろう。

　このような点からみれば，一口に非償却資産といってもその内容や態様は種々であるのが実際である。必ずしも形式的に割り切れるものではない。

〔取得価額〕

(9)　減価償却資産の範囲が明らかになったところで，具体的に償却計算を行うためには，①取得価額，②残存価額および③耐用年数の三つの要素が必要である。これを**減価償却の三要素**という。そこで，まず減価償却資産の取得価額をみてみよう。

　法人税においては，**減価償却資産の取得価額**について，棚卸資産や有価証券と同じように，その取得の方法に応じて定めている（法令54①）。すなわち，それぞれ次に掲げる金額にその資産を事業の用に供するために直接要した費用の額を加算した金額がその取得価額である。

　イ　購入した場合　その資産の購入の代価（引取運賃，荷役費，運送保険料，購入手数料，関税その他その資産の購入のために要した費用の額を加算した金額）

　ロ　自己が建設，製作または製造した場合　その資産の建設等のために要した原材料費，労務費および経費の額

　ハ　牛馬等を自己が成育させた場合　牛馬等の購入の代価等に種付費および出産費の額ならびにその牛馬等の成育のために要した飼料費，労務費および経費の額を加算した金額

　ニ　果樹等を自己が成熟させた場合　果樹等の購入の代価等に種苗費の額ならびにその果樹等の成熟のために要した肥料費，労務費および経費の額を加算した金額

　ホ　適格合併等により移転を受けた場合　被合併法人等がその資産の償却限度額の計算の基礎とすべき取得価額

　ヘ　贈与，交換，代物弁済等により取得した場合　その資産の取得時の時価

(10)　現代の減価償却は，会計的には固定資産原価を費用化する費用配分の手続である，と位置づけられる。したがって，減価償却の基礎は取得原価が基本

となる。一方，減価償却には固定資産が流動資産に転化し，運転資本が増加するという財務的効果がある。このことから，減価償却は自己金融の手段であるといわれる。

このような財務的効果やインフレ調整を視野に入れると，減価償却のベースは取得原価ではなく，できるだけ再取得原価とすべきである，という基本的な議論がある。

これは資産再評価の問題でもあるが，将来的な課題として関心を払っていく必要があろう。

(11) また，減価償却の基礎を取得原価以外の価額に置くという点に関しては，たとえば取得原価に資産の廃棄に際しての解体など除却に要する費用の見積額を加算した額をベースにすべきである，という考え方がある。

この点に関し，平成20年に資産除去債務会計基準が制定され，資産の取得，建設等によって将来生じる除去費用を見積もって**資産除去債務**として計上する一方，その除去費用は資産の帳簿価額に加算し，その加算後の帳簿価額を基礎に減価償却を行うこととされた(注49)。これは国際会計基準とのコンバージェンスの観点から設けられたものである。

しかし，法人税においては，このような企業会計の処理は，債務確定基準（法法22③二）などに照らして認められない。したがって，企業会計の処理では，償却費の額が法人税の償却限度額より多く計算されるので，申告調整が必要になる(注50)。

ただ，法人税でも企業会計のような処理を受入れる余地がないのかどうか，国際会計基準とのコンバージェンスの推移などをみながら検討すべき問題であろう。

(注49) 企業会計基準委員会「資産除去債務に関する会計基準」（平成20.3.31），同「資産除去債務に関する会計基準の適用指針」（平成20.3.31）．
(注50) 拙稿「資産除去債務と砂利採取跡地の埋戻し費用の処理等」週刊税務通信 No.3106（平成22.3.15）47頁．

〔非償却資産の取得価額〕

⑿　上述した法人税法上の取得価額は，減価償却資産に関するものとして定められている。非償却資産の取得価額に関する規定は存在しない。そうすると，非償却資産の取得価額はどのように決定したらよいであろうか。

　この点に関して，非償却資産には取得価額に関する規定はないから，その資産の購入の代価が取得価額になるのはよいとしても，その付随費用までも取得価額に算入する必要はない，という主張を時々聞く。たとえば，土地の取得に当たって不動産業者に支払う仲介手数料がそうである。特に，建物の賃借に当たって支払う仲介手数料は繰延資産とせず一時の損金として認められていること（基通8－1－5（注））と平仄が合わないという。

⒀　しかしながら，減価償却資産と非償却資産との取得価額を区別する必要はない。企業会計でも付随費用は**副費**と呼ばれ，その取得価額に算入するのが健全な企業会計の慣行である。付随費用はその取得価額に算入すべきである，という法人税の規定自体創設的なものではない。企業会計の慣行によればよいから，法人税法に取得価額に関する規定は不要である，という見解すらある[注51]。したがって，非償却資産の取得価額については，上述の減価償却資産の取得価額に関する規定の例により決定するものと解されている（基通7－3－16の2）。

　土地の取得に当たって支払う仲介手数料は，土地の取得価額に算入すべきである。これは，判例でも支持された考え方である[注52]。なお，建物の賃借に関する仲介手数料が一時の損金として認められているのは，単なる重要性の原則に基づく特例であるに過ぎない。

〔残存価額〕

⒁　つぎに減価償却の三要素のうち残存価額である。

（注51）　武田昌輔稿「減価償却制度一総論」日税研論集5号（1987）9頁。
（注52）　東京地判昭和50.8.28税資82号587頁，東京地判昭和52.8.30税資95号402頁。

残存価額とは，固定資産の耐用年数到来時において予想されるその固定資産の売却価格または利用価格をいう。この残存価額の算定に当たって，解体，撤去，処分等のために費用を要するときは，これを売却価格または利用価格から控除する（連続意見書第三）。

　しかし，平成19年の税制改正により，減価償却制度が抜本的に見直され，同年4月1日以後に取得された減価償却資産は，帳簿価額が1円になるまで償却してよいこととされた（法令61①二）。その意味では，法人税には残存価額はなくなったといえよう。

　ただ，平成19年3月31日以前に取得された減価償却資産は，依然として残存価額を加味して償却しなければならない（法令48①一）。

　そこで法人税においては，平成19年3月31日以前に取得された減価償却資産について，次のとおり残存価額を法定している（法令56，耐令6，別表第十一）。

　イ　有形減価償却資産（坑道および生物を除く）　その取得価額の10％相当額
　ロ　無形減価償却資産および坑道　零
　ハ　生物　その細目に応じ取得価額の5％から50％まで相当額（牛馬は最高10万円）

⒂　上述の法定された残存価額は個々の資産の特殊性などを考慮しない画一的なものであるから，解体等の費用がその残存価額を超える場合もあり得る。解体費用が多額にかかる鉄骨や鉄筋コンクリート造りの建物などはその典型である。この場合には，理論的な残存価額はマイナスになる。

　残存価額がマイナスになる場合にそのマイナスを考慮して減価償却をするのは，上述した取得価額に解体等の費用を加算した額を基礎に減価償却を行うということである。この考え方が前述した資産除去債務の処理であるといえよう。

　この発想に近い考え方は法人税にも表れている。すなわち，平成19年3月31日以前に取得された鉄骨鉄筋コンクリート造，鉄筋コンクリート造，れんが造，石造などの建物や構築物，装置については，所轄税務署長の認定を受

けてその帳簿価額が1円になるまで償却してよい（法令61の2）。

〔償却可能限度額〕

(16) 平成19年4月1日以後に取得された減価償却資産は，その取得価額から1円を控除した金額まで償却をすることができる（法令61①二）。これが償却限度額である。

これに対し，平成19年3月31日以前に取得された減価償却資産には残存価額の概念が残っている。その残存価額は，資産の耐用年数が到来した時の処分見込価額であるから，その資産の取得価額のうち償却ができない部分の金額を意味する。

ところが，有形減価償却資産（坑道，生物および国外リース資産を除く）については，その帳簿価額が残存価額に達した後においても，その取得価額の5％相当額になるまでは償却してよいことになっている（法令61①一）。

そしてさらに，その帳簿価額が取得価額の5％相当額になったら，その5％相当額は，帳簿価額が1円になるまで，5年間で均等償却をしてよい（法令61②）。これは，平成19年4月1日以後に取得された減価償却資産が1円まで償却できることと平仄を図ったものである。

〔法定耐用年数〕

(17) 減価償却の三要素のうち三つめの耐用年数をみてみよう。

耐用年数は，固定資産の使用可能期間（耐用期間）のことである。減価償却は固定資産の耐用年数期間内における費用配分の手続であるから，耐用年数をどのように算定するかが重要である。

しかし，具体的にその耐用年数を算定することは極めてむずかしい。そのこともあり，耐用年数の算定を全く企業の自主性にまかせきると，課税の公平を維持するうえから問題がある。

そこで法人税においては，資産の種類，構造，用途などに応じて，次の六種類の耐用年数を法定している（法令56，耐令1，2，別表第一〜第六）。これ

を**法定耐用年数**という。

　イ　機械および装置以外の有形減価償却資産の耐用年数
　ロ　機械および装置の耐用年数
　ハ　無形減価償却資産の耐用年数
　ニ　生物の耐用年数
　ホ　公害防止用減価償却資産の耐用年数
　ヘ　開発研究用減価償却資産の耐用年数

〔耐用年数の算定方法〕

⒅　この法定耐用年数はどのようにして算定されているのであろうか。

　この点に関して，昭和26年に大蔵省から「固定資産の耐用年数の算定方式」が公表された。現行の法定耐用年数はこれを基礎にしている。

　この算定方式では，固定資産の耐用年数は，原則として通常考えられる維持補修を加える場合において，その固定資産の本来の用途用法により現に通常予定される効果をあげることができる年数，すなわち**効用維持年数**によっている。その効用維持年数の算定に当たっては，現に生じている一般的な陳腐化，不適応化を織り込み済みである。

　たとえば，鉄筋鉄骨コンクリート造りの事務所用建物の耐用年数は，次のようにして算定されている。このようにして算定された75年の耐用年数が，その後の改正を経て現在50年となっている。

区　分	防　水	床	外　装	窓	構造体その他	総　合
償却年数	20年	30年	タイル50年	スチールサッシ30年	150年	75年
取得価額	135円	720円	720円	1,260円	7,165円	10,000円
償却額	6.7円	24.0円	14.0円	42.0円	47.7円	134.4円

⒆　この建物のような個々の資産ごとに算定した耐用年数は，**個別耐用年数**である。これは，個々の資産単位について個別的に減価償却計算および記帳を行う**個別償却**と結びつく。

これに対して，機械装置や一部の構築物は異なる各種の資産から構成されている。しかし，これら異なる資産は一体として使用されるから，平均耐用年数を用いて一括的に償却計算および記帳を行うのが合理的である。これを**総合償却**といい，総合償却の対象となる資産を**総合償却資産**という。総合償却資産に適用される平均耐用年数，すなわち**総合耐用年数**は，たとえば次のようにして算定する。

区分	取得価額	残存価額	要償却金額	償却年数	償却額	平均耐用年数
A 機械	4,000円	2,400円	1,600円	5年	320円	年
B 機械	3,500	875	2,625	15	175	10,000円
C 機械	2,500	0	2,500	25	100	595円
計	10,000	3,275	6,725	—	595	16

AからCまでの各機械は独立した資産であり，個々の償却年数は異なる。しかし，これらは一体として一つの装置を構成しているから，総合して全体の耐用年数を16年とするのである。

〔一般的耐用年数と個別的耐用年数〕

⑳　耐用年数には，別の観点からみると一般的耐用年数と個別的耐用年数とがある。**一般的耐用年数**は，固定資産の種類が同じであれば，個々の固定資産の特殊事情にかかわらず全国画一的に定められたものである。

これに対して，**個別的耐用年数**とは，各企業が自己の固定資産の特殊事情を考慮して自主的に算定したものをいう。古くには，北海道の寒冷，降雪の自然環境を考慮して，北海道所在の建物の耐用年数は法定耐用年数よりも短くすべきである，との議論があったと聞く[注53]。これなども，個別耐用年数の考え方といえるかもしれない。

税法における法定耐用年数は，一般的耐用年数である。そこで，税法においては現行の耐用年数を一応のガイド・ライン的なものとすることが望まし

（注53）　坂元左稿「地域別耐用年数」（七夕会編『税務同時代外史』平成3所収）73頁。

く，合理的と認められる耐用年数を企業がみずから定めた場合には，これを認めるべきである，という指摘が存する（新税法調整意見書）。しかし，具体的な耐用年数算定の困難性もあり，企業会計の実務では，ほとんどの企業が法定耐用年数によっているのが実情である。

〔耐用年数の短縮〕

(21)　理論的には個別的耐用年数を採用すべきである。もちろん，税に個別的耐用年数の発想が全くないわけではない。**耐用年数の短縮**制度は，まさに個別的耐用年数の考え方である。すなわち，法人の有する減価償却資産が通常の材質や製作方法と著しく異なること，陳腐化してその使用可能期間が著しく短くなったことなどの事由に該当すれば，法定耐用年数によらず実際の使用可能期間によって償却ができる（法令57）。ただ，耐用年数の短縮は所轄国税局長の承認を受けなければならない。企業の全くの自主性にまかせていない。

　この耐用年数の短縮が認められるかどうか争われた事例がある。すなわち，定期借地上に建設された建物について，その建物は契約期間満了時には取り壊す約束であるから，その契約期間を耐用年数にするよう，国税局長に耐用年数短縮の承認申請をした。

　しかし，その承認申請は却下された。その理由は，耐用年数の短縮事由は，その資産自体がもつ材質や特性，その資産自体に物理的，客観的な事情が生じたことにより使用可能期間が著しく短い場合に限定されているところ（法令57，法規16，基通7-3-18），定期借地契約のような，当事者間の契約によりその使用可能期間が短いと見込まれるような場合は予定されていない，ということである[注54]。

　確かに，単に当事者間の契約期間が短いからといって，すべて耐用年数の短縮承認を与えると，法定耐用年数の意義が没却されてしまうという危惧が

（注54）　国税不服審判所裁決平成7．2．27裁決事例集No.49・100頁，同・平成16.10.22裁決事例集No.68・125頁，大阪国税局文書回答事例・平成17．2．3「事業用定期借地権を設定した土地の上に建設する建物の耐用年数について」。

あろう。また，契約期間が満了しても，まだ使用できるような場合には，契約期間を延長することも予想される。このような観点からすれば，課税当局の耐用年数の短縮は認められない，というのも理解できなくはない。

しかし，客観的に契約期間の延長が見込まれない蓋然性が高いような場合には，耐用年数の短縮が認められてよいように考える。技術革新が著しい今日，耐用年数の短縮のより一層の弾力的運用が望まれる。

〔耐用年数に関する実業界の要望〕

(22) もっとも，実業界からは，耐用年数の短縮制度を云々する以前に，法定耐用年数は総体的に長すぎるから一律にもっと短くすべきである，という要望が根強い。特に，コンピュータ関連機器がそうである。陳腐化，不適応化の速度が早いからであろう。現在の機械装置はコンピュータ制御のものが多いから，特定の業界に片寄った問題ではない。技術開発の進展に応じた見直しに配慮していく必要がある。

ほかに実業界からの要望に，耐用年数のグルーピングの簡素化ということがある。たとえば，従来，機械および装置の耐用年数（旧耐令別表第二）は392の製造設備に区分して定められていた。課税実務にあっては，その区分が細密すぎて企業の有する機械装置がどの製造設備に該当するのか，判断が困難な場合が少なくない。そこで，この区分はさらに細分化される傾向にあるが，むしろ逆に，たとえば業界単位とかせいぜい10種類くらいにグルーピングを簡素化できないかという。

この点，平成20年の税制改正により，機械および装置の耐用年数は，「〇〇業用設備」として定められ，その区分も55種類に簡素化された。

この改正は企業実務や税務行政の簡素化には寄与しよう。しかし，グルーピングが簡素化されればされるほど，個々の資産の実態に合わなくなるのは否定できない。企業実務の簡素化をとって，期間損益計算の適正化を犠牲にするかどうかである。

〔償却方法〕

⑶　減価償却の三要素が明らかになったら，これを基礎にして償却額の計算を行う。法人税法上，減価償却費の計算方法については，資産ごとに選定できる方法が次のように定められている（法令48，48の2）。

資　産　の　区　分	平成19.3.31以前取得	平成19.4.1以後取得
①　建物 　イ　平成10.3.31以前取得 　ロ　イ以外のもの	旧定額法または旧定率法 旧定額法	定額法
②　建物以外の有形減価償却資産（鉱業用減価償却資産，生物，国外リース資産およびリース資産を除く）	旧定額法または旧定率法	定額法または定率法
③　鉱業用減価償却資産（鉱業権および国外リース資産およびリース資産を除く）	旧定額法，旧定率法または旧生産高比例法	定額法，定率法または生産高比例法
④　無形減価償却資産（鉱業権およびリース資産を除く）および生物	旧定額法	定額法
⑤　鉱業権	旧定額法または旧生産高比例法	定額法または生産高比例法
⑥　国外リース資産またはリース資産	旧国外リース期間定額法	リース期間定額法

（注）1　「リース期間定額法」は，平成20.4.1以後に締結されるリース取引によるリース資産に適用される。
　　　2　平成28.4.1以後に取得をする建物附属設備および構築物（鉱業用のものを除く）は「定額法」のみ，鉱業用の建物，建物附属設備および構築物は「定額法または生産高比例法」のみ，それぞれ適用できる。

⑷　平成19年の税制改正において，平成19年4月1日以後に取得された減価償却資産の償却方法として新たな定額法や定率法，生産高比例法が定められ（法令48の2），従来のこれらの方法の名称には「旧」が冠された（法令48）。定額法や定率法，生産高比例法と旧これらの方法との違いは，基本的には残存価額の有無である。

　しかし，定率法の償却率は，定額法の償却率の2.5倍とされており（耐令別表第九参照），そのことから定率法は**250％定率法**と呼ばれる。また定率法は，

償却限度額が償却保証額になるまでは定率的に，それ以後は定額的に，それぞれ償却する特異な方法である（法令48の2①二ロ）。

　定率法は旧定率法に比べると，償却開始後早期に償却費が多額に計上される。そのため，企業会計では償却費負担に耐えられず，「相当の償却」であるかどうかに疑義が呈されている。ただ，監査上当面は，法令等の改正に伴う変更に準じた正当な会計方針の変更として取り扱われる(注55)。

　そのように償却費の使い残しが生じている状態もあり，平成23年12月の税制改正に伴い，定率法の償却率を定額法の償却率の2倍とする，**200%定率法**が導入された（耐令別表第十参照）。

(25)　平成10年4月1日以後に取得された建物については，旧定額法または定額法しか選定できない。これは平成10年および平成19年に改正されたものであるが，建物は一般的に長期安定的に使用される資産であること，その使用形態は生産性や収益性に大きく左右されないことなどから，時の経過に応じて均等に償却する定額法に限ることが適当であるという趣旨に基づく(注56)。

　また，平成28年の税制改正により，建物附属設備および構築物にあっては，定率法を廃止し，定額法のみ適用できることとされた。これは，建物と一体的に整備される建物附属設備や建物と同様に長期安定的に使用される構築物について，償却方法を定額法に一本化する趣旨である(注57)。

　このように償却方法を定額法に一本化する流れは，定額法を原則とするIFRS（国際財務報告基準）の導入論議と無関係ではあるまい。今後，法人税が機械装置についても定額法に一本化するのかどうか，注目される。ただ，IFRSを導入する企業が増えてくれば，税制改正をするまでもなく，自然に定額法に落ちつくかもしれない。

(26)　償却方法には，理論的に大別して①期間を配分基準にする方法と②生産高

（注55）　日本公認会計士協会「減価償却に関する当面の監査上の取扱い」（平成19.4.25）．
（注56）　税制調査会「法人課税小委員会報告」（平成8.11）．
（注57）　自由民主党・公明党「平成28年度税制改正大綱」（平成27.12.16）．

を配分基準にする方法とがある。固定資産の減価が主として時の経過を原因として発生する場合には①の方法が合理的である。その方法として定額法と定率法とが認められている。

これに対して、その減価が主として固定資産の利用に比例して発生する場合には②の方法が合理的であり、生産高比例法がそれである。企業は個々の資産の特性に最も適合した償却方法を選定しなければならない。

ところが、税法では企業が自由に選定できるのは定額法、定率法および生産高比例法の三つに限られている。そこで、償却方法はこれら三種に限定することなく、一般に認められているその他の償却方法をも選定できるようにすべきである、という指摘がある（連続意見書第三）。その他の償却方法としては、級数法、償却基金法、年金法などがある。また、生産高比例法は、税法では基本的に鉱業用減価償却資産の償却方法とされているが、航空機や船舶、自動車についても採用の余地がある。

法人税において、その他の償却方法や航空機等に生産高比例法を採用するのは、所轄税務署長から特別な償却方法の承認を受ければ可能である（法令48の4）。しかし、現実にその他の償却方法の採用承認を申請する例は皆無に近い。わずかに、特別な償却方法の例として船舶についてのいわゆる運行距離比例法がある。**運行距離比例法**は、船舶の生涯運行距離に対する当期の運行距離に比例して償却を行うもので、一種の生産高比例法といえる（昭和51.11.5直法2－40通達）。

〔営業権の償却問題〕

(27) 償却方法をめぐる問題の一つは、営業権のそれであろう。特に、最近では企業会計上のＩＦＲＳ（国際財務報告基準）とのコンバージェンスや法人税における組織再編税制、グループ法人税制の適用に当たって、営業権の取扱いに関心が集まっている。

従来、営業権は10年で償却すべきことになっていた。それが昭和42年の税制改正により自由償却となった。これは、旧商法が**のれん**は取得後5年内に

毎決算期において均等額以上の償却をすべきこととしているのと平仄を合わせたものである。

しかし，平成10年の税制改正により5年で償却すべきことになった。これは合併等に際して実体のない営業権を計上し，合併法人において自由償却を行うような事態に対処するためである。

営業権とは，一般に企業の長年にわたる伝統と社会的信用，立地条件，特殊の製造技術および特殊の取引関係の存在ならびにそれらの独占性等を総合した，他の企業を上回る企業収益を稼得することができる無形の財産的価値を有する事実関係をいう(注58)。

(28) このような性格を有する営業権については，古くからそもそものれんを貸借対照表に記載すべきかどうかという論争がみられた(注59)。また，償却は認められないという考え方から当然に償却すべきであるという主張まで，いろいろな議論がある。償却は認められないという考え方は，営業権の計上は簿記上の便宜に過ぎず，その償却により利益をかく乱するのは許されないから，営業権は永久に計上すべきであるという。また，その耐用年数の測定ができないから償却は認めないという議論もある(注60)。

しかし，営業権は本質的には超過収益力に対する対価であり，収益獲得に寄与する。したがって，収益に対する原価としてその償却は認められるべきである。仮に，営業権の価値は低下しないようにみえても，それは他から取得した営業権の価値が継続しているのではなく，新たにいわゆる自家創設の営業権が生じたとみるべきであろう。

(注58) 最高判昭和51．7．13税資89号173頁．
(注59) 高瀬荘太郎著『暖簾の研究』（森山書店，昭和6）75頁．
(注60) 片岡政一著『税法上の損益』（第一書房，昭和13）128頁，片岡政一著『會社税法の詳解』（文精社，昭和18）185頁，田中勝次郎著『法人税法の研究』（税務研究会，昭和40）321頁以下参照．

〔営業権の評価〕

(29) このように営業権は，単なる簿記上の便宜として計上されるものではない。特に最近，合併や分割，営業譲渡などに当たって，営業権の評価をいかにすべきかが問題となっている。ところが，平成18年の税制改正において，非適格の合併や分割，事業の譲受け等に際して交付した対価の額が移転を受けた資産・負債の時価純資産価額を超えるときは，その超える金額は**資産調整勘定**とし，5年間で均等償却を行い，損金算入することになった（法法62の8①④⑤）。

一方この逆，すなわち交付した対価の額が移転を受けた資産・負債の時価純資産価額に満たない場合には，その満たない金額は**負債調整勘定**とし，5年間で均等償却を行い益金算入する（法法62の8③⑦⑧）。

この資産調整勘定は営業権ないしのれんとみることができ，負債調整勘定は**負ののれん**といわれる。これらは，いわば簿記上の便宜として営業権を計上するのに近い考え方といえよう。

〔資本的支出と修繕費の意義〕

(30) 減価償却に関して，最後に資本的支出と修繕費の問題を簡単にみておこう。企業が固定資産を保有していると，維持費，補修費，改造費，増設費など各種の費用がかかる。これらの費用が**修繕費**に該当するものであれば，一時の損金となる。しかし，資本的支出に該当すれば，一時の損金にはならない（法令132）。

その資本的支出について，平成19年の税制改正により，新たな減価償却資産の取得とすることが原則とされた（法令55①）。ただし，旧定額法や旧定率法，定率法を採用しているときは，資本的支出の対象資産の取得価額に加算してもよい（法令55②④⑤）。

そこで，固定資産について支出する費用の資本的支出と修繕費の区分が重要になるが，**資本的支出**とは，次のイ，ロの算式により計算した金額のうちいずれか多い金額をいう（法令132）。このような資本的支出の概念は，シャ

ウプ勧告に基づき昭和25年の税制改正により明らかにされた[注61]。

イ　使用可能期間延長基準

$$支出金額 \times \frac{支払後の使用可能期間 - 支出をしなかった場合の使用可能期間}{支出後の使用可能期間}$$

ロ　価値増加基準

　　支出直後の価額 − 通常の維持，管理をした場合に予測される支出時の価額

　修繕費については格別の規定はない。資本的支出以外のものが修繕費ということになる（基通7−8−2）。

〔資本的支出と修繕費の区分基準〕

(31)　確かに，資本的支出の意義や範囲は理論的には明快である。しかし，固定資産について支出する費用は多種多様であるから，いざ具体的に資本的支出と修繕費との区分を行おうとすると，著しく困難を伴う。事実，課税の現場においては，その区分につきしばしば論争の種となっている。このような論争を繰り返すことは，企業にも課税当局にもあまり経済的意味のあることではなく，ロスの方が大きい。

　そこで，昭和46年から47年頃にかけて，福岡国税局でその区分をある程度，形式的な割り切りで行う試みがされた。それが昭和48年に修正を加えて国税庁から個別通達として発遣され，次いで昭和55年に法人税基本通達に取り込まれた。

　したがって，現行の資本的支出と修繕費の区分の取扱いは，相当大幅に形式基準をとり入れ，割り切りを図ったものとなっている。たとえば，次のような取扱いがそうである（基通7−8−3〜7−8−5）。

イ　一の修理，改良に要した費用の額が20万円未満であるときは，修繕費とする。

ロ　その修理，改良がおおむね3年以内の期間を周期として行われるときは，

（注61）　福田幸弘監修『シャウプの税制勧告』（霞出版社，昭和60）168頁．

修繕費とする。

ハ　一の修理，改良に要した費用のうちにその区分が明らかでない金額がある場合において，①その金額が60万円未満であるときまたは②その金額が固定資産の前期末の取得価額のおおむね10％相当額以下であるときは，修繕費とする。

ニ　一の修理，改良に要した費用のうちにその区分が明らかでない金額がある場合には，その金額の30％相当額と固定資産の前期末の取得価額の10％相当額とのいずれか少ない金額を修繕費とし，残額を資本的支出とする。

(32)　これにより，従来のいわば不毛ともいえる論争は大部分が解消した。ところが逆に，このような形式基準につき，その区分はあくまでも個々の費用の実質に応じて行うべきであるとの立場から，疑問視する向きもないではない。しかし，課税実務を踏まえたその導入の経緯等からすれば，重要性の原則の範ちゅうに属するものと解すべきである。ただし，金額基準などは，その時々の物価水準に応じて適切に見直していく必要があろう。

3-8　繰延資産

〔意　義〕

(1)　企業が支出する費用のうちには，前払費用や資産の取得価額となるものを除いても，なおその効果が支出した年度だけに限らず，将来に及ぶようなものがある。そのような費用は，支出時の一時の費用にすることなく将来に繰り延べ，その効果の及ぶ期間において費用化しなければならない。このようにして将来に繰り延べられる費用を**繰延資産**という。

「資産」という名はついているが，その実質は換金性のない費用のかたまりである。そのような費用が資産とされるのはなぜか。それは，今日の企業会計が適正な期間損益の計算を目的としているからである。

つまり，今日の企業損益は，ある期間の収益からこれに対応する費用を差し引いて計算されるから，その支出の効果が将来に及ぶような費用は将来の

収益と対応させるため，経過的に「資産」に計上して次期以降に繰り延べるのである。繰延資産は，まさに今日の企業会計における期間損益計算の立場を端的に表明するものであり，費用収益対応の原則により根拠づけられる。

〔繰延資産の範囲〕

(2) このような繰延資産の概念は，従来「繰延費用」の名のもとに通達で取り扱われていたが，昭和34年の税制改正により法制化され，法人税にも取り入れられている。法人税の課税所得も，損益法の考え方に立って期間所得として適正に計算されるべきものだからである。

「企業会計原則」では，繰延資産として次の八つのものを挙げている（貸借対照表原則四㈠c）。

①創立費，②開業費，③試験研究費，④開発費，⑤新株発行費，⑥社債発行費，⑦社債発行差金，⑧建設利息。

ただし，このうち③試験研究費は平成10年の研究開発費会計基準の制定，⑦社債発行差金と⑧建設利息は平成18年の会社法の施行に伴い，削除された。その結果，現在では名称を変えたものもあるが，①創立費，②開業費，③開発費，④株式交付費，⑤社債等発行費の5項目が繰延資産である[注62]。

法人税においても，企業会計のこのような動きに呼応して，平成18年に建設利息，平成19年に試験研究費と社債発行差金がそれぞれ廃止され，上記5項目が繰延資産となっている（法令14①一～五）。

これらのうち，新株発行費（現行・株式交付費）については，時価発行による資金調達が一般的であることを考えれば，調達した資本の控除項目とすべきではないかとの意見がある[注63]。この点，会社法では，当分の間適用停止とはされているが，株式交付費や創立費は資本金または資本準備金から減ずることが認められている（計規14①三，17①四，18①二，30①一ハ，43①三，44

（注62） 企業会計基準委員会「繰延資産の会計処理に関する当面の取扱い」（平成18.8.11）．
（注63） 税制調査会「法人課税小委員会報告」（平成8.11）．

①二，附則11)。

〔税法固有の繰延資産〕

(3) これら五つの繰延資産は，税法上も繰延資産とされる。その限りでは，基本的に法人税や企業会計，会社法との間で違いはない。もっとも，個々具体的な範囲の細部においてやや異なるものもある。この点については，後述する。

　法人税ではこれら五つの繰延資産のほか，次に掲げる費用で支出の効果が1年以上に及ぶものも繰延資産とされている（法令14①六）。

　イ　自己が便益を受ける公共的施設または共同的施設の設置または改良のために支出する費用
　ロ　資産を賃借し，または使用するために支出する権利金，立退料その他の費用
　ハ　役務の提供を受けるために支出する権利金その他の費用
　ニ　製品等の広告宣伝の用に供する資産を贈与したことにより生ずる費用
　ホ　イからニまでに掲げる費用のほか，自己が便益を受けるために支出する費用

(4) 企業会計の繰延資産の範囲がこれら五つに限られるかどうかは議論のあるところであるが，旧商法にならって限定列挙であると解されている[注64]。そのため，上記イからホまでの繰延資産は，税法固有のものである。

　法人税では，なぜ企業会計や会社法で認められていないものを繰延資産としているのであろうか。それは企業会計や会社法と法人税それぞれの立場，考え方の違いによるものである。さきに述べたように，繰延資産はその実質は金銭的または法律的に価値のない費用のかたまりに過ぎない。会社法や企業会計における債権者の保護や資本の充実，保守主義の立場からすれば，そのような費用を資産として計上することは極力排除しなければならない。

（注64）　中村　忠著『新版　財務諸表論セミナー』（白桃書房，平成3）65頁.

これに対して，税は適正公平な課税を究極の目的にしている。そこで，法人税では将来に効果が及ぶようなものは，繰延資産として幅広く拾いあげ，一時に費用化するのを規制しようとしているものと考えられる。

〔税法固有の繰延資産の問題点〕

(5) これら税法が固有に繰延資産としている費用は，会計学的にも当然に支出した年度にその全額を費用とすべきではないが，しかし繰延資産なのかどうかは検討の余地があるといわれる(注65)。そこで，企業会計の実務では，これら費用はその性質に応じて無形固定資産や長期前払費用として処理している。概略的には上記(3)のイ，ロおよびニは無形固定資産，ハは長期前払費用といえよう。また，ホはその内容に応じて判断されることになる。

このように，税法が固有に繰延資産としている費用は，本質的には資産または前払費用と解されるのである。この点をとらえて，税法は自ら「資産の取得に要した金額とされるべき費用及び前払費用」は繰延資産から除外している（法令14①）にもかかわらず，上記イからニまでのように制限列挙的に定められている場合はともかく，ホのように包括的な概念で繰延資産を規定するのは疑問がある，という指摘がある(注66)。

(6) 確かに，自己矛盾ではないかという感じがないではない。税法固有に繰延資産とされているものは，企業会計や会社法でも認められている五つの繰延資産に比べれば相当に異質であり，資産性が強いからである。特に，たとえば上記ロに該当する建物を賃借するための権利金は，れっきとした**借家権**という権利である場合がある。

企業会計においては，これら費用の処理につき必ずしも明確な基準はない。そのため，法人税では一時に費用化するのを避けるため，便宜，繰延資産の範ちゅうに入れているともいえよう。繰延資産の純化を図り，費用の性質に

(注65) 中村　忠著，前掲書，66頁．
(注66) 酒巻俊雄・新井隆一共著『商法と税法』（中央経済社，昭和41）75頁．

〔ソフトウエアの開発費用〕

(7) 繰延資産の内容の検討や見直しといえば、従来問題になっていたのが、ソフトウエアの開発費用である。各方面からその見直しの要望が強かった。

従来、**ソフトウエアの開発費用**は、上記(3)ハに該当する繰延資産として、他の者から提供を受け、または他の者に委託して開発したソフトウエアの費用は5年間で償却することになっていた（旧基通8－1－7，8－2－3）。この取扱いは昭和55年に定められたものであるが、その後のコンピュータに関する技術革新や利用形態の変化は目ざましい。そのため、①ソフトウエアは著作権の対象にもなっており、むしろ繰延資産ではなく無形固定資産として取り扱うべきであること、②委託開発によるソフトウエアは繰延資産になり、自己開発によるソフトウエアは一時の費用になるが、両者の取扱いを異にする理由は乏しいこと、といった問題点が指摘されていた(注67)。

そこで平成12年の税制改正により、ソフトウエアは委託開発か自己開発か、自己使用目的か販売目的かを問わず、すべて無形固定資産として耐用年数3年または5年で償却すべきものとされた（法令13八リ）。

これは、税法固有の繰延資産の純化と課税の適正化を図るための一つの成果である。ただ実務的には研究開発費との関係で、どこまでの費用をソフトウエアの取得価額に算入すべきなのか、その判断がむずかしい。今後は事例を積み重ねながら、その判断基準を確立していく必要がある。

〔償却費の計算〕

(8) 企業会計や会社法では、繰延資産の計上を強制せず、仮に計上した場合にはできるだけ早期に償却しなければならない。

(注67) 日本租税研究協会「ソフトウエアの税務会計基準（案）」（昭和60.10），成道秀雄稿「法人税法におけるソフトウエア費の取扱いの再検討」ＪＩＣＰＡジャーナルNo.411（ＯＣＴ．1989）30頁以下参照．

法人税においては，企業会計や会社法上の繰延資産には，自由償却を認めている（法令64①一）。**自由償却**というのは，いつ，いかなる金額を償却するかは法人の任意とする制度である。したがって，法人税においてもこれら繰延資産を計上するかどうかは，結果的に企業会計や会社法と同じく任意となっている。これに対して，税法固有の繰延資産は，支出の効果の及ぶ期間（償却期間）を基礎にして，毎期，均等額ずつを償却する（法令64①二）。

　従来，社債発行差金は均等償却とされていたが，平成19年の繰延資産の範囲からの除外に伴い，貸方社債発行差金（プレミアム収入）と考え方を同じくし，償還期間にわたって均等額ずつを損金算入することとされた（法令136の2）。

(9)　法人税が企業会計や会社法上の五つの繰延資産につき自由償却を認めているのは，まさに企業会計や会社法と取扱いを同じくし，その調整を図ろうとするものである。ところが，自由償却であることは利益操作を可能にする面が否定できない。

　特に青色申告の繰越欠損金の10年間控除（法法57）との関係で問題が生じる。たとえば，ホテルや旅館を開業したような場合，開業当初は償却費の負担などで赤字（欠損）が続くのが普通である。その赤字から10年以内に黒字に転じれば，その欠損金は控除が可能である。ところが，10年後に黒字になった場合には，過去に生じた欠損金はもはや打ち切りとなって控除ができない。

　そこで，10年間は黒字が望めないような場合には，ホテルや旅館を取得するために要した借入金の利子などを開業費や開発費などの繰延資産にしておき，黒字になった任意の年度に償却費として落とすのである。こうすれば，実質的に欠損金は10年という期間に拘束されることなく，無制限に控除ができることになる。

(10)　もちろん，現行法ではこのような操作は認められない。**開業費**は「法人の設立後営業を開始するまでの間に開業準備のために特別に支出する費用」をいい，**開発費**は「新たな技術若しくは新たな経営組織の採用，資源の開発又

は市場の開拓のために特別に支出する費用」をいう（法令14①二，三）。

　法人税の開業費および開発費には「特別に支出する費用」という限定がついているから，ホテルや旅館を取得するためなど経常的な借入金の利子は繰延資産にならない。

　このように法人税が開業費や開発費につき範囲を縮小していることに対し，合理的な理由があるとは思われず，立法者に収税の強化を図ろうとする恣意性が潜在的に働いているのではないかと疑われる，という批判がある[注68]。確かに，法人税が企業会計との調整を図り自由償却を認めた以上，企業が利益操作に利用するのはいたし方ないところであろう。しかし，法人税でも単に繰延資産をいつの年度で落とすかにとどまっていればよいが，繰越欠損金の問題がからんでくると課税上の弊害が大きすぎる。そこで，法人税はその範囲を縮小しているのである。

〔繰延資産の廃止論〕

(11)　最近，企業会計では国際会計基準とのコンバージェンスの観点等から，無形資産の認識や測定等に関する会計基準の整備を進めている。このほど，その論点整理が公表された[注69]。

　その論点整理では，無形資産の会計基準の整備に伴い，繰延資産の位置づけが再検討の課題となり，開発費の資産計上や繰延資産の廃止の方向性が示されている。

　もし企業会計において繰延資産が廃止された場合，法人税においても企業会計と同じ五つの繰延資産は廃止せざるを得ないであろう。一方，税法固有の繰延資産について，存置するかどうかの検討が必要になる。そもそも，繰延資産の概念自体が消滅するとすれば，その存置は難しいかもしれない。しかし，税法固有の繰延資産は，費用の性質に見合った適正な課税を行うとい

（注68）　酒巻俊雄・新井隆一共著『商法と税法』（中央経済社，昭和41）78頁．
（注69）　企業会計基準委員会「無形資産に関する論点の整理」（平成21.12.18），同「無形資産に関する検討経過の取りまとめ」（平成25．6.28）．

3-9 評 価 損

〔総　説〕

(1)　法人税が資産の評価につき，基本的に取得原価主義を採用していることはすでに述べた（「2-6　評価益」参照）。その意義や経緯などについてここでは繰り返さない。評価損の問題だけについて述べよう。

　　法人税の課税所得の計算上，資産の**評価損**は原則として損金にならない（法法33①）。仮に評価損を計上して資産の帳簿価額を減額しても，その減額はなかったものとみなされる（法法33⑤⑥）。これは，基本的に資産の評価換えは認めないということで，評価益と同じ取扱いである。

　　しかし，評価損の計上が全くできないわけではない。例外的にその計上が認められている。むしろ，評価益の計上は極めて限定されているのに対し，評価損の計上はわりあい幅広く認められる。企業会計や会社法では，企業の財政状態の適正な表示や債権者保護の観点などから，評価損の計上は積極的に行うべきであると考えられている。特に，時価会計の導入や減損会計基準の制定などは，その傾向を強めるものといえよう。法人税における評価損の取扱いもその影響を受けているのである。

〔評価損が計上できる物損等の事実〕

(2)　法人税法においては，平成21年の税制改正により，評価損の計上ができる事実が①物損等の事実と②法的整理の事実の二つに整理された。その**物損等の事実**とは，資産別に次の事実であって，その事実が生じたことにより時価が帳簿価額を下回ることとなったものをいう（法法33②，法令68①）。

　イ　棚卸資産
　　①　その資産が災害により著しく損傷したこと。
　　②　その資産が著しく陳腐化したこと。

③ ①,②に準ずる特別の事実
ロ　有価証券
① 取引所売買有価証券，店頭売買有価証券，取扱有価証券またはその他価格公表有価証券等（企業支配株式を除く。）の価額が著しく低下したこと。
② ①の有価証券以外の有価証券について，その有価証券を発行する法人の資産状態が著しく悪化したため，その価額が著しく低下したこと。
③ ②に準ずる特別の事実
ハ　固定資産
① その資産が災害により著しく損傷したこと。
② その資産が1年以上にわたり遊休状態にあること。
③ その資産がその本来の用途に使用することができないため，他の用途に使用されたこと。
④ その資産の所在する場所の状況が著しく変化したこと。
⑤ ①から④までに準ずる特別の事実
ニ　繰延資産（税法固有の繰延資産のうち他の者の有する固定資産を利用するために支出されたもの）
① その繰延資産となる費用の支出の対象となった固定資産につき上記ハの①から④までに掲げる事実が生じたこと。
② ①に準ずる特別の事実

〔金銭債権に対する評価損〕

(3) 従来，評価損の計上は上述した棚卸資産，有価証券，固定資産および繰延資産に限られ，預金，貯金，貸付金，売掛金その他の債権（預金等）については，評価損の計上はできなかった（旧法法33②）。

ところが，平成21年の税制改正により，預金等についても評価損の計上ができるようになった（法法33②）。これは，企業会計との調整を図る趣旨によるものである。とはいえ，預金等について無条件で評価損の計上ができるわけではない。

預貯金は，その預け入れた金額どおりに計上すべきであるから，事実上，評価という問題はない。ただ，理論的には，銀行が破綻し預貯金がペイ・オフの状態になったような場合には，評価という問題が生じよう。

また，外貨建の預貯金は外国為替レートによって円換算しなければならないという問題がある。しかし，この円換算はいわば単に外貨を円に翻訳（translate）するに過ぎず，評価ではないと考えられている。

一方，貸付金，売掛金などの金銭債権については，その評価損の問題は貸倒引当金によって対処することになっていた。それが，平成21年の税制改正により，金銭債権も基本的に評価損の計上対象になった。しかし，その計上は①法的整理の事実，②更生計画認可の決定および③再生計画認可の決定等があった場合に限られる（法法33②〜④）。物損等の事実によっては，金銭債権に評価損の計上は認められない。

金銭債権も評価損の計上対象になったとはいえ，評価損の計上事由を法的な場面に限定しているのは，金銭債権は棚卸資産や有価証券，固定資産などと異なり，一般に市場性がなく個々の債権ごとの客観的な評価は困難であるからであろう。

〔評価損が計上できる法的整理の事実〕

(4) 次に評価損の計上ができる**法的整理の事実**とは，更生手続における評定が行われることに準ずる特別の事実をいう（法令68①）。たとえば，民事再生法による再生手続開始の決定があったことにより，財産の価額の評定（民事再生法124①）が行われることが該当する（基通9-1-3の3）。

上述したとおり，平成21年の税制改正において，金銭債権に対して評価損の計上ができることになった。そこで，この法的整理の事実による評価損にあっては，その対象になる資産の範囲に限定はないから，金銭債権も対象になる[注70]。

（注70）　財務省主税局『平成21年　改正税法のすべて』（平成21.8）209頁.

ところが，法人税基本通達では，法人の有する金銭債権は，法人税法33条2項（物損等の事実と法的整理の事実による評価換え）の評価換えの対象にならない。もし，法的整理の事実により金銭債権の帳簿価額を減額したときは，貸倒引当金勘定への繰入れとして取り扱うという（基通9－1－3の2）。

　企業会計においては，基本的に金銭債権について評価損の計上はできないところ，民事再生会社はまだ継続企業の前提が成立している会社とみられ，金銭債権の評価損の計上はできないと考えられる[注71]。そのため，事実上，民事再生会社において金銭債権に評価損を計上するようなことはないといえよう。

　そのような，法的，会計的な考え方との調和を図るため，法人税基本通達の取扱いは，上記のようになっているものと思われる。しかし，法的，理論的には，貸倒引当金勘定の繰入れとして取り扱うというのはなかなか理解が難しい[注72]。現在，大法人には基本的に貸倒引当金の設定は認められないことからすると，なおさらである。

〔低価法との関係〕

(5)　評価損の計上は，資産の時価が帳簿価額より低下した場合にその帳簿価額を時価まで切り下げることである。これと棚卸資産の期末評価につき認められている低価法との関係はどのように考えたらよいであろうか。

　低価法は，棚卸資産の原価と時価とを比べていずれか低い方の価額をその資産の期末評価額とする方法である（法令28①二）。時価が原価よりも低くなっていれば時価で評価するから，評価損の計上と同じような現象を呈する。しかし，低価法の適用が評価損の計上と異なるのは，評価損のような時価の低下につき特別の事実を要しない点である。とにかく理由のいかんを問わず，

（注71）　日本公認会計士協会「継続企業の前提が成立していない会社等における資産及び負債の評価について」（平成17.4.12）．

（注72）　拙稿「『法的整理の事実』による金銭債権の評価損の可否等」週刊税務通信No.3114（平成22.5.17）56頁．

第3章　損金の税務　209

期末日の時価が下落していれば時価評価ができる。時価の下落がすぐ回復する可能性があっても，一向にさしつかえない。

　これに対して評価損は，上述したような特別の事実に基づいて時価が下落した場合に計上できる。これは，価額の下落につき回復の可能性がない場合に限って時価評価が認められる，ということである（基通9－1－4，9－1－7参照）。

　このような点から，低価法は取得原価主義の枠内における期末評価の手続にとどまっているのに対し，評価損の計上はすでに実現した損失を顕在化させるものである，といえる。両者は全く次元の異なるものである。

〔損金経理の問題点〕

(6)　上述したように，評価損はいわばすでに実現した損失である。したがって，評価損を計上すべきような事態が生じた場合には，必ず計上しなければならない。計上する時期と金額につき企業に選択の自由はないというべきである。仮に選択の自由があるとすれば，利益操作が可能になり，企業の財政状態が適正に表示されなくなるからである。

　評価損を計上すべき事態が生じたらその年度に，時価と帳簿価額との差額はすべて評価損を計上しなければならない。評価損を計上すべきにもかかわらずこれを計上せず，あるいは過少に計上した場合には粉飾決算になる。

　これが企業会計や会社法の考え方である。銀行などの経理の実務家が，俗に評価損を強制償却（ないし強制評価）と呼んでいるのは，そこらのニュアンスをよく表している。

(7)　ところが，法人税における物損等の事実と法的整理の事実による評価損の計上は，損金経理をした場合に限って認められる（法法33②）。これらの事実の発生により時価が下落しても，企業が評価損を計上したくないと思えば，損金経理をしなければよいのである。企業の損金経理がないのに，税務署長が評価損の金額を計算して強制的に損金にするようなことはしない。したがって，法人税でも**粉飾決算**について特例を設け，企業が粉飾決算をして

法人税を過大に納付しても、直ちにはその過大な法人税は還付しないことになっているが（法法129, 70, 135）、評価損を計上しないことはそもそも法人税では粉飾決算にはならないのである。

(8) このような意味で法人税の評価損は、利益操作の余地を残している。しかし、評価損がすでに実現した損失であるとはいえ、それは多分に理屈の話であって、現実問題として評価損を客観的に認識することはむずかしい。評価損は内部取引として企業の主観に負うものであることは否定できない。したがって、適正公平な課税、大量、回帰的な処理という税の性格からすれば、評価損の計上を企業の認識にゆだねるのは、いたし方ないことといえよう。

もっとも、評価損は内部取引であっても、計上できる場合が限定されている分、客観性が高いといえる。それだけに、評価損は計上すべきときに必ず計上し、利益操作の具にしてはならない。

〔クロス取引の問題点〕

(9) 上述したように、税務上、評価損の計上についてはかなり厳しい要件が付されている。これは有価証券でも例外ではなく、特に有価証券については、その期末時価が帳簿価額の50％以上下落し、かつ、近い将来その時価の回復が見込まれないときに限って評価損の計上ができる（基通9−1−7, 9−1−11）。

そこで、評価損計上の要件を満たすまでには至っていないが、含み損を抱えている有価証券につき実質的に評価損を計上するため、クロス取引を行っている例がみられる。

クロス取引とは、売りに見合った買い注文を確保し、売買を成立させる方式のことである。つまり、同一銘柄、同一数量の株式の売りと買いを同時に行う取引をいう。現物同士の売買や現物取引と信用取引を組み合わせたものなどがある。たとえば、帳簿価額1,000、時価600のA社株についてクロス取引を行えば、実質的に金銭は動かずA社株の保有にはなんら変動がないにもかかわらず、A社株の帳簿価額は600になり、400の評価損を計上したのと同

じことになる。

⑽　このようなクロス取引は，バブル期に投資として取得した株式がバブル崩壊とともに下落し，含み損を抱えるようになったことから，多く行われるようになった。

　税務上，クロス取引による売却損の損金性が租税回避行為との関連で問題になる。現に争いになった事例もあるが，国税不服審判所の裁決では，次のような理由からその損金性を認めている(注73)。

　イ　一般的に株式取引は，経済的危険が伴い，必ずしも利益が保証されたものではなく，その判断は投資家の責任においてなされること。

　ロ　株式の売却損は，公開株式市場において顕在化させたものであって，株式市場に現実に存在したものであること。

　裁決でクロス取引による売却損の損金性を認めた理由は，要するに株式の売買が公開の株式市場を通じて行われており，その売却損は意図的に作り出したものではないから，租税回避行為に当たらないということである。

⑾　しかし，クロス取引は利益操作に利用され，取得原価主義の問題点とされていることは，すでに評価益のところで述べた。また，このようなクロス取引は，有価証券の売却と買戻しを一体とみなす実質優先の思考を内包したものとするのが公正妥当な解釈であるとする見解(注74)など，各種の議論があった。そこで結局，平成12年６月の法人税基本通達の改正により，クロス取引に基づく有価証券の売却は，税務上なかったものとして取り扱うこととされた（基通２−１−23の４）。これは企業会計上もクロス取引は認められない，とされたこと(注75)に対応している。

(注73)　国税不服審判所裁決平成２．４.19裁決事例集No.39・106頁.
(注74)　醍醐　聰稿「時価評価と確定決算基準」税研11巻67号（1996．５）41頁.
(注75)　日本公認会計士協会「金融商品会計に関する実務指針」（平成12．１.31）42項，同「金融商品会計に関するＱ＆Ａ」（平成12．９.14）Ｑ12.

〔減損会計との関係〕

⑿　評価益の項（2－6）で述べたように，法人税，企業会計とも金融商品の評価につき時価会計を導入した。しかし金融商品のほか，たとえば企業がバブル期に取得した土地が多額の含み損を抱えているが，これが適正に開示されていないという問題が存する。

そのため企業会計では，すでにゼネコン，不動産会社，商社等の有する販売不動産の時価が50％以上下落した場合には，公認会計士の監査上，評価損の計上を適時に徹底すべきことが要請されていた[注76]。また，平成14年には減損会計基準が制定され，平成18年3月期から完全実施されている[注77]。

減損会計とは，収益性の低下により投資額を回収する見込みが立たなくなった資産の帳簿価額を，回収可能な価額へ減額する会計処理をいう。減損会計は帳簿価額の切上げが認められない点で金融商品に対する時価会計とは異なる。

減損会計と法人税の評価損は，等しく不良資産化した固定資産の帳簿価額を減額すべきかどうかの問題を取り扱う。しかし，減損会計が評価減をすべき減損の兆候を，物理的な事実のみならず，むしろ資産の収益性や採算性，市場価格の動向に置いているのに対し，法人税の評価損の計上事由は，物理的，具体的な事実に限定されている。税務は基本的に物価変動による評価損の計上を認めていない（基通9－1－6）。

⒀　たとえば，減損会計基準では，固定資産が遊休状態になった場合や市場価格が著しく下落した場合には減損の兆候があるとして，減損損失を認識すべきかどうか調査・判定をしなければならない（同基準注解（注2））。一方，法

（注76）　日本公認会計士協会「販売用不動産等の強制評価減の要否の判断に関する監査上の取扱い」（平成12.7.6）．

（注77）　企業会計審議会「固定資産の減損に係る会計基準の設定に関する意見書」（平成14.8.9），企業会計基準委員会「固定資産の減損に係る会計基準の適用指針」（平成15.10.31），企業会計基準委員会実務対応報告第14号「固定資産の減損に係る会計基準の早期適用に関する実務上の取扱い」（平成16.3.22）．

人税においても，固定資産が1年以上にわたり遊休状態にあること，が評価損の計上事由の一つとなっている（法令68①三ロ）。

　そこで，1年以上にわたり遊休状態にある土地について評価損の計上ができるかどうかが争われた事例がある。この点，法人税の評価損は，固定資産が1年以上にわたり遊休状態にあることにより，時価が帳簿価額を下回らなければならない（法令68①）。評価損の計上事由と時価の下落との間に，直接的な因果関係がなければならないのである(注78)。

　しかし，土地は仮に1年以上遊休状態にあっても，そのことによって時価が下落するわけではなく，単に需要と供給の関係や経済環境を反映して価格が低下するに過ぎない。そこで，国税不服審判所は，土地が1年以上にわたり遊休状態にあることだけでは評価損の計上はできないとした(注79)。

　減損会計のほうが評価減をすべき範囲が広く，今後は両者の調整が検討課題となってこよう(注80)。また，減損会計と減価償却制度（耐用年数の短縮等）とのあり方いかん，という問題もある。

3－10　役員給与等

〔概　要〕

(1)　法人が役員に支給する給与は，実態的には報酬，賞与および退職金に大別される。その**役員給与**の損金算入について，法人税では相当きめ細かく規制を行っており，次のように取り扱われる（法法34）。

　イ　役員給与のうち，定期同額給与，事前確定届出給与および業績連動給与に該当しないものは，損金の額に算入しない。

　ロ　役員給与のうち，不相当に高額な部分の金額は，損金の額に算入しない。

(注78)　拙著『税務上の評価損の実務事例集（第2版）』（大蔵財務協会，平成27）3頁，216頁．
(注79)　国税不服審判所裁決平成15．1．28裁決事例集No.65・401頁．
(注80)　齋藤真哉編著『減損会計の税務論点』（中央経済社，2007）58頁．

ハ　事実を隠蔽，仮装した経理により支給する役員給与は，損金の額に算入しない。

ニ　使用人兼務役員の使用人部分の給与は，損金の額に算入する。

　　役員給与に対する取扱いは，昭和34年の立法により明確化され，平成18年の会社法の施行に合わせて，同年抜本的な見直しが行われた。

　　役員給与にはいわゆるお手盛り支給など法人が自由に決定できるという特質があり，これをそのまま損金算入することは課税上の弊害が大きい。また，法人，個人を通ずる租税回避に利用されることも考えられる。そこで，法人税では，役員給与の損金算入につき規制を図っている。

(2)　これに対して，法人がその使用人に支給する給料，賞与および退職金については，原則として損金の額に算入される。

　　ただし，その法人の役員と親族関係等にある**特殊関係使用人**に対して支給するこれら給与のうち，不相当に高額な部分の金額は損金の額に算入されない（法法36）。この特殊関係使用人に対する給与の特例は，平成10年の税制改正により創設された。

〔役員給与に対する基本的な考え方〕

(3)　平成18年5月施行の会社法では，役員賞与は報酬とともに職務執行の対価とされ，両者は区分することなく株主総会の決議等によって定められる（同法361）。そこで，企業会計上，利益処分処理が一般的であった役員賞与は費用処理をすべきことになった[注81]。このような会社法や企業会計の動向を受け，平成18年に役員給与に関する抜本的な見直しが行われた。

　　その見直しのポイントの一つは，定期同額給与，事前確定届出給与および業績連動給与という新たな概念を導入し，従来から指摘されていた報酬と賞与との区分の困難さを解消したことである。そして，理念的には恣意性を排

（注81）　企業会計基準委員会「役員賞与の会計処理に関する当面の取扱い」（平成16.3.9），同「役員賞与に関する会計基準」（平成17.11.29）。

除した透明性，適正性の高い給与だけに損金性を認めるという方向性が強くなったといえよう。

そのため，役員給与に対する法人税のスタンスが，原則損金算入から原則損金不算入に転換したのではないかという議論がある。従来，役員報酬については，損金算入することを当然の前提に，高額な部分の金額は損金不算入とする規定ぶりとなっていた（旧法法34①）。

(4) これに対し，平成18年の改正では，「法人がその役員に対して支給する給与のうち次に掲げる給与のいずれにも該当しないものの額は，損金の額に算入しない」とされた（法法34①）。この規定ぶりから，改正後は役員給与は原則損金不算入であるが，定期同額給与や事前確定届出給与，業績連動給与に限って損金算入ができることになったという議論が生じている(注82)。

この点，立法技術上のテクニックに過ぎないのかもしれないが，法文上からみる限り，役員給与は原則損金不算入になったといえよう。そのため，たとえばある特定の月だけ報酬を増額して支給した場合，理論的には定期同額給与に該当しないから，役員にその事業年度中に支給した報酬の全額が損金不算入になるのではないか，といった疑義が生じる。もっとも，実務上は，その増額した部分だけが損金不算入になると解されている(注83)。

〔役員の範囲〕

(5) 上述したように，法人税では役員給与の損金算入について厳しく規制している。これに対して**使用人給与**については，特殊関係使用人に対する給与に規制があるだけで，ほとんど損金算入が認められる。

そこで役員と使用人との区分が問題になるが，法人税で**役員**とは，法人の取締役，執行役，会計参与，監査役，理事，監事および清算人ならびにこれ

(注82) 山本守之著『役員給与税制の問題点』（中央経済社，2015）16頁，大淵博義著『法人税法解釈の検証と実践的展開第Ⅰ巻（改訂増補版）』（税務経理協会，平成26）391頁．
(注83) 国税庁「役員給与に関するＱ＆Ａ」（平成20.12）

ら以外の者で法人の経営に従事している者をいう（法法２十五，法令７）。

　役員である会計参与には，監査法人又は税理士法人もなることができる（会社法333①）。また，持分会社（合名会社，合資会社，合同会社）の無限責任社員や業務執行役員は，法人がなることも可能である（会社法576①四，598）。

　そのため，法人税における役員には，自然人である人間のほか，法人も含まれることに留意しなければならない（基通９－２－２）。そこで，法人に対して役員給与を支払うことの是非や所得税の源泉徴収の要否等が問題になってくる。

(6)　また，**使用人兼務役員**とは，役員のうち部長，課長その他法人の使用人としての職制上の地位を有し，かつ，常時使用人としての職務に従事するものをいう。ただし，代表取締役，代表執行役，代表理事，副社長，専務，常務，会計参与，監査役などは使用人兼務役員にならない（法法34⑥，法令71）。具体的には，取締役経理部長や取締役営業部長，取締役工場長などが使用人兼務役員の例である。

　なお，最近多くの企業が導入している**執行役員**は，特定の業務の執行に専念する，その業務執行にかかる責任者である。しかし執行役員は，基本的に税務上の役員には該当しない（所基通30－２の２参照）。ただし，取締役を兼務している者や法人の経営に従事している者は，役員に該当する。

(7)　このように，会社法上の法定役員は税務上も役員になる。特に，社長や専務取締役，常務取締役，会計参与，監査役は使用人兼務役員にならない。これら役員は，その従事する職務の内容いかんを問わず，使用人兼務役員にはなれないのである。その結果，これら役員に支給する給与には使用人部分の給与はないことになる。

　中小企業では，父が社長，母が専務，祖母が監査役などという一家が役員の例は珍しくない。そして役員とは名ばかり，社長も専務も監査役も店頭や工場に立って，汗を流して商品を売り，あるいは油にまみれて機械を動かしている。このような役員は実質的には使用人となんら異ならないにもかかわらず，単に社長，専務あるいは監査役という名がついているだけで使用人兼

務役員になれず，その給与の損金算入について規制を受けるのは納得いかない，という声はしばしば聞かれる。

　大企業でも程度の差はあれ，同じような事情はあろう。本当の代表者を除けば，サラリーマン重役といわれるごとく，専務や常務といえどもしょせんは宮仕えという面は否定できないからである。

(8)　現行法人税が社長や専務，常務，会計参与，監査役を形式的に使用人兼務役員にならないとしていることから，このような疑問が生じてくる。しかし法人というのは，そもそも法律で特に人格を与えられた法的所産であり，制度的なものである。法人が法的所産である限り，その役員もまた法的所産以外のものではあり得ず，会社法などの法律で予定された行動や責任などが前提となっている。したがって，法人税が会社法などの法定役員を形式的に役員とし，また，社長や専務，常務，会計参与，監査役などを使用人兼務役員にならないとしているのは，法的整合性という面からみれば当然のことであるといえよう。

　判例でも，使用人1，2名程度の従業員の極めて少数な会社において，代表取締役または常勤の専務取締役もしくは常務取締役に就任した者が本来使用人がするような業務を担当していたとしても，これを目して使用人兼務役員であるとはいえない，といっている[注84]。

(9)　このように使用人兼務役員の範囲を形式的に割り切ってよいかどうかは，むずかしい問題である。この点に関して，専務取締役等とは，定款等の規定または総会もしくは取締役会の決議等により専務取締役等としての職制上の地位が付与されたものだけをいう，とする取扱い（基通9－2－4）は実質判断に一つの途を開いたものとして評価できる。単に対外的な配慮から名刺上だけ，あるいは社内的な通称として専務取締役等となっている者は，専務取締役等にならないのである[注85]。

（注84）　広島高判昭和35．6．2税資33号865頁，最高判昭和36．7.20税資35号636頁。
（注85）　国税不服審判所裁決昭和56．1.29裁決事例集No.21・107頁。

〔定期同額給与〕

(10)　役員給与のうち損金算入が認められる**定期同額給与**とは，①定期給与でその事業年度の各支給時期における支給額が同額であるものおよび②その他これに準ずるものをいう（法法34①一）。役員に毎月支給する，いわゆる報酬のことである。

　　ここで**定期給与**とは，あらかじめ定められた支給基準に基づいて，毎日，毎週，毎月のように月以下の期間を単位として規則的に反復，継続して支給されるものをいう（基通9－2－12）。このように，定期同額給与は，その事業年度の各支給時期における支給額が同額でなければならない。

　　ただし，①その事業年度開始の日から3月以内の改定，②役員の職制上の地位の変更等による改定および③業績悪化による改定により，役員給与を増額または減額することができる（法令69①）。これらの改定による改定前と改定後のそれぞれの支給時期の支給額が同額であるものが，上記②その他これに準ずるものである。

(11)　この定期同額給与をめぐって，たとえば前期末または当期首の臨時総会により役員給与の増額改定を行い，当期首から増額後の給与を支給した場合，定期同額給与に該当するかどうかという問題がある。確かに会社法の趣旨からすれば，役員給与の改定は決算終了後の定時総会で行い，臨時総会での改定は予定されておらず，役員の職務執行の開始時での改定ではないから，定期同額給与に該当しないという意見があろう。

　　しかし，定期同額給与の一つに，「その事業年度の各支給時期における支給額が同額であるもの」が規定されている。法的に役員給与の改定等に疑義があるとしても，事実上，各支給時期における支給額が同額であれば，定期同額給与に該当するといわざるを得ない[注86]。そのように解さなければ，中小企業など株主総会での役員給与の改定手続を行わず，事実上，増額支給を

(注86)　大淵博義著『法人税法解釈の検証と実践的展開　第Ⅰ巻（改訂増補版）』（税務経理協会，平成26）401頁．

しているような場合には，すべて定期同額給与に該当しないことになって不合理である。

⑿　また，業績悪化による改定をめぐって，たとえば業績が著しく悪かったため，役員が責任をとって3月間，報酬を20％減額するような事例がある。この場合，報酬を減額するのは業績悪化改定事由に該当するが，4月目に元の報酬に戻すのは，どの改定時事由にも当たらないから，定期同額給与に該当しないという。新型コロナ下において，この問題が顕在化している。

　一方，たとえば会社に不祥事があって，その担当役員が責任をとって一定期間報酬を減額するような場合には，定期同額給与に該当すると解されている[注87]。役員の責任の取り方においては，業績の悪化も不祥事も同じように考えられ，両者の取扱いが異なるというのは，検討の余地があるように思われる。

〔事前確定届出給与〕

⒀　役員給与のうち損金算入が認められる二つ目は事前確定届出給与である。その**事前確定届出給与**とは，役員の職務につき所定の時期に，確定した額の金銭または確定した数の株式もしくは新株予約権等を交付する旨の定めに基づいて支給する給与で，基本的に所轄税務署長に届け出た給与をいう（法法34①二）。

　このように，平成18年の税制改正のポイントの一つは，事前確定届出給与や業績連動給与という新たな概念を導入し，従来損金算入が認められなかった役員賞与に損金算入の途を開いたことである。

　古くから，会社役員の資本家重役または経営者重役から使用人重役の増加，賞与を給与体系へ組み込むことの一般化の現象，報酬と賞与の概念区分の困難さなど賞与をめぐる経済実態の変化が指摘され[注88]，役員賞与も使用人賞

（注87）　国税庁「役員給与に関する質疑応答事例」（平成18.12）問3．
（注88）　忠　佐市著『税務会計法（第6版）』（税務経理協会，昭和53）332頁．

与と同じく職務に対する対価であるといわれてきた(注89)。役員賞与の損金算入が認められたことは，このような指摘や意見の実現であるといえよう。

⒁　事前確定届出給与は，一般的には盆・暮に支給する役員賞与のことであるが，その損金算入のためには，原則として税務署長への届出が必要である点に留意を要する。

　税務署長への届出を要件としているのは，役員の職務執行の対価である給与の恣意性を排除するため，いつ，いくら支給するかといった定めをいつ行ったかの事実を確認するためである(注90)。これに対し，会社法や企業会計では役員賞与は費用処理が強制されるのに，なぜ法人税では税務署長へ届け出なければ損金算入が認められないのか，損金算入要件の緩和・明確化を望む声は少なくない(注91)。

　また，非常勤役員に対する期間俸や年俸について，非同族会社はその届出を要しないのに，なぜ同族会社は届出が必要なのか。次項の同族会社における業績連動給与の適用除外とともに，見直しを求める意見がみられる。

〔業績連動給与〕

⒂　役員給与のうち損金算入が認められる三つ目は業績連動給与である。その**業績連動給与**とは，利益や株式の市場価格の状況を示す指標その他の支配関係がある法人の業績を示す指標を基礎として算定される額または数の金銭または株式・新株予約権による給与などをいう（法法34⑤）。

　その業績連動給与のうち具体的に損金算入ができるのは，交付される金銭の額，株式や新株予約権の数が，利益，株式の市場価格または売上高の状況を示す指標を基礎として算定される給与で，その算定方法が有価証券報告書に記載される指標を基礎とした客観的なものとして報酬委員会の決定等を経

（注89）　田中勝次郎著『法人税法の研究』（税務研究会，昭和40）224頁，961頁．品川芳宣著『課税所得と企業利益』（税務研究会，昭和56）98頁．
（注90）　財務省主税局『平成18年　改正税法のすべて』（平成18.9）325頁．
（注91）　日本租税研究協会『令和3年度租研会員の税制改正意見集』（令和2.10）5頁．

ていること，その内容が有価証券報告書に記載され開示されていることなど，所定の要件を満たすものに限られている（法法34①三，法令69⑥～⑲）。

業績連動給与につき，このような厳格な要件を付しているのは，利益連動給与はいわば利益の分配であるから，透明性，適正性の高いものに限って損金算入を認める趣旨である。

この業績連動給与の損金算入は，原則として同族会社には適用がない（法法34①三）。これは同族会社にあっては，役員給与のお手盛り支給が懸念されるということであろう。しかし，「中小企業の会計に関する指針」の制定や会計参与の導入によって，同族会社といえども透明性，適正性の高い業績連動給与の支給は可能であるとの意見がみられる。

〔過大役員給与の損金不算入の論理〕

⒃　法人が支給する役員給与のうち不相当に高額な部分の金額は，損金の額に算入されない（法法34②）。その不相当に高額な部分の金額とは，実質基準（その役員の職務の内容，その法人の収益，使用人給与の支給状況，同業他社の役員給与の支給状況等からみて相当と認められる給与）と形式基準（定款の規定，株主総会の決議等により定められた給与の支給限度額）を超える部分の給与をいう（法令70一）。

この過大役員給与の損金不算入の趣旨について，従来，役員賞与は損金不算入であるところ（旧法法35①），本来賞与として支給すべきものを報酬に上乗せして損金算入するような，いわば隠れた利益処分に対処し，課税の公平を確保することにあるという説明が一般的であった[注92]。

ところが，役員賞与の損金算入が認められたことから，このような説明は成り立たなくなった。そこで，今後は単純に法人・個人を通ずる所得分散等の租税回避行為に対処するための課税上の要請であり，過大部分の給与は対価性に疑義があり，事業経費性はないという理解をすべきであろう[注93]。

（注92）　名古屋地判平成6．6.15税資201号485頁．

(17) この過大役員給与の損金不算入は、定期同額給与、事前確定届出給与および業績連動給与のすべてについて適用される。そこで、これら給与は基本的に株主総会すなわち株主の承認を得て支給され、また、その受給者には所得税が課されるのであるから、そもそもその金額の多寡につき法人税が介入するのはどうか、という基本的な問題提起がある。

　特に上述したように、業績連動給与については厳格な要件が付されているから、さらに過大かどうかを判定するような必要があるのかどうか、疑義があろう。最近、金融庁が内閣府令を改正し、年間総額1億円以上の報酬等を受ける役員を個別開示するよう求めた動きなどもみながら、過大役員給与の損金不算入の射程範囲を検討する余地があるように思われる。

〔過大退職金の判定基準〕

(18) 役員給与のうち退職金は、業績連動給与に該当するものを除き、税務署長への届出や有価証券報告書への開示などを要せず、原則として損金の額に算入される（法法34①）。ただし、その役員の在職期間、退職の事情、類似法人の役員に対する退職金の支給状況等に照らして、過大と認められる部分の退職金は損金にならない（法令70二）。このこと自体は理論的にはよく理解できる。ところがいざ実務となると、現に役員に支給した退職金が過大であるかどうかを判定するのは、極めてむずかしい。

　しかし、ただむずかしいといっているだけでは問題は解決しない。現実の実務においては、次のような方法により適正額を算定することが行われている。

　　イ　功績倍率方式

　　　これは、次の算式によってその適正額を算定する方法である（基通9－2－27の2）。

（注93）　大淵博義著『法人税法解釈の検証と実践的展開　第Ⅲ巻』（税務経理協会、平成29）215頁。

$$適正退職金 = 最終報酬月額 \times 在職年数 \times 類似法人の功績倍率$$

$$功績倍率 = \frac{退職金の額}{最終報酬月額 \times 在職年数}$$

ロ　一年当たり平均額法

これは，次の算式によってその適正額を算定する方法である。

$$適正退職金 = \frac{比準法人の退職金の額}{比準法人の役員の在職年数} \times 在職年数$$

ハ　公務員基準方式

これは，公務員の退職金の算定基準（たとえば，国家公務員等退職手当法による算定基準）によってその適正額を算定する方法である。

ニ　地方公共団体特別職基準方式

これは，地方公共団体の特別職（たとえば，助役，収入役）の退職金の算定基準によってその適正額を算定する方法である。

判例では功績倍率方式の合理性を認めるものが多いが，一年当たり平均額法の合理性を認めたものもある[注94]。いずれにしても，役員に対する退職金については，その性格上，絶対的な適正額は神のみぞ知る事柄である。

したがって，その適正額の算定に当たっては，これら算定方式を一つだけ用いるのではなく，いくつかを適用してあるべき適正額を模索するといった努力が必要であろう。

〔退職金経理の問題点〕

(19)　つぎに役員退職金をめぐっては，技術的ではあるが，その経理方法が問題になる。役員退職金の支給に備えて，役員退職慰労引当金等を設定している法人がある[注95]。その法人が役員に退職金1,000を支給した場合，次のような経理を行う。

(注94)　東京高判昭和49．1．31税資74号293頁，最高判昭和50．2．25税資80号259頁，東京地判昭和55．5．26税資113号442頁，札幌地判昭和58．5．27税資130号541頁，最高判昭和60．9．17税資146号603頁，浦和地判平成3．9．30税資186号707頁．

（借）役員退職慰労引当金　　1,000　　（貸）現　金　預　金　　1,000

　　従来，役員退職金は損金経理をした場合に限って損金算入が認められていた（旧法法36）。そのため，このような経理をした場合には，役員退職金の損金経理がないから，その損金算入はできないと解されていた[注96]。

(20)　また，たとえば役員に退職金に代えて土地，建物等を現物で支給することがある。その時価が2,000，帳簿価額が700という場合，次のような経理をする例がみられる。

　　　（借）役　員　退　職　金　　700　　（貸）土　地　建　物　　700

　　この場合，1,300の役員退職金部分については損金経理がないから，その損金算入はできないことになっていた。

　　しかし，平成18年の税制改正において，役員退職金の損金算入のための損金経理要件は廃止された。したがって，現在では上記のような経理をしても，その役員退職金は損金としてよい。具体的には，申告書別表四において所得金額から減算する。

〔新株予約権等を対価とする給与〕

(21)　法人が役員や使用人に役務提供の対価として譲渡制限付新株予約権を交付したときは，その役員や使用人においてその役務提供につき給与所得，事業所得，退職所得または雑所得として課税事由が生じた日において，その役務提供にかかる費用を計上する。ただし，その役員や使用人においてその役務提供につき給与等課税事由が生じないときは，費用計上をすることはできない（法法54の2，法令111の3）。

(注95)　日本公認会計士協会「租税特別措置法上の準備金及び特別法上の引当金又は準備金並びに役員退職慰労引当金等に関する監査上の取扱い」（昭和57.9.21，最終改正平成23.3.29）．

(注96)　東京地判平成6.11.29税資206号449頁，東京高判平成8.3.26税資215号114頁，最高判平成10.6.12税資232号600頁．国税不服審判所裁決平成4.3.13裁決事例集No.43・244頁．

これは，役員や使用人に**ストック・オプション**を付与したときは，その役務提供完了時ではなく，給与等としての課税時に役員給与等として損金算入を認めるということである。平成18年の税制改正により創設された。

　これに対し，企業会計では，役務提供完了時に役員報酬等として費用計上する[注97]。この点，法人税と企業会計の取扱いが異なっているので留意しなければならない。

　なお，平成28年の税制改正により，譲渡制限付株式を対価とする給与が事前確定届出給与の範囲に含まれるとともに（法法34①二），その損金算入時期の特例が定められた（法法54，法令111の２）。

　これは，税における**リストリクテッド・ストック**（ＲＳ）の導入であり，その役員や使用人に給与等課税額が生ずることが確定した日に費用計上を行う。給与等課税額が生じないときは，費用計上をすることはできない。

3－11　寄　附　金

〔概　要〕

(1)　寄附金については，そもそもその支出が企業の行為として認められるかどうか議論があり，企業が支出した政治献金の是非が争われた事例がある[注98]。しかし，一般的に，企業は社会的実在であるから寄附金を支出することは許されると解されており，企業会計上は特に問題なく費用として認められる。

　これに対して，法人税では寄附金の損金算入につき厳しい規制を行っている。その法人税の取扱いの概要は次のとおりである（法法37，法令73，措法66の４③，措法66の11の２）。

(注97)　企業会計基準委員会「ストック・オプション等に関する会計基準」（平成17.12.27），同「ストック・オプション等に関する会計基準の適用指針」（平成17.12.27）.
(注98)　最高判昭和45．6.24民集24巻6号625頁，鈴木竹雄稿「会社の政治献金」別冊ジュリストNo.80（会社判例百選第４版）12頁参照.

イ **一般寄附金**（下記ロからホまでに該当しない寄附金）は，原則として次の算式により計算した損金算入限度額を超える部分の金額は損金の額に算入されない。

$$\left\{ \begin{array}{l} 期末資本 \\ 金等の額 \end{array} \times \frac{当期の月数}{12} \times \frac{2.5}{1,000} + 所得 \\ 金額 \times \frac{2.5}{100} \right\} \times \frac{1}{4} = \textbf{寄附金の損金算入限度額}$$

(注) 令和4年4月1日以降，算式の「期末資本金等の額」は「期末資本金の額＋期末資本準備金の額」とされる。

ロ 完全支配関係がある法人に対する寄附金は，全額が損金の額に算入されない。

ハ 国または地方公共団体に対する寄附金および**指定寄附金**は，全額が損金の額に算入される。

ニ 国外関連者に対する寄附金は，全額が損金の額に算入されない。

ホ **特定公益増進法人等に対する寄附金**は，その寄附金額と上記イの一般寄附金の損金算入限度額の算式中，「2.5／1,000」を「3.75／1,000」と，「2.5／100」を「6.25／100」と，「$\frac{1}{4}$」を「$\frac{1}{2}$」して計算した金額とのいずれか低い金額が，一般寄附金の損金算入限度額とは別枠で損金の額に算入される。

〔寄附金の損金不算入の趣旨〕

(2) 上記イおよびロの取扱いが原則であって，ハからホまではむしろ特例である。このように法人税においては，寄附金は一定の限度額を超える部分の金額は損金にならない。それはなぜか。

会社の支出する寄附金は，古く会社経理統制令により統制され，また，同族会社の寄附金については一定の制限を設けて損金性が否定されていたが，基本的には損金となっていた。それが今日のような一定限度を超過する寄附金の損金不算入制度が導入されたのは，昭和17年の臨時租税措置法の改正においてである。その導入の理由は，当時，法人の寄附金が著しく増加する傾向にあり，国庫収入の増加を図る目的で法人税，臨時利得税が増徴されていたにもかかわらず，時局の影響等により多額の利益をあげている法人の寄附

があまり濫りに流れると国家として必要な財源を失うおそれがある，ということであった。これは政策的な理由である。

一方，やや理論的な理由として，元来，寄附金はその性質からみて所得の中から支出すべきものと考えられるが，一時に全額を損金に認めないこととすると，法人の負担に急激な変動を与えるので，一定限度を超えてなした寄附金の超過部分に限り損金不算入にされた，といわれている(注99)。

(3) 現在では，その理由を整理して一般的に次の二つの理由があげられる。

第１には，法人が支出した寄附金の全額が無条件で損金になるものとすれば，その寄附金に対応する分だけ納付すべき法人税額が減少し，その寄附金は国において負担したと同様の結果になり，これは国が自己の関知しない相手方に補助金を出したに等しいから，このような事態を排除する必要があるという政策的理由である。

第２には，寄附金は直接の対価がない支出で，法人の事業に関連する経費とは必ずしもいい難く，多分に利益処分としての性格を有しているが，しかし法人の事業に関連のある寄附金が全くないとはいえず，そのような寄附金にあっては，事業に関連するものかどうかの判定は困難であるから，形式的な基準によって事業関連部分とそうでない部分とを区分しなければならないという，寄附金の本質からくる理由である(注100)。

〔寄附金の本質〕

(4) 寄附金の損金不算入制度の趣旨は，一般的には上述のように解されている。しかし異なる解釈もないではない。その趣旨をどのように解するかによって，**寄附金**の本質についての理解が違ってくる。以下においては寄附金の本質についての議論をみていこう。

税法上，寄附金とは，寄附金，拠出金，見舞金その他いずれの名義をもっ

(注99) 片岡政一著『會社税法の詳解』(文精社，昭和18) 303頁.
(注100) 山形地判昭和54. 3.28税資104号800頁，仙台地判昭和59. 5.29税資136号803頁.

てするかを問わず，金銭その他の資産の贈与または経済的な利益の無償の供与をいう。ただし，広告宣伝および見本品の費用その他これらに類する費用ならびに交際費，接待費および福利厚生費とされるべきものを除く（法法37⑦）。

　この規定の解釈をめぐる寄附金の本質ないし意義につき学説の対立がある。その学説は，大別して①非事業関連説，②事業関連説および③非対価説の三つに分けられる(注101)。

(5)　まず**非事業関連説**は，寄附金とは事業活動に関係なく支出される金銭その他の資産の贈与等をいい，資産の贈与や経済的利益の無償供与であっても，それが法人の事業活動に関係あるものであれば，そもそも寄附金には該当しない，という考え方である(注102)。この説は，寄附金の損金不算入制度の趣旨を，公益目的の寄附金はそれが公益的なものであるゆえに立法上全額損金算入等することとし，それ以外の寄附金には近隣との付き合いといった法人が社会的実在として活動していくうえで必要なものもあるが，これをいちいち区別するのは面倒であるから，形式的に損金算入限度額を定めている，と解するのである。

　この考え方によれば，たとえば親会社から子会社に対する無利息融資は，通常，子会社の育成や再建といった理由で行われ，親会社の事業活動に関連するものであるから，寄附金には該当しないことになる。しかし，この説は現行の課税実務や判例では認められていない。

(6)　つぎに**事業関連説**は，寄附金には事業の遂行に必要なものと，事業遂行に関係ないものとがあり，利益処分による寄附金を損金不算入にするという規定（旧法法37①）は，事業遂行に直接関係のない寄附金は利益の処分とす

(注101)　大淵博義著『役員給与・交際費・寄付金の税務（改訂増補版）』（税務研究会，平成13）568頁，大淵博義著『法人税法解釈の検証と実践的展開第Ⅰ巻（改訂増補版）』（税務経理協会，平成26）558頁．

(注102)　中川一郎稿「親会社の子会社に対する無利息融資」シュトイエル70号（ＪＡＮ・1968）33頁．

る当然のことを規定したものであり，寄附金の損金不算入の規定（現行法法37①）は事業遂行に直接関連がある寄附金について規定したものであるから，事業に関連のない寄附金は利益の処分として損金にならない，という考え方である(注103)。

　この説は，寄附金の損金不算入制度の趣旨を，事業に関連のある寄附金は損金計上を認めるが，無制限にその支出を認めると国にその負担が転嫁され，私人が選んだ支出先を補助する結果となるので，一定の限度で損金計上を否定したものと解するのである。

　この考え方に立てば，たとえば政治献金や神社の祭礼の寄附は，事業遂行に直接関係がなく，その支出に必ずしも必然性がないから，そもそも税務上は寄附金に含まれず，利益の処分として損金性がない，ということになる。この説には相当の説得力があるが，通説にまではなっていない。営利法人が支出する金銭は，それがたとえ無償であっても，なんらかの形で事業活動に関連しているという反論の余地を否定できないからであろう。

(7)　最後に**非対価説**とは，寄附金は事業関連性の有無を問わず，直接的な対価を伴わない支出であるという考え方をいう(注104)。この説は上述した寄附金の損金不算入の趣旨から寄附金の本質を根拠づけるものである。

　法的にも，法人税法第37条第7項かっこ書において寄附金の範囲から「広告宣伝及び見本品の費用その他これらに類する費用並びに交際費，接待費及び福利厚生費とされるべきものを除く。」としているのは，資産の贈与または経済的利益の無償の供与には広告宣伝費や見本品費，交際接待費，福利厚生費のような事業に関連する費用があることを前提にしている，という点から説明できる。すなわち，寄附金はこれら広告宣伝費などを除いた残余の概念であるから，寄附金には当然事業に関連するものもあり得るということになる。この法人税法第37条第7項かっこ書の規定を単なる例示と解するか，

(注103)　松沢　智著『租税実体法』（中央経済社，昭和51）266頁。
(注104)　金子　宏著『租税法』（弘文堂，昭和51）214頁，吉國二郎編著『法人税法（実務篇）』（財経詳報社，昭和43）366頁。

限定列挙と解するかによって説が異なってくるが、非対価説は限定列挙と解するのである。

非対価説が現在では通説であり、課税実務や判例の多くもこの考え方によっている。

〔完全支配関係法人に対する寄附金〕
(8) 法人が完全支配関係（100％の持株関係）がある法人に対して支出した寄附金は、全額損金不算入とされる（法法37②）。

これは平成22年の税制改正により整備された、グループ法人税制の一つであり、その寄附を受けた法人の受贈益は益金不算入とされることと裏腹の取扱いである（法法25の2,「2－7　受贈益」参照）。

グループ法人税制は、いわば完全支配関係でつながった法人グループは一つの法人とみて、課税関係を律するという基本的な考え方に立っている。そのため、完全支配関係がある法人間の寄附は、実質的には出資であるとみて、損益は認識しないということである。

そこで、たとえば完全支配子会社Aが他の完全支配子会社Bに寄附をした場合には、その子会社A、Bの親会社は、子会社A株式の帳簿価額を減額する一方、子会社B株式の帳簿価額を増額する、いわゆる**簿価修正**を行わなければならない（法令9①七,119の3⑥,119の4）。このように、親会社は子会社A、B間の取引になんら関与していないにもかかわらず、税務上の処理が必要になる点に留意を要する。

なお、完全支配子会社からその親会社に対して資産を低廉譲渡した場合、譲渡価額と時価との差額は、寄附金ではなく、配当として処理すべきではないか、という議論がある。この点、資産の譲渡価額の適否によって差額が生じるような場合には、従来の課税実務からみて寄附金として処理すべきである、と考える[注105]。

〔低廉譲渡寄附金の要件〕

(9) 法人税の寄附金には，資産の贈与または経済的利益の無償の供与のほか，資産を低廉譲渡または経済的利益を低廉供与した場合のその対価の額と時価との差額のうち，実質的に贈与または無償の供与をしたと認められる金額が含まれる（法法37⑧）。これは，その差額部分は部分的な贈与ないし無償の供与であるから，課税の公平を図る見地から寄附金とされている。

　この**低廉譲渡**が寄附金とされるには，次の二つの要件を満たす必要がある。
　イ　資産の譲渡価額が時価に比して低額であること。
　ロ　譲渡価額と時価との差額のうちに実質的に贈与をしたと認められる金額があること。

　イの要件は当然のことである。問題はロの要件であり，「実質的に贈与をした」という点に関し，譲渡した法人に贈与の意思があることを要するかどうかである。

(10) 仮に贈与の意思を要するとすれば，たとえば譲渡した法人に譲渡価額が時価を下回っているという認識がないような場合には，結果的に低廉譲渡であっても寄附金にはならないことになる。法文上「法人が資産の譲渡をした場合において，……実質的に贈与をしたと認められる金額は，寄附金の額に含まれる」とされていることから，譲渡した法人の贈与の意思を要するというようにも読める。

　しかし実務上，一般的には，「実質的に贈与をした」というのは，経済的な効果が贈与と同視し得れば足りるのであって，必ずしも譲渡した法人が贈与の意思を有していたことを要しない，と解されている。したがって，譲渡した法人に譲渡価額と時価との差額につき認識がある必要もない[注106]。

　資産の無償譲渡や経済的利益の無償供与には，「実質的に贈与をした」という前提はついていない。無償譲渡や無償供与であれば，法人の意思を問う

（注105）　拙著『グループ法人税制の実務事例集（第3版）』（大蔵財務協会，平成30年）57頁．
（注106）　大阪高判昭和56．2．5税資116号248頁．

ことなく即，寄附金となるのである。課税の公平の観点から低廉譲渡を無償譲渡と同様に取り扱おうというのであれば，低廉譲渡にも法人の意思は要しないというべきであろう。そのような意味で「実質的に贈与をした」というのは，まさに経済的な視点から判断すればよいのである。

〔子会社等の再建支援等と寄附金〕

(11) 最近，寄附金をめぐって一番の関心を集めているのは，バブルの崩壊により経営が窮地に陥っている**子会社等の再建支援**や整理のために親会社や関係会社が負担する費用や損失の取扱いである。

法人がその子会社等の解散，経営権の譲渡等に伴いその子会社等のために債務の引受その他の損失の負担をし，またはその子会社等に対する債権を放棄した場合においても，そのことにつき相当の理由があるときは，その負担または放棄により生じる損失は寄附金に該当しない。ここで「相当の理由」とは，たとえばその負担または放棄をしなければ法人が今後より大きな損失をこうむるのが社会通念上明らかなことをいう（基通9－4－1）。

また，法人がその子会社等に対して無利息もしくは低利率での金銭の貸付けまたは債権放棄を行っても，そのことに相当な理由があれば，寄附金は生じないものとする。ここでいう「相当な理由」とは，たとえば業績不振の子会社等の倒産を防止するためにやむを得ず行う無利息貸付け等で合理的な再建計画に基づくものをいう（基通9－4－2）。

(12) これらの取扱いにより，子会社等の再建支援や整理がされている。いわばバブル経済の早期後始末をするという点からいえば，これらの取扱いのより弾力的な運用が望まれよう。

これらの取扱いが定められたのは，昭和55年の法人税基本通達の改正においてである。それまでは子会社の再建支援や整理に伴う損失は寄附金と認定されることが多かったようであるから，これらの取扱いは画期的なものともいい得るのである[注107]。

しかし，これらの取扱いについて異論がないわけではない。すなわち，寄

附金の損金不算入を定めた法人税法第37条の立法趣旨が画一的処理による明確化にある点からすれば,「相当の理由」や経済的合理性によって寄附金かどうかを判断するのは不適当であるというのである(注108)。

確かに,これらの取扱いは純理論的な意味で寄附金の概念や範囲をややあいまいにしている面があるかもしれない。それゆえに課税実務の運用に当たっては,その判断についての客観化の努力が必要である。

特に,平成22年の税制改正により完全支配関係法人間における寄附金・受贈益は損金・益金不算入となったことから,これらの取扱いは廃止ないし適用対象を縮小すべきであるという議論がみられる。グループ法人税制との整合性を図るため,少なくとも完全支配関係子会社に対する支援損は損金不算入,その子会社の受贈益は益金不算入の処理をすべきであるという。ただ,これらの費用や損失の負担は,いわば企業の防衛費として事業経営上の必要経費であり,寄附金ではないということであるから,その廃止ないし縮小については,慎重な検討が必要であろう(基通4-2-5参照)。

3-12　交際費等

〔概　要〕

(1)　交際費ほど,企業会計と法人税とで取扱いが異なるものもない。交際費は,企業会計においては販売費および一般管理費として,特に問題なく経費となるのに対し,法人税では基本的には損金にならない。

このように相反する取扱いの理由は後に検討するとして,法人税における**交際費等**の取扱いの概要は次のとおりである(措法61の4)。

イ　法人が平成26年4月1日から令和4年3月31日までの間に開始する事業

(注107)　渡辺淑夫著『通達のこころ—法人税通達始末記』(中央経済社,2019) 50頁.
(注108)　水野忠恒稿「租税判例研究—同族会社で構成する企業グループ内の拠出金支出を法人税法上の寄付金とする更正処分とその付記理由の違法性—」ジュリスト846号(1985.10.15) 134頁.

年度において支出する交際費等のうち，接待飲食費の50％相当額を超える部分は，損金の額に算入されない。

 (注) 資本金が100億円を超える法人には，接待飲食費の50％損金算入の適用はない。

ロ ただし，期末資本金が１億円以下の法人については，支出交際費等の額の800万円までの交際費等は損金の額に算入される。

 (注) 資本金が１億円以下の法人であっても，資本金が５億円以上である法人の完全支配子会社等については，この特例の適用はない。

ハ **交際費等**とは，交際費，接待費，機密費その他の費用で，法人が，その得意先，仕入先その他事業に関係のある者等に対する接待，供応，慰安，贈答その他これらに類する行為のために支出するものをいう。

ニ **接待飲食費**とは，飲食その他これに類する行為のために要する費用をいい，社内飲食費を除く。

 この交際費等の定義から，交際費等は①支出の相手方（支出先が事業に関係ある者等であること），②支出の目的（事業関係者等との間の親睦の度を密にして取引関係の円滑な進行を図ること）および③行為の形態（接待，供応，慰安，贈答その他これらに類する行為であること）の３要件を満たすものをいう，と解されている(注109)。

〔交際費課税の趣旨〕

(2) このような交際費等に対する損金不算入の取扱いを，一般に**交際費課税**という。企業会計で特に問題なく経費となる交際費が，法人税ではなぜ損金にならないのだろうか。それには，交際費課税の趣旨をみなければならない。

 交際費課税制度が創設されたのは昭和29年である。当時，「社用族」という言葉が流行したように，公私を混同した企業の交際費の支出ぶりが社会の大きな非難を浴びた。このような交際費をはじめとする経費の浪費は，現代企業の資本と経営の分離という傾向と無関係ではないといわれる。すなわち，

(注109) 東京高判平成15．9．9判例時報1834号28頁。

資本の出資者あるいは株主が経営者であり従業員であれば到底考えられないような出費が，当然のように行われるという(注110)。

また，戦後の混乱から立ち直りつつあった企業にとっては，内部資本の蓄積が課題であったが，交際費の支出はそれを阻害しているとの指摘もあった。

これらの状況を背景に，交際費等の濫費の抑制と資本蓄積の促進を目的に交際費課税制度は創設された。もっぱら社会政策的な趣旨によるものである。

(3) 確かに，制度創設当時の趣旨・目的はそのとおりであったろう。もちろん，現在でも企業の交際費支出に対する社会の批判はあるし，資本蓄積の意義も認められる。しかし，本来，時限立法であった制度が期限の到来ごとにその更新がされてすでに60年以上経ち，現在でも時限立法ではあるが，実質上は恒久的な制度と化している。まして，交際費に対する課税は強化される傾向にある。このような交際費課税制度の経緯をみると，その趣旨も違った視点からとらえ直す必要があろう。

(4) その一つとして，法人というのは本来，営利を目的とするものであるから，営利の追求に際して費用の不当な支出，すなわち濫費は許されないという基盤に立脚したうえで，法が法人制度を認めたその社会的目的に反するような不当な濫費の支出に対する粛清にこそ現代の本質的意味がある，という見解がある(注111)。この見解は，いわば交際費は悪とする法的・社会的批判によく合致する。

また，交際費を経費として容認した場合には，濫費の支出を助長するだけでなく，公正な取引を阻害し，また，巨額の交際費の支出は正常な価格形成をゆがめる，といった指摘もある(注112)。これは経済的観点から交際費課税の趣旨を説明するものである。

交際費課税の趣旨をどのように理解するかによって，規制の対象とする交

(注110) 木下和夫稿「法人税廃止論の論拠」(『租税財政論集第1集』日本租税研究協会，昭和40所収) 120頁．
(注111) 松沢　智著『租税実体法』(中央経済社，昭和51) 278頁．
(注112) 税制調査会「平成6年度の税制改正に関する答申」(平成6.2.9)．

際費等の範囲が異なってくる。また，税務執行のあり方にも少なからず影響を与える。それゆえ，その趣旨や目的を明確にすることが望まれるのである。

〔交際費課税の廃止論〕

(5) このような趣旨の交際費課税ではあるが，制度創設時から，実業界を中心として廃止や緩和の要望は根強い。特に交際費課税制度は，理論が政策によってゆがめられ，租税そのものを罰金・科料と同様に考えるもので適当でない，という指摘があった(注113)。

　交際費課税の理論的問題は，交際費はまぎれもない企業経営上の経費であるという点であろう。交際費が経費性を有することは疑いない。しかし，法人税が交際費を損金にしないのは，そのような経費性の有無ではなく，上述したようなもっぱら政策上の理由に基づく。法人税は交際費が経費性を有することは百も承知のうえで，あえて損金算入を否定しているのであるから，経費性だけで議論しても論点がすれ違うだけであろう。

(6) もっとも経費性の議論であっても，やや視点を変えて特に広告宣伝費との対比において，交際費を損金にしないのは納得できないということがいわれる。広告宣伝費は不特定多数の人々に対する支出であり，必ずしも販売促進に即効性はない。これに対し，特定の取引先に対する集中的な接待費や贈答費は，直接的に販売促進効果があり，広告宣伝費に比して無駄が少ない。それなのに広告宣伝費は無制限に損金になり，逆に交際費は全く損金にならないのは矛盾であるという(注114)。

　確かに，広告宣伝費も交際費も等しく販売促進費である。現実の企業経営をみれば，広告宣伝費だけで十分商売ができる業界と，どうしても交際費を出さなければならない業界があるのは事実である。交際費の支出を余儀なくされる業界からすれば，その取扱いが矛盾しているというのは，率直な感想

（注113）　中川一郎著『税法学巻頭言集』（三晃社，昭和42）46頁．
（注114）　居林次雄稿「税法上の使途不明金」税経通信48巻15号（平成5.12）23頁．

〔広告宣伝費課税論〕

(7) また，巷間，このような税制のため，どうせ法人税を納付するのなら税のかからない広告宣伝費に支出しようといった企業もあるといわれる(注115)。そのような事情もあってか，広告宣伝費は年々増加し，かつ，巨額になっている。そこで，課税の均衡を図るため広告宣伝費にも法人税を課すべし，という議論が古くから存する(注116)。

　しかし，**広告宣伝費課税**は実現をみていない。広告宣伝費を損金不算入にすることには，憲法の「表現の自由」の保障の観点から疑問であるとの指摘がある。もっとも，税法が合理的な基準でその損金算入を規制すること自体は憲法上の障害はない，という主張もされている(注117)。

　広告宣伝費は，その相手方に飲食や金品の提供を受けるといった利益が生じないのに対し，交際費はその相手方にいわばインピューテッド・インカムが生じる。また交際費はどうしてもダーティなイメージが払拭できない。このような点をとらえて，交際費課税はその相手方の利益に対する課税を代替するものである，という議論もある。この代替課税論の当否はともかくとして，このような性格の違いもあり，広告宣伝費と交際費を同列で論じるのはむずかしい。

〔定額基準の問題点〕

(8) 交際費課税の廃止論がある一方で，たとえば資本金が1億円以下の法人に認められている800万円という損金算入の定額基準すら問題であるという意見がある。800万円が損金として認められるのであれば，交際費は使わなければ損だという口実に基づく浪費が増えるという。しかし，定額基準は経営

(注115) 山本夏彦著『私の岩波物語』（文藝春秋，平成6）125頁．
(注116) 中川一郎著『税法学巻頭言集』（三晃社，昭和42）142頁．
(注117) 北野弘久著『現代企業税法論』（岩波書店，平成6）100頁．

基盤が脆弱で，特に得意先確保などのため交際費支出の必要性が高い中小企業に配慮する趣旨のものである。

いま一つ定額基準をめぐってよく聞かれる意見は，定額基準は中小企業でなく，むしろ交際費の支出が多額にのぼる大企業にこそ認めるべきではないか，というものである。その場合，定額基準は現行のような資本金だけでなく，取引規模，業種，業態なども加味したものとすべきであるという。

交際費課税は，世論の批判や課税ベース拡大の見地から年々強化される傾向にあるが，現行のように原則損金不算入となっているのがよいかどうかは，永遠の検討課題であろう。

〔必要不可欠な交際費の取扱い〕

(9) 交際費課税廃止の議論に関連して，税法上の交際費等の範囲に関して問題提起がある。たとえば，事業経営上には必要欠くべからざる交際費があるという。その必要不可欠な交際費まで交際費等の範囲に取り込んで損金算入を規制するのは，交際費課税の目的が冗費の抑制にある点からみて行き過ぎではないか，という意見である。

法律上，上述した交際費等の範囲から次の費用は除かれている（措法61の4④，措令37の5）。

イ　もっぱら従業員の慰安のために行われる運動会，演芸会，旅行等のために通常要する費用

ロ　飲食その他これに類する行為のために要する費用で1人当たり5,000円以下のもの

ハ　カレンダー，手帳，扇子，うちわ，手ぬぐいその他これらに類する物品を贈与するために通常要する費用

ニ　会議に関連して，茶菓，弁当その他これらに類する飲食物を供与するために通常要する費用

ホ　新聞，雑誌等に出版物または放送番組を編集するために行われる座談会その他記事の収集のために，または放送のための取材に通常要する費用

ロの飲食費等は，平成18年の税制改正により追加されたもので，常識的な範囲内の飲食費については，冗費ないし濫費とはいえないということである。

(10)　特にニとホの費用は本来交際費であるが，必要欠くべからざる費用として交際費等の範囲から除かれているとみることができるから，必要不可欠な費用を交際費等の範囲から除くというのは法律的にも根拠のないことではないという。しかし，一般には事業遂行上必要な支出であるというだけでは，交際費等に当たらないという理由にはならない，と解されている(注118)。その背景には，事業遂行上の必要性は企業の主観に負うところが大きいから，その判定を税務当局が行うことの困難さという点も考慮されていよう。

　しかし，交際費課税の本質論からすれば，たとえば対価性の明らかな交際費の取扱いなど，いま一度，原点に立ち返って検討してよい課題である。

(11)　平成26年の税制改正により，大企業，中小企業を問わず，接待飲食費の50％相当額は損金算入が認められることになった（措法61の4①）。この改正は，接待飲食費は相手方の趣味，嗜好を満足させる側面等が少なく，現在の企業ガバナンスを斟酌すれば，企業にとって必要不可欠な本来の事業費である，というのが一つの趣旨である。このような趣旨からすれば，この減税措置は継続すべきであろう。

　しかし，むしろ消費税率引き上げ後の消費の拡大を通じた経済の活性化を図る，というのが改正の大きな趣旨である。特に交際費課税は，地方の繁華街等の飲食店への影響が大きく，地方経済の活性化を妨げている，との指摘がみられる(注119)。

　ただ，そもそも企業接待を「好ましくない」と答える人は71％にのぼり，企業のコンプライアンス強化の動きからすれば，大企業の接待は今後減少傾向と予想する人が主流という(注120)。

(注118)　東京地判昭和50.6.24税資82号222頁.
(注119)　財務省主税局『平成26年改正税法のすべて』（平成26.7）577頁.
(注120)　日本経済新聞（朝刊）平成26.1.13，平成26.1.21.

〔交際費等からの祝い金控除の可否〕

(12)　交際費等の範囲をめぐるいま一つの議論は，たとえば創立記念パーティを開き，その費用が1,000万円かかったが，一方，招待客が持参した祝い金が400万円あった場合，交際費等とすべき金額は1,000万円か600万円か，というものである。

　現在の課税実務における結論を先に述べれば，交際費等は1,000万円ということである。これは判例や裁決例でも認められており，定着した解釈といってよい(注121)。交際費課税は，交際行為に着目して課税するいわゆる行為課税であるから，さきの例でいえば交際行為は1,000万円の規模であるから，税法上の交際費等は1,000万円であるという。そして，招待客は招待客でパーティの機会を利用して別途400万円の交際行為をしたことになり，同一の機会に主催者と招待客との二つの交際行為が行われたというのである。

(13)　これに対しては異論が存する。その論者は，招待客がパーティへの出席に当たり祝い金を持参するのは社会慣行として定着しており，いわば義務的なもので主催者のパーティ費用に充当されることが予定されているという(注122)。また，実質的にその企業が負担したのは600万円であるのに，交際費等を1,000万円とすると400万円部分は二重課税になるという問題もある。

　しかし，祝い金を持参するという社会慣行があることは事実であるが，主催者とすれば招待客が祝い金を持ってくるかどうかにかかわらず，1,000万円の費用は要するのである。交際費課税が冗費の抑制を目的とするものであってみれば，交際費の総量を規制するのが適当ということになる。

〔無料入場券による招待の交際費性〕

(14)　また，議論があるのは，遊園地業者がマスコミや事業関係者に配付した無

（注121）　最高判平成3.10.11税資186号846頁，国税不服審判所裁決昭和62.8.25裁決事例集No.34・118頁，大淵博義著『法人税法解釈の検証と実践的展開　第Ⅱ巻（改訂増補版）』（税務経理協会，平成26）335頁．
（注122）　武田昌輔著『即答　交際費課税』（財経詳報社，昭和63）26頁．

料入場券による入場からも交際費等が生じるのかどうか，が争われた事件である。

課税庁は，特定の者に対して無料入場券を配付し，その配付を受けた者が無料で入場することは接待行為に当たるという。そのうえで，飲食・物品販売の売上原価の額および減価償却費，租税公課等を除外した遊園地業の運営原価を総入場者数で除した1人当たりの遊園地業の原価を算出し，これに配付した無料入場券数を乗じた額を交際費等の額と認定した。この事件について，東京地裁および東京高裁とも課税庁の更正処分を支持している(注123)。

しかし，これに対しては異論が少なくない。交際費課税を定めた措置法62条4項は「交際費等とは，……接待等のために支出するものをいう」と規定しているところ，マスコミや事業関係者が無料入場したからといって，接待等のために支出する費用はないという。有料入場者のみであろうが無料入場者があろうが，遊園地業の原価相当の支出額の総額に変動はないのである(注124)。

この「接待等のために支出する費用」という点に関し，実務上，会社が取引先等の接待等のためのゲストハウスやヨット等を取得した場合，その取得費用ないし減価償却費が交際費等に該当するのかどうか議論になることがある。もちろん，これら資産を取得しただけでは接待等の行為はないから，その取得費用が交際費等に該当することはない。また，これらの資産の減価償却費も支出する費用ではないから，交際費等には該当しないといえよう。

時として，課税庁からこれらの費用もすべて交際費等に該当するのではないか，という指摘がみられ，交際費課税の範囲を拡大解釈する傾向にあるようにも思われ留意を要する。

(注123)　東京地判平成21．7．31税資259号143頁，東京高判平成22．3．24税資260号48頁．
(注124)　大淵博義著『法人税法解釈の検証と実践的展開　第Ⅱ巻（改訂増補版）』（税務経理協会，平成26）244頁．

〔損失補てんの交際費問題〕

(15) 交際費等の範囲に関してかつて話題になったのは，証券会社の損失補てんである。マスコミの報じるところによれば，証券会社がバブルの崩壊による株価の下落に伴い損失をこうむった一部大口顧客の損失を補てんしたが，その損失補てんを課税当局は交際費等と認定して課税した。その理由は，一部大口顧客だけに損失補てんをしたのは，今後の取引の継続や拡大を期待しての得意先の歓心を買うためである，ということのようである(注125)。

これに対しては，異論を唱える声がある。損失補てんは法に触れ，社会的批判に値するという問題はあっても，それだけで交際費等であるとはいえず，本質的には損害賠償金ないし寄附金ではないかという。その背景には，交際費等というのは基本的に飲み食いや金品を贈答するための費用であるのに，最近，交際費等の範囲が拡大されて解釈される傾向にあるのではないか，という問題意識があるようである(注126)。

最近でも，ある証券会社が外国為替証拠金取引（FX取引）をめぐって顧客に損失補てんをした疑いで，強制捜査が入ったことが話題になった。

3-13　使途不明金

〔概　要〕

(1) 使途不明金は古くて新しい問題である。古くから多くの疑獄事件のたびに取りざたされたし，近いところでは平成5年から6年にかけてのゼネコン汚職事件がみられた。その**使途不明金**に対する税務上の取扱いの概要は，次のとおりである。

　イ　法人が交際費，機密費，接待費等の名義をもって支出した金銭でその費途が明らかでないものは，損金の額に算入しない（基通9-7-20）。

（注125）　日本経済新聞（東京，平成3.7.6）1面.
（注126）　武田昌輔・大島隆夫対談「交際費課税の基本的考え方と問題点」税経通信50巻6号（平成7.4臨時）2頁，14頁.

ロ　役員等に対して機密費，接待費，交際費，旅費等の名義で支給したもののうち，その法人の業務のために使用したことが明らかでないものは，その役員等に対する給与とする（基通9－2－9(9)）。

ハ　法人はその使途秘匿金の支出について法人税の納税義務があり，法人が平成6年4月1日以後に使途秘匿金の支出をした場合には，通常の法人税に加え，その使途秘匿金の支出額の40％相当額の法人税を納めなければならない（措法62）。

(2)　イとロが使途不明金損金不算入制度，ハが**使途秘匿金課税制度**であり，使途不明金に関する法人税の取扱いは，二つの制度から成っている。この二つの制度の適用により，使途不明金に対しては法人税と地方税とを合わせて100％近くの税負担がかかる。

使途秘匿金課税制度は，平成6年の税制改正により新設された。そこでは「使途秘匿金」の用語が使われているが，これは企業自身の立場からみたものであり，基本的に使途不明金と同義である。追加課税の対象になる**使途秘匿金**の支出とは，法人がした金銭の支出のうち，①その相手方の氏名（名称），②住所（所在地）および③その支払事由の三つを帳簿書類に記載していないものをいう。ただし，相手方の氏名等を記載していない場合であっても，次に掲げる取引は使途秘匿金の支出にならない（措法62②③）。

イ　その記載をしていないことに相当の理由がある取引

ロ　その支出した金銭または金銭以外の資産が資産の譲り受けその他の取引の対価の支払とされたものであることが明らかな取引

ハ　税務署長がその記載をしていないことが相手方の氏名等を秘匿するためでないと認める取引

〔使途不明金損金不算入の法理〕

(3)　使途不明金の損金不算入が初めて法令・通達において明らかにされたのは，昭和25年の法人税基本通達においてである。もっとも，それ以前においても，たとえば交際費のその使途が明確でない場合には，利益処分の賞与として課

税が行われていた(注127)。

　この基本通達の取扱いが現行法人税基本通達に引き継がれ，現在でも使途不明金の損金不算入は，通達で定められている。法人が支出する費用の損金算入を否認するといった取扱いを通達で行うのは，租税法律主義の観点から問題であるとの指摘が従来からあった(注128)。その指摘に応えるため，平成６年の税制改正により使途秘匿金課税制度が租税特別措置法に規定された際，併せて使途不明金の損金不算入を法定することもできたであろう。

　しかしあえてそれをせず，使途不明金の損金不算入は，依然として法律ではなく通達で定められている。それはなぜだろうか。

(4)　それは，使途不明金の損金不算入は，法定するまでもなく条理上当然のことであるからである。もっとも，企業経営の立場から，使途不明金は企業収益の向上を図るために必要視される面があり，一律に使途不明金であるがゆえに全額を損金不算入にする税制は，弱い立場の企業に重い負担をかける結果をきたす，という反論がみられる(注129)。この反論は，新設された使途秘匿金課税制度にもあてはまるであろう。

　それでは，その損金不算入の法理はどのように考えたらよいのであろうか。その考え方にはいろいろある。

　まず一つの考え方は，法人税の損金は事業関連性のあるものでなければならないが，使途不明金はそれが不明であるから損金にならないというものである(注130)。二つめは，法人税の損金は原価，販売費・一般管理費その他の費用および損失であるが，使途不明金はこれら損金のいずれにも該当しないという考え方である。また，法人税の損金は一般に公正妥当と認められる会計処理の基準に従って計算されるが（法法22④），使途不明金を損金として認めることは公正妥当な会計処理とはいえない，という考え方もある。

(注127)　片岡政一著『會社税法の詳解』（文精社，昭和18）246頁．
(注128)　首藤重幸稿「使途不明金の理論的検討」日税研論集１号（昭和61）229頁．
(注129)　居林次雄稿「税法上の使途不明金」税経通信48巻15号（平成5.12）27頁．
(注130)　東京地判平成６．９.28税資205号653頁，東京高判平成７．９.28税資213号772頁．

いずれの考え方も相当の説得力を持っているが，法的根拠という点からすれば，法人税における損金の概念から使途不明金の損金性を否定する二つめの説が妥当なように考える。

〔使途不明金の範囲〕

(5) 使途不明金は，①社外に流出したものであることおよび②使途が不明であることの二つの要件が必要である。

①の要件は，社内に留保されている限り使途不明金ではない，ということを意味する。役員に対して支給した金額のうち，法人の業務のために使用したことが明らかでないものを役員給与としているのは，その金額は機関としての役員という企業内にとどまっているとみられるからである。

②の要件は当然のようであるが，一口に使途が不明であるといっても，何が不明であれば使途不明金になるかである。使途が不明であるというのは，課税当局の立場からみれば，企業がした金銭の支出の相手方に対する課税ができないような状態にあることをいう。したがって，前述した使途秘匿金と同じく，相手方の氏名，住所およびその事由の三つが分からない支出が使途不明金ということになろう。

(6) そこで問題は，現実の課税実務にあって，すべてこのように形式的，理論的に割り切って，使途が不明であればすべて損金算入が否認されるのかどうかである。

たとえば，売上げは適正に計上されている。しかし，その仕入れについては，諸般の事情があって仕入先の氏名や住所は明かせない，あるいはいわゆるバッタ屋から仕入れたため企業自身も分からないというような場合，その仕入れは損金算入が認められないのであろうか。

確かに，この場合の仕入れが使途不明であることは疑いないから，形式的には損金算入が認められないのは当然であるといえよう。これに対して，事業遂行上，使途を秘匿しなければ企業自体の存続に著しい影響を生ずるような場合には，やむを得ないものとして損金算入を認めるべきであるという趣

旨の見解が幅広く存する(注131)。

　　先の仕入れの例のように，売上げの原価となる仕入れのその氏名や住所が不明であるからといって，すべて使途不明金というのは実情に合わない場合が考えられる。盗品でもない限り，売上げがある以上その仕入れがあるのは当然だからである。仮に，その仕入れを使途不明金として損金算入を否認し，売上げだけに課税するとすれば，所得のないところに課税する結果になる。そのような事態はできるだけ避けるべきであろう(注132)。

(7)　国税不服審判所の裁決例には，外注工賃の支払先を外注依頼時の条件その他の事情により明らかにしない場合でも，①補助簿に数量，単価が記載され，②製品の種類，数量，製造工程からみてその加工は必要なものであり，③自社の作業員の作業能力からみて自社では加工できない，としてその外注工賃の損金算入が認められた事例がある(注133)。

　　このように，使途不明金は形式的に損金不算入にされるべきではなく，支出事由が明らかでその支出することに必然性があり，かつ，その支出金額が確認できるときは，使途不明金課税の適用はないものと考える(注134)。

　　しかし，仮に使途不明金のうちから損金算入を認めるにしても，おのずから限界があって，それは売上げに直接対応する原価に限られるべきである。もちろん，その前提として，少なくとも支出した金額が原価を構成するものであることは判明していなければならない。

〔使途秘匿金課税制度の趣旨〕

(8)　つぎに使途秘匿金課税制度をめぐる論点を検討していくが，まずその趣旨をみておこう。

（注131）　松沢　智著『租税実体法』（中央経済社，昭和51）305頁．
（注132）　柿塚正勝著『使途秘匿金』（税務経理協会，平成6）31頁．
（注133）　国税不服審判所裁決昭和48.12.10東京裁決事例集No.9・3頁
（注134）　東京地判昭和51.7.20訟務月報第22巻11号2621頁，東京高判昭和53.11.30訟務月報25巻4号1145頁．

平成5年から6年にかけて次々に発覚したゼネコン汚職事件は、社会に改めて使途不明金の問題を認識させるとともに、厳しい批判を浴びた。これに伴い、税制になんらかの使途不明金の防止策を講じるべきではないか、との声が高まってきた。

　この点に関して、税制調査会の答申では次のように述べている[注135]。すなわち、「企業が税務当局に対し相手先の氏名等を秘匿するような支出は、違法ないし不当な支出につながりやすく、それがひいては公正な取引を阻害することにもなりかねないという問題がある。近年、企業の使途不明金の額は多額に上っており、これをそのまま放置することには社会的な問題があること等にかんがみれば、そのような支出を極力抑制する見地から、税制上追加的な負担を求めることもやむを得ないのではないかとの意見が少なくない。」と。

(9)　このような状況を背景に、使途秘匿金課税制度は、違法ないし不当な支出につながり、公正な取引を阻害することになる、相手方を秘匿するような支出の抑制を目的に創設された。

　このようにして創設された使途秘匿金課税制度は、使途秘匿金の支出の相手方に対する課税を代替するものではない。あくまでも、使途秘匿金の支出の抑制を目的にその支出をする企業に対して追加的な負担を求めるものである。これを、相手方の課税の代替ではなく、企業に対する自己責任として課税するのであり、その根拠は相手方との税を免れさせるとの共謀による援助行為としての共同責任で、不真正連帯責任ともいえる、と理論づける考え方もある[注136]。

〔使途秘匿金課税制度に対する評価〕

(10)　使途秘匿金課税制度は、いわば社会の後押しにより創設されたとはいえ、

(注135)　税制調査会「平成6年度の税制改正に関する答申」（平成6.2.9）．
(注136)　松沢　智稿「使途秘匿金と課税の法理」税経通信49巻7号（平成6.6）8頁．

必ずしも全面的な評価を受けているわけではない。

　まず，これを積極的に評価する意見をみてみると，用語が「使途不明金」から「使途秘匿金」に変わったということは，単に用語の問題ではなく，取るための税法から納税者のための税法に転換したという意味で画期的であるという意見がある。そして，使途秘匿金だと，納税者にとって事業遂行上，ときには使途を知られたくない場合があるが，その場合には「相当性」の範囲内ならば費用性を容認してもよいではないかとする納税者の側の論理が出てくるという(注137)。

　確かに，この意見に関連して，使途秘匿金の範囲から「相当の理由」のあるものおよび「対価性」のあるものを除外しているのは，実態に即したものとして評価できる。

(11)　これに対して，そもそもこのような制度自体を税法に定めるのは疑問だとする議論がある。すなわち，その議論は，違法ないし不当な支出の抑制といった問題は，本来，商法（会社法）や刑法で扱うべき事柄であり，それを税制に求めるのは，使途不明金は悪であるという倫理観や感情論を税制に持ち込むもので税の中立性を損ない，適当でないという。また，追加課税を行うと，使途不明金がますます地下に潜るおそれがあるという問題点も指摘されている(注138)。

　このような議論を踏まえて，企業活動や税務執行の様子をみる意味もあり，使途秘匿金課税制度は当初平成6年4月1日から平成8年3月31日までの時限立法とされた。

　ところが，平成26年の税制改正により適用期限がなくなり，恒久的な制度とされた。これは，依然として使途秘匿金の支出が跡をたたない，というこ

（注137）　松沢　智稿，前掲，9頁．
（注138）　吉國二郎・大島隆夫対談「平成6年度税制改正の方向」税経通信49巻5号（平成6.4）134頁，吉國二郎稿「わが国税制の回顧と展望」税経通信50巻1号（平成7.1）46頁，武田昌輔編著『企業課税の理論と課題』（税務経理協会，平成7）86頁参照．

とかもしれない。ちなみに、平成25年度の使途秘匿金の支出は、1,054法人60億円となっている(注139)。

(12) また、使途秘匿金課税制度は所得を課税標準とする法人税と相容れないのではないか、という指摘がある。使途秘匿金の追加課税は一種の法人税の付加税であるという点では、土地譲渡益重課制度（措法62の3、63）と類似している。しかし、土地譲渡益重課制度は土地の譲渡利益を課税対象にしているから、まだ所得を課税対象にする法人税の枠内に収まるといえる。

これに対して、使途秘匿金課税制度は、使途秘匿金の「支出」という行為をとらえて課税対象にするものであり、所得を課税標準とする法人税からすれば相当に異質である。そこで、その規定（措法62）の冒頭において、「法人は、その使途秘匿金の支出について法人税を納める義務がある……」とわざわざ宣言したのであろう。

法人税は所得課税であるという基本を守るためには、本来であれば使途秘匿金課税制度は法人税とは別建ての立法をすべきであったかもしれない。しかし、そこまでの必要性もボリュウムもない。むしろ法人税の枠組みのなかで処理する方が、使途不明金の損金不算入との整合性がとれるし、企業および税務当局にとって事務処理の簡素化にも役立つと思われる。

〔相当の理由〕

(13) すでに述べたように、追加課税の対象になる使途秘匿金とは、法人がした金銭の支出のうち、相当の理由がなく、その相手方の氏名等を帳簿書類に記載していないものをいう（措法62②）。したがって、帳簿書類に相手方の氏名等を記載していなくても、相当の理由があれば使途秘匿金にはならない。そこで、「相当の理由」とは何か、ということが問題になる。

相当の理由というのは、使途秘匿金課税制度が創設された趣旨からすると、現金取引、小口取引、不特定多数取引といった取引の性格や商慣習などから

(注139)　日本経済新聞（朝刊）平成27.8.11.

みて，相手方の氏名等を記載しなくてもやむを得ないと認められるような事情をいうと解される。つまり，取引の性格や商慣習などからみて，はじめから相手方の氏名等を確認せず，あるいは氏名等が分からないのが普通であり，帳簿書類への記載を期待する方に無理がある，といった場合のことである。たとえば，女中や運転手へのチップ，バス・鉄道の運賃の支払，カレンダー・手帳等の広告宣伝用品の頒布などがその例である。

　また，火災や風水害，盗難により帳簿書類が消失したような場合も，相当の理由があるといえよう。このような場合は，企業の意図しないことで，使途を秘匿する意思はないが，結果的に相手方の氏名等が分からなくなったものであるからである。

(14)　このように，相当の理由というのは，使途秘匿金課税制度の趣旨から判断すべきである。一部には，相手方に刑事問題が生じるとか，今後の取引ができなくなるといった理由も相当の理由に当たるのではないか，という見解がある[注140]。これらが企業経営にとって切実な問題であることは理解できなくはない。

　しかし，このような理由が相当の理由に当たるとすると，この制度自体の意味がなくなる。使途不明金の実態にかんがみ，この制度はそもそもそのような取引の抑制を目的にしているのである。したがって，このような理由は相当の理由にはならないというべきである。

3－14　租税公課等

〔損金不算入の租税公課〕

(1)　**租税公課**とは，国その他の公共団体がその目的を達成するために強制的に賦課徴収するものの総称である。経済社会が複雑になり，国などが達成しよ

(注140)　根岸欣司・横山茂晴・柿塚正勝・渡辺淑夫座談会「使途不明金等を巡る税務問題」税経通信49巻6号（平成6．5）160頁参照．

うとする政策が高度になってくると，租税公課の種類も賦課の目的も多種多様になる。企業が納付する租税公課は，その賦課の目的などに応じて課税上の取扱いが定められている。

　従来，損金不算入の租税公課等は，法人税法第38条にまとめて規定されていたが，平成18年の税制改正により，加算税，罰金等は脱税経費等と一緒に同法第55条に定められた。

　まず，租税公課のうち次に掲げるものは損金の額に算入されない。

イ　法人税および地方法人税（退職年金等積立金に対する法人税等，還付加算金に相当する法人税等および利子税を除く。法法38①）

ロ　人格のない社団・財団等が納付する贈与税および相続税（法法38②一）

ハ　道府県民税および市町村民税（都民税を含み，退職年金等積立金に対する法人税にかかるものを除く。法法38②二）

ニ　連結納税に伴い支払う法人税等の負担額（法法38③④）

ホ　第二次納税義務により納付すべき国税および地方税（法法39，法令78の2）

ヘ　外国子会社配当等にかかる外国源泉税等（法法39の2，法令78の3）

ト　法人税額から控除する所得税額および外国法人税額等（法法40〜41の2）

チ　延滞税，過少申告加算税，無申告加算税，不納付加算税および重加算税ならびに過怠税（法法55③一）

リ　延滞金（納期限延長にかかるものを除く），過少申告加算金，不申告加算金および重加算金（法法55③二）

ヌ　罰金および科料（通告処分による罰金または科料に相当するものおよび外国または外国の地方公共団体が課する罰金または科料に相当するものを含む）ならびに過料（法法55④一）

ル　国民生活安定緊急措置法の規定による課徴金および延滞金（法法55④二）

ヲ　独占禁止法の規定による課徴金および延滞金（外国，外国の地方公共団体または国際機関が納付を命ずるこれらに類するものを含む。法法55④三）

ワ　金融商品取引法の規定による課徴金および延滞金（法法55④四）

カ　公認会計士法の規定による課徴金および延滞金（法法55④五）

ヨ　景品表示法の規定による課徴金および延滞金（法法55④六）

〔損金算入の租税公課〕

(2)　これに対して，上記に掲げる租税公課以外のものは損金の額に算入される。たとえば，次に掲げるような租税公課である。これらの租税公課は，事業経営上のコストとしての性格を有しているから損金になる。

　　イ　退職年金等積立金に対する法人税および地方法人税，還付加算金に相当する法人税等および利子税
　　ロ　道府県民税および市町村民税のうち退職年金等積立金に対する法人税にかかるもの
　　ハ　納期限延長にかかる延滞金
　　ニ　事業税および特別法人事業税
　　ホ　固定資産税，都市計画税
　　ヘ　不動産取得税，自動車取得税，特別土地保有税，事業所税，登録免許税
　　ト　酒税，印紙税
　　チ　汚染負荷量賦課金，公害健康被害特定賦課金，障害者雇用納付金（基通9－5－7）

〔還付金の取扱い〕

(3)　法人が納付した租税が過大である場合には，その過大分の租税は還付を受け，または未納の租税に充当される（通法56，57）。その還付を受け，または充当される租税を**還付金**という。還付金の課税上の取扱いは，その租税を納付した際の取扱いに連動している。

　すなわち，納付した際に損金の額に算入されない上記(1)に掲げる租税の還付等を受けた場合には，その還付金は益金の額に算入されない（法法26）。納付した際に損金になっていないのであるから，その還付を受けても益金にならないのは当然である。

　これに対して，上記(2)に掲げる租税の還付等を受けた場合には，その還付

金は益金の額に算入される。これら租税は，納付したときに損金になっているからである。

〔法人税等の損金不算入の論理〕

(4) 上述したように，法人が納付する**法人税**は原則として損金にならない。法人税が損金にならなくなったのは，昭和15年の税制改正により「法人税」が創設された以後のことである。それまでは，法人税という固有の租税はなく，法人が稼得した所得には第一種所得税が課されていたが，その所得税は損金の額に算入されていた。

　それが損金不算入に改正された理由として，当時，次のような点があげられている(注141)。

イ　法人税を損金に算入することは，株主の実感には合うであろうが，法人を別個の納税主体として考えるときは，あまりに株主の持分に立脚することに膠着した観念であり，理論上妥当でないこと。

ロ　法人税を損金に算入すると，事業利益は毎期同様である場合においても，課税所得は一期交替にはなはだしく波動を生ずることとなり，負担公平の見地から好ましくない現象を生ずること。

ハ　税引所得を課税標準とすることは税率を実質以上に高めなければならず，納税者の心理にも好ましくない影響を及ぼすこと。

　このような事情を考慮して，法人税は毎期生じた利益自体をもって支出するとの考え方のもとに所得を計算する仕組みになったのである。この考え方は，道府県民税および市町村民税についても妥当する。

(5) しかし，伝統的に法人税の転嫁論から法人税の費用性については議論がある。その説くところは，法人税の課税方法がどうであれ，法人税もコストにほかならず，価格に上乗せして消費者に転嫁されるから，法人税も費用性を有するという。昭和15年当時，財界においては，この改正は法人の負担を過

(注141)　片岡政一著『會社税法の詳解』（文精社，昭和18）108頁，216頁。

重ならしめるものとして強い反対があった(注142)。

　もっとも，実業家が法人税を原価と考えることは決して確かなことではなく，仮にそう考えたとしても，このことが実業家の行動に重大な影響を及ぼすかどうかも確かではない，といった指摘もある(注143)。

　また，一方では，法人税のような所得を課税標準とする人税にあっては，そもそもその法人税を損金にすることはできないといわれる。個人に対する所得税の課税上，その所得税が必要経費にならないのと同じく，法人税も費用にはならないというのである(注144)。

〔罰科金等の損金不算入〕

(6)　すでに述べたように，各種加算税（加算金）や**罰科金**は損金にならない。これら罰科金等を損金の額に算入するとすれば，実質的にその罰科金等の一部は国が負担したと同様の結果になり，制裁効果が減殺される。そのため，昭和20年の税制改正以来，罰科金等は損金不算入とされている。また，罰科金等は国などの公共政策に反したがゆえに課されるものであるから，そもそも損金にすべきではないともいわれる。

　もっとも，罰科金等については，単なる感情的な税法的でない考え方で損金性を判断すべきではなく，罰科金等がそもそも必要経費であるかどうかという観点からその判断をすべきである，という意見もある(注145)。法人税の中立性を確保すべきである，ということであろう。

(7)　この罰科金等の損金不算入は限定列挙であるから，その性質が罰科金等に類するものであっても，罰科金等に当たらないものは損金になる。

(注142)　昭和財政史史談会『戦時税制回顧録（復刻版）』（租税資料館，平成18）72頁．
(注143)　R・グード著，塩崎　潤訳『法人税』（今日社，昭和56）53頁．
(注144)　田中勝次郎著『法人税法の研究』（税務研究会，昭和40）254頁，井手文雄稿「法人税の費用性について」（『租税財政論集第１集』日本租税研究協会，昭和40所収）5頁参照．
(注145)　田中勝次郎著『法人税法の研究』（税務研究会，昭和40）269頁．

たとえば，刑法の規定による没収金や追徴金は，罰科金等ではないから損金にしてよい。

これに関連して，かつて通達で**交通反則金**は損金にならない（旧基通9－5－5）とされており，この点が議論になった。すなわち，交通反則金については，法律に損金不算入にする旨の規定がないが，租税法律主義の観点から立法による解決を図るべきであるといわれる(注146)。この点，平成18年の税制改正により，法制化された（法法55④一）。

なお，損金不算入の対象になる罰科金等は，従来，わが国の税法や刑法に基づき課されるものに限られていた。しかし，平成10年の税制改正により，外国または外国の地方公共団体から課された罰科金も損金不算入とされた。この罰科金は，裁判手続（刑事訴訟手続）を経て外国またはその地方公共団体から課されるものをいい，いわゆる司法取引により支払うものを含む（基通9－5－9）。わが国企業は，今後ますます外国における事業活動を拡大していくと考えられるが，そのような企業は，当然ながらその国の法令を遵守することが強く求められる。

平成21年には，外国等から納付を命ぜられた独占禁止法による課徴金および延滞金に類するものも，損金不算入とされた（基通9－5－10）。

〔事業税の損金算入時期〕

(8) 上記(2)に掲げる租税は損金の額に算入される。これら損金になる租税のうち，申告納税方式によるものの損金算入時期は，原則として次に掲げる日である（基通9－5－1）。

イ 納税申告書に記載された税額は，その納税申告書が提出された日
ロ 更正または決定による税額は，その更正または決定があった日

申告納税方式による租税は，イまたはロの日に納付すべき税額が確定する（通法16）。損金になる租税は，ほかの販売費や一般管理費と同じであるから，

(注146) 井上久彌著『税務会計論』（中央経済社，昭和63）172頁。

その債務が確定した時に損金になるのである。

　事業税（特別法人事業税）も申告納税方式による租税であるから，原則としてイまたはロの日において損金になる。ただし，その事業年度の直前事業年度分の事業税の額については，その事業年度末までにその全部または一部につき申告，更正または決定がされていない場合であっても，その事業年度において損金の額に算入してよい（基通9－5－2）。

(9)　このように**事業税の損金算入時期**には特例があるが，それでも当期分の確定申告事業税を当期の損金にすることまでは認められていない。この点につき，会計の視点からは当期の事業税は当期の損金とするのが合理的であり，通達を会計基準に整合させるべきであるとの意見がある[注147]。

　確かに，従来，事業税は当期の所得金額等に見合って納付すべき額を損益計算書の営業費用項目とし，その未納付額は未払事業税等として貸借対照表に計上するのが企業会計の実務であった。

　しかし会計上，事業税の取扱いについては，現行事業税は課税標準が所得金額であり，法人税や住民税となんら異ならないから，法人税や住民税と同じ取扱いをすべきである，という主張が少なくなかった[注148]。そこで，平成9年6月と平成10年12月には連結財務諸表原則と財務諸表等規則が改訂され，利益を課税標準とする事業税は法人税等と同じ取扱いをすることとされた。

　すでに述べたように，法人税や住民税の理論的性格については，費用説と利益処分説とがあり，法人税および住民税は利益処分説で処理されている。これに対し，事業税は平成15年の税制改正により，付加価値および資本を課税標準とする外形標準課税が導入されたので，法人税等とは異なる性格であることが強くなってきた。

（注147）　井上久彌著『税務会計論』（中央経済社，昭和63）171頁.
（注148）　中村　忠著『新版　財務諸表論セミナー』（白桃書房，平成3）114頁，辻敢稿「事業税の会計処理について」週刊税務通信No.2181（平成3.5.20）61頁.

〔税効果会計と法人税の関係〕

(10) 最近，法人税の課税所得と企業利益の計算構造が乖離し（「1-7 課税所得の計算原理」参照），当期の納付すべき法人税，住民税および事業税が当期利益に対応しない傾向が強い。そこで企業会計においては，平成11年4月から法人税等を控除する前の当期利益と法人税等を合理的に対応させるための会計処理の方法，すなわち**税効果会計**が導入された。

しかし税効果会計は，あくまでも法人税等をいかに適切に期間配分するかという会計処理の方法に止まり，課税所得の金額に影響を及ぼすものではない。課税所得の計算上，当期の納付すべき法人税等（未払法人税等）はいくらの金額を計上しても，すべて損金にならないからである。

ただ法人税の申告実務にあっては，税効果会計の適用により計上される**法人税等調整額**についての申告調整が必要になる。すなわち，貸方・法人税等調整額は所得金額から減算し，借方・法人税等調整額は所得金額に加算しなければならない。

3-15 支払利子

〔支払利子の損金算入時期〕

(1) **支払利子**は，企業会計では（営業外）費用であり，法人税でも基本的には単純な損金になる。しかし，支払利子に関しては，会計上その費用性に議論があり，また，法人税の課税上も特例があるなど，その取扱いは必ずしも簡単ではない。

そこでまず，支払利子の損金算入時期からみていこう。

企業が支払う利子は，課税所得の計算上，借入期間の経過に応じその事業年度にかかるものが損金の額に算入される。これは，企業会計と同じ取扱いであり，発生主義が適用される典型例である。

しかし，法人が1年以内の借入期間分の利子を一括して支払った場合には，継続適用を条件にいちいち未経過分の利子を前払費用として処理せず，その

支払った時に支払った利子の全額を損金にすることができる（基通2－2－14）。ただし，たとえば借入金を預金，有価証券等に運用する場合のその借入金の利子のように，受取利子等の収益と対応させる必要があるものについては，厳密な期間計算をしなければならない（基通2－2－14(注)）。

(2) 上記**短期前払利子**の損金算入時期の特例（基通2－2－14）は，重要性の原則に基づく事務簡素化のために昭和55年に新設された。しかし，この特例は継続要件があるものの，特に金額的な制限が設けられていないため，企業によってはかなりの金額について費用の前倒し計上が可能になっている[注149]。そこで，現行の取扱いについては，なんらかの制限が必要ではないかとして，平成10年の法人税制改革の俎上にのぼったが，結局その見直しは見送られた。

(3) ところが，このような費用の前倒し計上が可能な点を利用して，法人税の実務においては，これを利益調整の手段に使っている例がみられる。たとえば，決算期末間際に銀行から1年間の約定で資金を借り入れたうえ，その利子を1年分前払し，決算においてその前払利子は一時の損金にする。そして，翌期首にはその借入金の全額を銀行に返済し，前払利子の返還を受けるのである。このような取引を行えば，何日分かの利子は払わなければならないが，それを超える税のメリットが享受できる。

　このような取引であっても，その借入れに必然性があり，また，その返済が真にやむを得ないものであれば，必ずしも利益調整とはいえないかもしれない。しかし，そのような事実がなく，単に短期前払利子の特例を利用するために作り出された取引であるとすれば，前払利子の一時損金算入は認められないことになる。それだけにとどまらず，仮装行為として重加算税が課されることになろう。現に判例では，重加算税の賦課は正当であるとされた事案がある[注150]。

(注149) 税制調査会報告「法人課税小委員会報告」（平成8.11）．
(注150) 名古屋地判平成5.12.22税資199号1312頁，名古屋高判平成6.12.27税資206号864頁，最高判平成7.7.4税資213号1頁．

〔支払利子の原価性〕

(4) 上述したように，支払利子は原則として費用になる。しかし，企業会計上，固定資産や棚卸資産などの資産を取得するための借入金の利子をその取得価額に算入すべきかどうかについては議論がある。

　肯定説は，費用収益対応の原則から，支払利子も収益の発生に対応させて費用化するためその原価に算入すべきであるという。一方，否定説は，支払利子は資金の使途と無関係に発生するという特質からみて，その発生期間の費用にすべきであるという考え方である(注151)。

　いずれの説が妥当かについて理論的に明確な基準はない。しかし，支払利子は金融上の費用であり，期間費用とするのが一般の慣行であるから，否定説が企業会計の実務である。

　もっとも，すべての支払利子の原価性が認められないわけではない。たとえば，自家建設の減価償却資産については，建設に要する借入金の利子で稼働前の期間に属するものは，取得価額に算入することができる（連続意見書第三）。

(5) 法人税の取扱いも全く同じである。棚卸資産や固定資産の取得または保有に関連して支払う利子であっても，その取得価額に含めなくてよい。固定資産の使用開始前の期間にかかる利子であっても，同様である（基通5－1－1の2，5－1－4(13)，7－3－1の2）。もちろん，その原価に算入してもかまわない。原価にするかどうかは企業の任意である。

　この法人税の取扱いに対して，バブル経済の頃，投機目的で借入金により不要不急の土地を購入する例が多かったため，それが地価の高騰を招いているとの批判を生み，その借入金の利子の損金算入を認めるのは問題だという議論があった。しかし，支払利子の損金算入を認めているのは，法人税独自の創設的・特例的な取扱いではなく，公正な企業会計の慣行に基づくものなのである。

（注151）　中村　忠編『対談　会計基準を学ぶ』（税務経理協会，昭和61）91頁．

〔旧土地の負債利子課税制度〕

(6)　上述したとおり，昭和も終わりのバブル期に，企業が借入金で投機目的の土地を取得する例が目立った。土地を買うための借入金の利子であっても損金になるから，借金をして利子を払えば，バブル景気によってもうけた本業の所得をその利子分だけ減らすことができたからである。

　そこで，借入金による土地取得を通ずる企業の税負担回避行為に対処し，併せて土地の仮需要を抑制する見地から，昭和63年12月の税制の抜本改革の一環として，いわゆる**土地の負債利子課税制度**が創設された。

　その制度は，法人が昭和63年12月31日以後に取得した土地等または土地保有法人の株式等を有する場合には，その土地等および土地保有法人の株式等にかかる6％相当額の負債利子は損金の額に算入しない，というものであった（旧措法62の2）。

　ところが，この制度は平成10年の税制改正により廃止された。最近，土地の価格は下落傾向にあるから，もはや土地取得のための支払利子の損金算入を規制する必要はない，ということである。

　資産を取得するための支払利子の損金算入の可否を，このような政策的な理由によって左右してよいかどうかは議論が存する。一方，むしろこれを一般的な課税上の取扱いとすべきであるとの意見もある。支払利子の本質論から資産の取得価額に含めるべきかどうか，論議する必要があろう。

〔過少資本税制〕

(7)　支払利子に関する課税上の特例の一つは，過少資本税制である。

　過少資本税制は，法人の国外支配株主等からの借入金の額がその国外支配株主等が有する自己資本部分の3倍を超え，かつ，法人の負債総額が自己資本金額の3倍を超える場合には，国外支配株主等に対して支払う利子のうち，その超える部分の借入金に対応する金額は損金の額に算入しない，というものである（措法66の5）。

　課税所得の計算上，出資に対する利益・剰余金の配当は損金にならないが，

借入金の利子は損金になる。わが国に所在する外国企業の子会社が，できるだけ資本金を小さくして所要資金の調達を外国親会社からの借入金に頼れば，企業グループ全体としてわが国における税負担を人為的に減らすことができる。こうした租税回避行為を防止するため，平成4年の税制改正により過少資本税制が創設された。

わが国企業の親子会社がこのような資金調達方法をとったとしても，わが国全体としては税負担に増減はない。したがって，この過少資本税制は，基本的に外国企業の子会社や在日支店だけに適用される。この点に関しては，わが国企業の自己資本比率が全産業平均で20％程度に推移しているような事情のもとで，外資系企業に対し、相手国の徴税攻勢に対抗するという理由のみで，国内租税法本則を欠いたままこのような立法措置を講ずるのは問題ではないか，という指摘がある(注152)。また，わが国が締結した租税条約のなかには自国と相手国との納税者の差別的取扱いの禁止を定めたものがあるが，そのような条約のもとにおいて，その対象を外資系法人に限るのは，条約違反になるおそれがあるともいわれる(注153)。

〔過大支払利子税制〕

(8) 資本金に比して過大な利子を支払う租税回避行為に対しては，過少資本税制で対応できる。ところが，過少資本税制だけでは，所得金額に比べて過大な利子を支払う租税回避行為には対処できない，という問題が生じてきた。

そこで，平成24年の税制改正により，過大支払利子税制が創設された（措法66の5の2，66の5の3）。その過大支払利子税制は，関連者等（持分割合50％以上の親会社，子会社等）への純支払利子等の額（利子等の受領者側でわが国所得税や法人税が課されるものおよび対応受取利子等を控除した額）のうち，調整所得金額（関連者純支払利子の額，減価償却費の額，受取配当等の益金不算入額等

（注152）　小松芳明著『国際取引と課税問題』（信山社，平成6）21頁．
（注153）　水野忠恒稿「過少資本税制」租税法研究21号（平成5.10）138頁参照．

を加算した所得金額）の20％相当額を超える部分の金額は損金不算入とするものである。この割合は，令和元年に通常の経済活動における支払利子の損金算入を妨げない水準として50％から20％に引き下げられた。

ただし，利子等の受領者側でわが国所得税や法人税が課税される場合や関連者純支払利子の額が2,000万円以下である場合，関連者支払利子等の額が支払利子等の額の20％相当額以下である場合には，この制度は適用されない。そのため，わが国法人にはその資金調達構造からみて適用例は少なく，主として外資系子会社に対して適用されよう。この点が，この制度の問題点である，という声がある。

〔支払利子の費用性〕

(9) 利益・剰余金の配当は費用にならないが，借入金の利子は費用になるという点に関しては，伝統的に論争がある。現在，支払利子は配当と異なり当然費用になると考えられているが，理論的には必ずしもそうではない。

企業実体（business entity）の立場から，利子も費用にならないという考え方がある。その考え方においては次のようにいう。経営者の見地からする企業利益は，資金の源泉いかんにかかわりなく，資金を利用したことによって産み出された利益でなければならない。経営者が資金をいかに有効に利用したかを判断する場合には，配当と同様に利子をも控除しない段階の利益額を対照させる必要がある。経営者の稼ぎ出した額は，すべて資金提供者に分け与える利益の全額である。利子も配当も期間純利益算定の段階におけるマイナス要素となるのではなく，純利益の分配項目なのである。資金が債権者から提供されようと，株主から提供されようと，経営者が稼ぎ出した利益に変化があってはならないというのである(注154)。

昔のように企業の所有と経営が一致し，株主が積極的に経営にかかわって

（注154）　番場嘉一郎稿「企業会計における利益概念」税経通信19巻4号（昭和39.4）56頁．

いれば，配当と利子の費用性の違いも理解できる。しかし，今日の特に大企業のように大多数の株主が経営に対して参加することが少なくなったことや，有価証券の形態が多様化した状況をみると，配当と利子との間に意味のある経済的区分はできない，というのも事実であろう(注155)。

3-16 貸倒損失

〔貸倒損失の損金算入〕

(1) 法人の有する貸付金，売掛金その他の債権については，原則として評価換えをして評価損を計上することはできない（法法33②）。しかし，これら金銭債権もその回収ができなくなれば無価値になる。無価値になった金銭債権は，企業会計では**貸倒損失**として「販売費」または「営業外費用」に計上する。法人税の課税上も，貸倒損失として損金になる。

　ところが，法人税法に貸倒損失を損金にする旨の「別段の定め」はない。通達において，その損金算入時期などの詳細が定められているだけである。これを租税法律主義の観点から問題視する向きもないではない。しかし，「別段の定め」がないのは，盗難，横領，災害などによる損失がことさら損金になる旨の規定がないのと同じで，貸倒損失は資本等取引以外の損失として当然に損金になるものだからである（法法22③三）。

　ただ，金銭債権の回収可能性の判断は法人の主観に負うところが大きく，貸倒損失の計上には微妙な問題がある。そのため，実務においてはしばしば納税者と税務当局との間で論争が生じる。そこで，取扱いの統一を図るため通達で詳細を明らかにしているのである。

〔貸倒れの判断基準〕

(2) 一口に貸倒れといっても，そもそも貸倒れとは金銭債権がどのような状態

（注155）　R・グード著，塩崎　潤訳『法人税』（今日社，昭和56）181頁。

になったことをいうのかが問題である。法人税においては，その貸倒れの判断基準を，基本的に①法律的または②経済的に債権が消滅したかどうかの二点に求めている。

　まず**法律的な債権の消滅**というのは，①会社更生法，民事再生法および会社法の規定，②合理的な基準による関係者の協議決定または③債権者の書面による債務免除により，金銭債権が切り捨てられた場合である（基通9－6－1）。金銭債権が切り捨てられれば，法的に債権がなくなってしまうから，その金銭債権は貸倒れとなる。この貸倒損失は，絶対的に債権がなくなるから必ずしも損金経理する必要はなく，申告調整でも損金算入ができる。

　①は法律の規定により，②は合理的な基準により，それぞれ債権が切り捨てられるから，特に寄附金などの問題が生じることはない。これに対して，③は債権者が任意に債権を切り捨てるものである。仮に金銭債権が回収不能の状態になっていないにもかかわらず，その切り捨てをした場合には，その金銭債権は債務者に贈与したものとして寄附金になる。

(3)　つぎに**経済的な債権の消滅**とは，その債務者の資産状況，支払能力等からみて金銭債権の全額が回収できないことが明らかになったことをいう（基通9－6－2）。これは法的には債権として残っているが，経済的に金銭債権が無価値になり消滅したものであるから，貸倒れになる。

　たとえば判例では，①破産，和議，強制執行等の手続を経たが債権全額の回収ができない場合，②債務者において事業閉鎖，死亡，行方不明，刑の執行等により，債務超過の状態が相当期間継続し，他から融資を受けることもできず，事業の再興が見込めない場合，③債務者の資産・負債の状況，事業の性質，経営手腕，信用，債権者による回収の努力・方法，債務者の態度を総合勘案して回収不能が明らかである場合に貸倒損失として計上できる，といっている[注156]。

　特に最高裁は，いわゆる住専事件に関して，債権が回収不能かどうかは，

（注156）　甲府地判昭和57.3.31税資122号847頁.

債務者の資産状況，支払能力等の債務者側の事情のみならず，債権回収に必要な労力，債権額と取立費用との比較衡量，債権回収を強行することによって生ずる他の債権者とのあつれきなどによる経営的損失等といった債権者側の事情，経済的環境等も踏まえ，社会通念に従って総合的に判断すべきであると判示した(注157)。この判決は，債権者側の事情をも考慮すべきであることを強調した点で注目され，この点を通達に明記すべきであるという意見は少なくない(注158)。

　この貸倒れは，法的には債権が存在しているから，法人が貸倒れの意思を表明するため損金経理が必要である，といわれている。申告調整による損金算入はできず，この点，法律的な債権の消滅と異なる。ただし，損金経理を要しないという判例もある(注159)。

　なお，経済的な債権の消滅の場合において，金銭債権に担保物があるときは，その担保物を処分した後でなければ貸倒れとすることはできない。担保物を処分した後でなければ，いくら貸倒れとなるかわからないからである。

(4)　以上が法人税における貸倒れの判断基準の基本であるが，もう一つ貸倒れとして認められる場合がある。すなわち，①債務者と取引を停止した後1年以上経過した場合または②同一地域の債務者について有する売掛債権の総額が取立費用に満たない場合には，その売掛債権は備忘価額を残して貸倒れにしてよい（基通9－6－3）。

　古くから売掛金等の弁済期後，時効期間を経過した債権は，貸倒れとして損金計上を認めるべきであるという意見がある。運賃や宿泊料，飲食費，商品代等は短期の消滅時効にかかっていた。したがって，たとえ法律上，消滅時効にかからなくても，時効期間が経過しその債権を一応償却したら，貸倒れとして損金計上を認めるのが経済的実態に合うというのである(注160)。

（注157）　最高判平成16.12.24民集58巻9号2637号．
（注158）　山本守之・成松洋一・中村慈美特別鼎談「貸倒損失の税務判断をめぐって」税経通信64巻10号（平成21．8）88頁．
（注159）　東京地判平成元．7.24税資173号292頁．

確かに，これらの債権は短期の消滅時効にかかり，また，相対的に小口のものが多いから，時効期間が経過すれば回収率が低くなるのは事実であろう。この取扱いは，これらの事情を考慮したものである。

〔部分的貸倒損失の可否〕

(5) 上述した経済的な債権の消滅による貸倒損失は，金銭債権が全く無価値になった場合にのみ計上することができる。金銭債権の部分償却は原則としてできないのである。原則として，債権について評価減をすることはできず（法法33②，基通9－1－3の2），金銭債権の部分償却はこれに抵触するからである。

ところが，現実の金銭債権については，全く回収不能で無価値の状態にまではなっていないが，その回収に相当の懸念があり価値が低下するということがある。このような金銭債権につき，無価値になるまでいっさい貸倒損失の計上を認めないというのも一つの考え方であろう。しかし，それでは経済実態や企業会計の慣行に合わない。特に銀行のように，経営の健全性確保の見地から不良債権の早期処理が求められる場合にはなおさらである。部分貸倒れについても，「銀行貸付債権の貸倒れ」というような個別事案の特性の分析を通じて段階的に実務の解釈論として取り込んでいく余地があるのではないか，という意見もみられる[注161]。

そこで，無価値にはなっていないが，相当部分の金額の回収が見込めないような事実が生じた金銭債権については，いわば貸倒れに至るまでの経過措置として，従来，回収が見込めない金額を**債権償却特別勘定**に繰入れ損金とすることが認められていた。

(6) その債権償却特別勘定は，①税務署長から回収の見込みがない金額として認定を受けた金額を設定する**認定による債権償却特別勘定**，②債務者に更生

(注160) 中川一郎著『税法学巻頭言集』（三晃社，昭和42）149頁．
(注161) 中里　実・神田秀樹編著『ビジネス・タックス－企業税制の理論と実務－』（有斐閣，2005）78頁．

手続の開始の申立て等の事実が生じた場合に，その貸金額の50％相当額を設定する**形式基準による債権償却特別勘定**および③更生計画の認可決定等により5年を超える長期棚上げがされた場合に，その棚上げされた金額を設定する**長期棚上げの債権償却特別勘定**の三つがあった（旧基通9－6－4～9－6－6）。

ところが，このような取扱いを通達で運用するのは問題であり，立法による解決を図るべきである，という指摘がされていた(注162)。

このような事情もあり，平成10年の税制改正により債権償却特別勘定は廃止され，そのまま貸倒引当金に吸収された。今後は，従来，債権償却特別勘定として設定することができた貸倒損失の見込額は，個別評価による貸倒引当金として処理する（法法52①，法令96①）。そのような意味では，現在でも部分的な貸倒損失の計上は認められているといえよう。

ただし，平成23年の税制改正により，金融保険業以外の大法人には，原則として貸倒引当金の設定はできないこととされた（法法52①）。この点に関しては，上述のような金銭債権の部分貸倒れはあり得るので，少なくとも個別評価による貸倒引当金の復活を望む声は多い(注163)。それが難しいとすれば，課税当局による貸倒損失の認定の弾力的運用が望まれる。

〔カントリー・リスク問題〕

(7) 貸倒損失は，基本的に私企業に対する金銭債権について生じる。国や地方公共団体などに対する金銭債権，すなわち**ソブリン債権**（sovereign loan）について貸倒れを予想するのは現実的でない。しかし，昭和50年代後半に，**カントリー・リスク**（country risk）の問題が生じてきた。第一次，第二次の石油危機により開発途上国の有する対外債務が巨額に累積し，多数の国においてその債務の弁済遅延が表面化した。わが国も銀行を中心としてそのような

(注162) 井上久彌著『税務会計論』（中央経済社，昭和63）192頁。
(注163) 日本租税研究協会『令和3年度租研会員の税制改正意見集』（令和2.10）7頁。

累積債務国に対して多額の金銭債権を有しており，それがいわば貸倒れのリスクにさらされたのである。

そこで，カントリー・リスクの顕在化した外国の政府や地方公共団体などに対して有する金銭債権について，税務上どのように取り扱うかが問題となった。

(8) この問題に対処するため，まず昭和59年に**海外投資等損失準備金**，いわゆる**カントリー・リスク準備金**が創設された。この準備金は，外国の政府，国営法人，中央銀行等に対する債権の貸倒れによる損失に備えるため，その債権のうち昭和59年4月1日以後の追加融資額と債務返済繰延（reschedule）契約対象債権について，その債権額の1％相当額を損金にして積み立てるものであった（旧措法55の2）。

しかし，この海外投資等損失準備金は平成14年の税制改正により廃止された。

〔外国の公的債権に対する貸倒引当金〕

(9) その後，累積債務国の問題がさらに深刻化し，外国の政府等に対する金銭債権のなかには元利金の支払が長期間停止しているにもかかわらず，債務返済繰延契約の手続が進行しないなど，将来にわたり元利金の回収に全くめどが立たないようなものが生じてきた。

そこで，昭和63年に，このような劣悪化した外国の政府等に対する金銭債権について債権償却特別勘定の設定ができることとされた。すなわち，外国の公的債務者に対して債務不履行宣言が行われた場合等には，その金銭債権の額の50％相当額を損金経理により債権償却特別勘定に繰り入れることができた（昭和63.3.1直法2-4通達）。

(10) 従来，国や地方公共団体が倒産して強制執行を受けることはあり得ず，また，ソブリン債権の最終的な回収可能性を判断するとすれば，国富を計算する必要があるが，それは極めて困難であること等から，ソブリン債権に貸倒れはない，というのが支配的な考え方であったと思われる。この点でソブリ

ン債権に貸倒れを認めた公的債権に対する債権償却特別勘定は，累積債務国問題の深刻さを象徴していたといえよう。

しかし，この債権償却特別勘定についても，平成10年の税制改正により廃止され，貸倒引当金に吸収された（法法52①，法令96①四）。国や地方公共団体に対する債権についても，中小企業者や金融保険業を営む大法人にあっては，貸倒引当金の設定ができる点に留意を要する。

3－17 圧縮記帳

〔趣旨と意義〕
(1) 国庫補助金や工事負担金の受贈益収入，保険差益や固定資産のキャピタル・ゲインは，法人税の課税上はすべて益金である。しかし，たとえば国から研究開発用の機械を取得するために補助金の交付を受けた場合，その補助金を益金として課税の対象にすると，その課される法人税額分だけ機械の取得ができなくなる。それだけ補助金交付の目的である研究開発の促進が阻害される。

また，法人が固定資産を譲渡し，相当額のキャピタル・ゲインを得たが，その譲渡代金でもって同種の固定資産を取得するような場合には，実体的には固定資産の保有状況にはなんら変化がなく，その譲渡はなかったともいい得る。このような場合に，そのキャピタル・ゲインに対して直ちに課税することは必ずしも適当でない。直ちに課税するとすれば，事業の継続を危うくすることにもなりかねないからである。

これらの事態を生じさせることは，もとより法人税としても予定するところではない。

(2) そこで，法人税においては，これらの益金で一定の要件を満たすものについて，直ちに課税せず，その課税を繰り延べる制度が設けられている。これが**圧縮記帳**であり，その原型が税制上初めて採用されたのは，昭和17年の臨時租税措置法における現物出資による有価証券の圧縮記帳である。

たとえば帳簿価額100のA固定資産を300で譲渡し、その譲渡代金300でもってB固定資産を取得した場合、圧縮記帳は次のように行う。

イ　A固定資産を譲渡したとき
　　（借）現　金　預　金　　　300　　（貸）A 固 定 資 産　　100
　　　　　　　　　　　　　　　　　　　　　　固定資産譲渡益　　200
ロ　B固定資産を取得したとき
　　（借）B 固 定 資 産　　　300　　（貸）現　金　預　金　　300
ハ　圧縮記帳をするとき
　　（借）固定資産圧縮損　　　200　　（貸）B 固 定 資 産　　200

　つまり、圧縮記帳というのは、新たに取得した固定資産の帳簿価額を圧縮するために「圧縮損」を計上し、その譲渡益と相殺して当面、課税関係が生じないようにする課税上のテクニックである。

〔課税上の効果〕

(3) このようにして圧縮記帳の適用を受けた固定資産の取得価額は、税法上は圧縮記帳後の価額とされている（法令54③、措法64⑦等）。上述の例におけるB固定資産の税法上の取得価額は、実際に取得のために要した300ではなく、その300から圧縮損200を差し引いた100である。

　したがって、圧縮記帳の適用を受けた固定資産の減価償却費や譲渡損益などは、圧縮記帳後の金額を基礎にして計算する。これを減価償却費についてみれば、圧縮記帳の適用を受けなかった固定資産に比して、その償却費が少なく計算される。逆に譲渡損益については、原価が小さくなる分、譲渡益は大きくなる。この結果、法人税の課税所得は、圧縮記帳の適用を受けた場合の方が、その適用を受けなかった場合に比べて多くなるのである。

　これは、損金の額に算入された圧縮損はその後の減価償却や譲渡損益の計算を通じて取り戻され、最終的には、圧縮記帳の適用を受けて課税されなかった受贈益や譲渡益などは課税の対象になるということである。それゆえ、圧縮記帳は受贈益や譲渡益などの絶対的な免税措置ではなく、単なる課税の

繰延制度であるといわれる。これを評して，租税法上の前期損益修正の逆手法とも考えられる，という見方がある。つまり，収益の計上を実質的に後行させていると理解するのである(注164)。

〔形態別の分類〕

(4) 現行法においては14種類の圧縮記帳制度が設けられている。これは会計取引の形態別に，①贈与型，②交換型および③売買型の三つに分類できる(注165)。その分類方法により分類してみると，次の表のとおりである。

形態	圧縮記帳の種類	根拠法令
贈与型	イ 国庫補助金等で取得した固定資産等	法法42～44
	ロ 工事負担金で取得した固定資産	法法45
	ハ 非出資組合が賦課金で取得した固定資産等	法法46
	ニ 農業経営基盤強化準備金の取崩しにより取得した農用地等	措法61の3
	ホ 技術研究組合が賦課金で取得した試験研究用資産	措法66の10
	ヘ 転廃業助成金等で取得した固定資産	措法67の4
交換型	イ 交換により取得した資産	法法50
	ロ 換地処分等により取得した資産	措法65
	ハ 特定の交換分合により取得した土地等	措法65の10
	ニ 特定普通財産との交換により取得した隣接土地等	措法66
売買型	イ 保険金等で取得した固定資産等	法法47～49
	ロ 収用等により取得した固定資産等	措法64，64の2
	ハ 特定資産の買換えにより取得した資産	措法65の7～65の9
	ニ 平成21年及び平成22年に先行取得した土地等	措法66の2

〔贈与型の特質〕

(5) 贈与型の圧縮記帳は，基本的に，国や地方公共団体あるいは受益者や組合

(注164) 忠 佐市著『税務会計法（第6版）』（税務経理協会，昭和53）241頁，416頁．
(注165) 日本公認会計士協会税制委員会「企業会計からみた現行税制の圧縮記帳のあり方について」（昭和61.8.9），酒巻俊雄・新井隆一共著『商法と税法』（中央経済社，昭和41）57頁以下参照．

員から金銭の贈与を受け，その金銭でもって固定資産を取得した場合に適用がある。金銭の贈与を受けるのはそれぞれ目的があってのことであるから，その目的を阻害しないよう圧縮記帳が認められている。

　企業会計においても，国庫補助金，工事負担金等で取得した資産については，国庫補助金等に相当する金額をその資産の取得原価から控除できることになっている（注解24）。企業会計上，固定資産にはその取得価額を付すべきところ，無償で取得した資産は取得価額がゼロであるから，計上しなくてよいと解する見解もある。これによれば，国庫補助金等で取得した資産は無償で取得した資産と同じであるから，むしろ圧縮記帳を行うのは当然であるということになる。

(6)　仮に贈与型の圧縮記帳は企業会計上当然であるとしても，税法上は限定列挙であり「別段の定め」である。課税上の一つの政策といわざるを得ない。そのため，たとえば国庫補助金等が交付される法人は限られた少数であり，その法人が国庫補助金等の交付という経済的な特典を賦与されたうえ，それに課税の延期という二重の利益を受けるのは一般の法人に比して不平等な取扱いであり，合理性の限界を超えるのではないか，という指摘がある。

　また，工事負担金の圧縮記帳についても，電気，ガス，水道，鉄道などといった少数の独占的事業にのみ与えられた特典であるところに問題があるという(注166)。

　この考え方を進めていけば，企業会計上この圧縮記帳は当然であるとの解釈もあり得るところであり，贈与型の圧縮記帳はその対象を限定せずに，一般的に幅広く認めるべきであるということになろう。

〔交換型の特質〕

(7)　つぎに**交換型の圧縮記帳**は，同種の資産同士を交換した場合に適用が認められる。資産の交換の会計処理については，①交換取得資産の時価を基準に

（注166）　酒巻俊雄・新井隆一共著『商法と税法』（中央経済社，昭和41）60頁．

収益を計上する考え方と②交換譲渡資産の帳簿価額をそのまま交換取得資産に引き継ぎ，収益は計上しない考え方とがある。

　現行法人税は①の考え方を基本としている。交換も譲渡の一形態であるから，交換によっても損益が生じるという考え方である。しかし，同種資産の交換は，実体的に資産の異動はなくその譲渡はなかったといい得る。そこで，実質的に②の考え方による処理をするため圧縮記帳の適用が認められている（基通10－6－10，措通64(3)－17参照）。

〔売買型の特質〕

(8)　さらに**売買型の圧縮記帳**は，所定の事由により資産を譲渡し，その譲渡代金でもって同種の資産を取得した場合に適用が認められる。その資産譲渡の形態は①強制型と②任意型とに分かれる。強制型は保険金と収用であり，特定資産の買換えと平成21年・22年の先行取得は任意型である。

　この圧縮記帳も，上述の交換型の圧縮記帳と同様の趣旨により設けられている。しかし，売買型の譲渡は交換型の譲渡と異なり，金銭を介在させて資産を譲渡するから譲渡益が具体的に現れる。そのため，すべての売買型譲渡に圧縮記帳を認めるのは適当でないといえよう。収用等により代替資産を取得する場合のように，原因において企業の任意性がない取引を除いては，売買型の圧縮記帳を創設することは，法人税の収益計算の原則に矛盾するという見解すらある[注167]。

　このような考え方もあり，たとえば特定資産の買換えによる圧縮記帳については，譲渡資産と買換資産とが土地政策や環境政策などの政策目的に合致した場合に限られ，その圧縮割合は80％または70％とされ，譲渡益の20％または30％相当額は課税するものとされている（措法65の7）。

　なお，保険金等にかかる圧縮記帳については，会計上，否定論が強い。資産の減失による保険金の受取りと代替資産の取得は別個であり，両者を結び

（注167）　酒巻俊雄・新井隆一共著，前掲書，66頁．

つける必然性がないという(注168)。

〔企業会計との調整〕

(9) 圧縮記帳はもともと会計的な発想によるものではなく，法人税の課税の特例といった色彩が強い。むしろ企業会計では，圧縮記帳は基本的に認められていないといってよい（税法調整意見書各論第二参照）。取得原価主義を基調とする企業会計にあっては，資産はその取得価額のまま記帳すべきであるからである。ただし，企業会計でも，上述したように国庫補助金等で取得した資産については圧縮記帳が認められている。また，公認会計士の監査上，圧縮記帳に関する次の会計処理は，当面，妥当なものとして取り扱われる(注169)。

イ　交換により譲渡資産と同一種類，同一用途の固定資産を取得し，取得資産の取得価額として，譲渡資産の帳簿価額を付す処理

ロ　収用等により資産を譲渡し新たに取得した資産が，譲渡資産と同一種類，同一用途である等，取得資産の価額として譲渡資産の帳簿価額を付すことが適当と認められるときは，譲渡益相当額をその取得価額から控除する処理

　イは交換，ロは交換に準ずるものであり，交換取得資産の取得価額は交換譲渡資産の帳簿価額を付すべきところ，圧縮記帳の手法を使えば結果的にこのようになるから，これら会計処理が認められている。

(10) このように企業会計上も圧縮記帳が認められる場合はよいが，それが認められない場合には，企業会計との調整をどうするかが問題になる。

　圧縮記帳は，その名のとおり，本来的には取得した資産の帳簿価額を直接減額し，その減額した金額を損金経理すべきである。しかし，企業会計や会社法との調整を図るため，圧縮記帳の経理処理については，損金経理により帳簿価額を直接減額する方法のほか，次の二つの方法が認められている。

（注168）　中村　忠著『新版　財務諸表論セミナー』（白桃書房，1991）47頁．
（注169）　日本公認会計士協会監査第一委員会報告第43号「圧縮記帳に関する監査上の取扱い」（昭和58. 3. 29）．

イ　損金経理により積立金として積み立てる方法
ロ　剰余金により積立金として積み立てる方法

　イの方法は圧縮積立金を設けることになるが、企業会計上はこのような利益留保性の積立金の設定はできない。したがって、圧縮記帳につき企業会計や会社法との調整を図るためには、ロの方法しかないことになる[注170]。

　ところが、ロの方法による場合、未処分利益がわずかしかない法人や未処理欠損金を抱える法人は、どうしたらよいかという問題がある。この点については、これらの法人であってもロの方法によることができ、未処理欠損金を増加させればよいと解されている（昭和57.10.8直法2-10通達参照）。欠損金のある法人が、圧縮積立金を設定するため未処理欠損金を増加させても、債権者等を害することにはならないからである[注171]。

(11)　これまで述べてきたように、圧縮記帳は会計的には少なからず問題を抱えている。そこで、たとえば国庫補助金や工事負担金については**繰延収益**の概念を導入すれば、会計的に筋のとおった処理が可能であるという提言がみられる[注172]。

　たとえば、国庫補助金1,000を受け入れ3,000の機械を取得したとき、次のように処理する。

イ　国庫補助金を受け入れたとき

　（借）現　金　預　金　　1,000　　（貸）繰延国庫補助金　　1,000

ロ　機械を購入したとき

　（借）機　　　　　械　　3,000　　（貸）現　金　預　金　　3,000

　仮にこの機械の耐用年数が10年、残存価額ゼロ、定額法償却とすれば年要償却額は300となる。そこで同時に繰延国庫補助金を取り崩して収益に振り替えるのである。

(注170)　企業会計基準委員会「株主資本等変動計算書に関する会計基準の適用指針」（平成17.12.27）25項．
(注171)　拙著『圧縮記帳の法人税務（十三訂版）』（大蔵財務協会，令和元）49頁．
(注172)　中村　忠著『新版　財務諸表論セミナー』（白桃書房，平成3）75頁．

ハ　繰延国庫補助金を取り崩すとき

（借）繰延国庫補助金　　　100　　（貸）繰延国庫補助金取崩益　　　100

　　この処理によれば，機械を3,000で取得した事実が示されるから，会計的には筋がとおる。このような発想は，他の圧縮記帳についても応用できるであろう。

3－18　引当金・準備金

〔趣旨と意義〕

(1)　法人税の課税所得の計算上，当期末までに債務の確定していない費用は損金にならない（法法22③二）。したがって，たとえ将来発生する可能性が高い費用または損失であっても，債務として確定していない限り，これを見越して損金にすることはできないのが原則である。これをすでに述べたように**債務確定基準**と呼ぶ（「3－4　債務確定基準」参照）。

　　一方，企業会計上は①当期以前の事象に起因して，②まだ実際には発生していないが，将来発生する可能性が高く，③その金額を合理的に見積もることができる費用または損失については，これを見越して当期の費用または損失として計上するのが，適正な期間損益を計算するための慣行である。この場合の会計処理上，借方・費用（損失）に見合って貸方に出てくる項目を**引当金**という。

　　このような企業会計の慣行もあり，法人税でも債務確定基準に対する例外（別段の定め）として引当金の設定が認められている。また，引当金に類似するものとして**準備金**がある。準備金も将来発生する費用または損失の見越計上であり，債務確定基準の例外である。法人税における引当金・準備金制度は，金融機関からの要望が強かった，シャウプ勧告に基づく昭和25年の税制改正による貸倒準備金の創設を嚆矢とする[注173]。

（注173）　福田幸弘監修『シャウプの税制勧告』（霞出版社，昭和60）168頁．

〔引当金の種類〕

(2) 法人税で設定が認められている引当金は，現在貸倒引当金（法法52）だけである。引当金は，通常，評価性引当金と負債性引当金とに分類される。**評価性引当金**に属するのは貸倒引当金である。貸倒引当金は売掛金，貸付金等の控除項目として，資産の評価勘定としての性格を有しているからである。

これに対して，**負債性引当金**は，将来の費用支出に備えるための見積負債である。旧返品調整引当金がこれに該当する（旧法法53）。

このように，引当金は評価性引当金と負債性引当金とに分類するのが伝統的な考え方である。しかし，この分類は貸借対照表への表示に関して意義を有するのみである。むしろ，法律上の債務たる引当金であるかどうかという観点から，**債務引当金**と**非債務引当金**とに分類する方が重要である。この観点からすると，貸倒引当金および返品調整引当金は，非債務引当金に該当する。

〔準備金の種類〕

(3) このような引当金に対して，準備金は11種類のものが認められている。これを掲げてみると次のとおりである。その名称からも知られるように，準備金はもっぱら経済や産業，環境など特定の政策目的達成のためのものであると位置づけられる。

 イ　海外投資等損失準備金（措法55）
 ロ　特定災害防止準備金（措法56）
 ハ　原子力発電施設解体準備金（措法57の4）
 ニ　特定原子力施設炉心等除却準備金（措法57の4の2）
 ホ　保険会社等の異常危険準備金（措法57の5）
 ヘ　原子力保険又は地震保険に係る異常危険準備金（措法57の6）
 ト　関西国際空港用地整備準備金（措法57の7）
 チ　中部国際空港整備準備金（措法57の7の2）
 リ　特別修繕準備金（措法57の8）

ヌ　探鉱準備金または海外探鉱準備金（措法58）
ル　農業経営基盤強化準備金（措法61の2）

〔引当金と準備金の差異および性格〕

(4) 引当金も準備金も等しく将来発生する費用または損失の見越計上のためのものである。しかし，法人税においてはその適用要件などに差異がある。これを一覧表にまとめてみると，おおむね次のとおりとなる。

項　目	引　当　金	準　備　金
イ　根　拠　法　令	法人税法	租税特別措置法
ロ　適用対象法人	青色申告法人のほか白色申告法人も適用できる。	青色申告法人に限る。
ハ　経　理　方　法	損金経理に限る。	損金経理のほか剰余金処分でもよい。
ニ　清算中の扱い	清算中も設定できる。	清算中は設定できない。
ホ　申　告　要　件	明細の記載がない場合のゆうじょ規定がある。	明細の記載がない場合のゆうじょ規定はない。

(5) このように，それぞれの適用要件などに差異があるのはその性格の違いによる。引当金は，費用収益対応の原則によりいわば当然に設定すべきものであるのに対し，準備金は政策的・特典的なもので，利益留保の性格が強い。すなわち，引当金は当期の収益に対応する費用（または損失）であるが，準備金は，その費用または損失の発生の蓋然性が低く，当期の利益をリザーブ（reserve）するものである，と一般に解されている。ただし，企業会計の実務においては，税法上の準備金であっても前述の引当金設定の三要件を満たせば，引当金として認められる[注174]。

（注174）　日本公認会計士協会監査第一委員会報告第42号「租税特別措置法上の準備金及び特別法上の引当金又は準備金並びに役員退職慰労引当金等に関する監査上の取扱い」（昭和57. 9.21）．

このような性格の違いから，引当金は，白色申告法人や清算中の法人についても適用があり，また，申告要件にゆうじょ規定があるなど，適用要件が準備金に比してゆるやかである。

〔企業会計との調整〕

(6)　しかしながら，引当金は当然に設定すべきであるといっても，税法上の引当金は1種類に限定されている。これに対して，企業会計では引当金に限定はなく，11種類が例示されている（注解18）。前述した引当金設定の三要件を満たせば，その種類を問わず必ず計上するのが健全な企業会計の慣行である。そのため，企業会計の側からは，法人税法には「公正妥当な会計処理の基準」の規定（法法22④）もあり，法人税も幅広く引当金を認めるべきであるとの要請がある。その方法として，引当金の本質を規定したうえで，例示の扱いをするのが理論的であるという(注175)。

　また，税法上の引当金は，画一的にその繰入限度額が定められている。この点に関しても，合理的な基準による限り，弾力的な繰入れを認めるべきであるという意見は根強い。

(7)　ところが，税法上の引当金は廃止・縮小される傾向にある。現に平成10年の税制改正において，賞与引当金，特別修繕引当金および製品保証等引当金は廃止，退職給与引当金は縮小され，特別修繕引当金は特別修繕準備金に改組された。その後，平成14年には退職給与引当金が廃止された。

　これらは，平成10年の税制改正の基礎になった税制調査会の法人課税小委員会報告（平成8.11）が，「課税ベースを拡大しつつ税率を引き下げる」との観点を踏まえ，公平性や明確性という課税上の要請からは，債務確定基準を徹底し不確実な費用や損失の見積り計上は極力抑制すべきである，と提言したことを背景としている。

（注175）　中村　忠編『対談　会計基準を学ぶ』（税務経理協会，昭和61）88頁，企業会計審議会中間報告「税法と企業会計との調整に関する意見書」（昭和41.10.17）各論三・3参照．

これに対して，企業会計の立場からは異論が強い。引当金は，企業が正しい期間利益を計算し，それに基づいて納税するために必要な会計の手段であって，税収を調整するのに利用されるべきものではないという[注176]。

最近，法人税と企業会計とが乖離していく傾向がみられ，引当金の範囲の縮小もその一環である。引当金の本質と税の要請との調和をどう図るのか慎重な議論が必要であろう。

なお，平成30年に返品調整引当金が廃止された。これは，同年の収益認識会計基準が公表されたことに対応するものである。

〔賞与引当金の変遷〕

(8) これまでは，引当金に関する総論的問題をみてきた。以下においては一，二，個別の引当金をめぐる企業会計との関係等を検討してみる。

従来，**賞与引当金**は，使用人および使用人兼務役員に対して支給する賞与に充てるため，前1年間の1人当たり賞与支給額を基礎に計算した金額を引き当てるものであった（旧法法54）。この賞与引当金は，昭和40年の法人税法の全文改正時に創設された。

ところが，賞与引当金は従来からその廃止が取りざたされてきた。現に昭和62年度の税制改正要綱では，課税ベースの拡大を図る見地から3年間の経過措置を設けて廃止することが明言された[注177]。

このような廃止論に対しては，賞与引当金は企業会計上，定着しており，企業会計の慣行を無視するものであるとして反対論が強かった[注178]。一方，企業会計上，賞与引当金には，すでに提供された労務に対するものであるから，将来の費用とはいえないのではないか，むしろ引当金ではなく未払費用

(注176) 中村　忠稿「税制改正と引当金」産業経理56巻1号（1996.1）．
(注177) 税制調査会「税制の抜本的見直しについての答申」（昭和61.10.28），税制調査会「昭和62年度の税制改正に関する答申」（昭和61.12.23）．
(注178) 武田昌輔稿「総論－税法における引当金を巡る推移－」日税研論集8号（平成元）16頁参照．

（未払賞与金）とするのが実態に即するという有力な見解もある[注179]。

　このような従来の議論をも踏まえ，平成10年の税制改正により賞与引当金は廃止された。賞与は一般的にあらかじめ支給する金額が定まっておらず，またそれを費用として負担すべき期間も明確でないから，たとえ賃金の後払い的な性格を有するとしても，課税の公平性，明確性を期する観点から引当金によるのではなく，実際に支払った時の損金にすべきであるという[注180]。そして，賞与引当金を廃止することによる実務の混乱を避けるため，使用人に支給額を通知した賞与は未払費用として計上を認めることとし，その損金算入時期が法令上，明確にされた（法令72の3）。

〔退職給与引当金の論点〕

(9)　つぎに退職給与引当金をみてみよう。この引当金は，昭和27年に創設されたものである。

　退職給与引当金は，退職給与規程を定めている法人が，その使用人に支給する退職給与に充てるため，当期末において在職する使用人の全員が自己都合により退職するものと仮定した場合に，その支給されるべき退職給与の当期における増加額を基礎として計算した金額を引き当てるものであった（旧法法54）。

　そして，この引当金は，当期末に支給すべき退職給与額の20％相当額が限度額とされていた（旧法令106①）。

(10)　その退職給与引当金には次のような意見があった。すなわち，法的には退職してはじめて退職金債務が発生するのであるから，その時点で損金に算入するだけで十分であるともいえ，また，大企業の全従業員が自己都合により退職するものと仮定することは非現実的であり，そのような仮定のもとに期末退職金の要支給額の40％（旧法当時）まで引当金の計上を認めることは，

（注179）　中村　忠著『新版　財務諸表論セミナー』（白桃書房，平成3）77頁，中村
　　　　　忠著『財務会計論』（国元書房，昭和59）167頁。
（注180）　税制調査会「法人課税小委員会報告」（平成8.11）。

問題だという(注181)。これは，今日の企業は継続企業が原則であるという前提に立つものであろう。

また，退職給与引当金については，将来の方向としては，公的年金制度を補完する意味で，外部拠出の年金制度の充実がむしろ望ましい状況にあること等を踏まえると，企業経営に及ぼす影響等に十分配慮しつつ，課税ベースの拡大を図る見地から，廃止を含めそのあり方の見直しを進めるべきであるとの指摘もあった(注182)。

このような状況を背景に，平成14年に退職給与引当金は廃止された。

〔退職給付会計との関係〕
(11)　一方，企業会計では平成12年4月から導入された退職給付会計によって，退職給付引当金を設定している。

　　退職給付会計は，個々の従業員の退職時に支給すべき退職給付総額を見積り，これの割引現在価値額を予測勤続期間に割り振って**退職給付引当金**として計上するものである。従来の会計処理と異なる大きな特徴は，退職一時金や企業年金もすべて退職給付引当金として包括的・統一的に処理することである。

　これに対し法人税では，退職給与引当金の設定は認められておらず，退職一時金や外部積立である企業年金の拠出金はその支払時に損金算入する。

　そうすると，企業会計の退職給付引当金と税務上の退職給与の支給時期との調整が必要になる。基本的には，退職給付引当金への繰入額は損金とならず，実際に支払った退職一時金と企業年金への拠出額だけが損金算入が認められることとなる（平成12.3.30課法2－3通達参照）。

　最近，企業会計においては，時価会計の導入に伴って，負債も時価評価をすべきではないか，という議論が高まっている。退職給付会計は，まさに退

(注181)　北野弘久著『現代企業税法論』(岩波書店，平成6) 40頁．
(注182)　税制調査会「昭和62年度の税制改正に関する答申」(昭和61.12.23)，税制調査会「法人課税小委員会報告」(平成8.11)．

職金債務の時価評価であるといえよう。

このような状況に対して，IFRS（国際財務報告基準）の導入論議ともからんで，法人税がどのように対処するのか，たとえば退職給与引当金の復活など，本質的な検討が必要であると思われる。

3-19　外貨建取引の換算等

〔総　説〕

(1)　わが法人税は，いうまでもなく円により課税所得と税額を計算し，申告・納付しなければならない。最近における企業の国際化には著しいものがあり，外貨建取引を行う企業は少なくない。このような企業は，法人税の申告に当たって，外貨建取引や外貨建債権債務を円に換算する必要がある。

わが国は第二次大戦後，長らく1ドル360円とする固定為替相場制をとっていた。しかし，昭和46年頃から48年にかけての国際通貨危機に伴い，各種の通貨調整措置を講じたが，ついに昭和48年2月，変動為替相場制に移行した。

この間，企業会計審議会から，その時々の通貨調整措置に応じた外貨建資産等の会計処理に関する意見書が次々公表された[注183]。企業会計はもとより，法人税の課税所得計算における外貨建資産等の換算も基本的にこの意見書に準拠していた。

(2)　具体的には，税法に外貨建債権債務の換算等に関する規定は置かず，通達

（注183）　意見第1「外国通貨の平価切下げに伴う会計処理に関する意見」（昭和43.5.2）．

意見第3「外国為替相場の変動幅制限停止に伴う外貨建資産等の会計処理に関する意見」（昭和46.9.21）．

意見第4「基準外国為替相場の変更に伴う外貨建資産等の会計処理に関する意見」（昭和46.12.24）．

意見第5「現行通貨体制のもとにおける外貨建資産等の会計処理に関する意見」（昭和47.7.7）．

意見第6「外国為替相場の変動幅制限停止中における外貨建資産等の会計処理に関する意見」（昭和48.3.29）．

で企業会計審議会の意見書に従って処理すればよいこととされていた（昭和46.10.21直法2-13）。それは，その意見書による会計処理は公正妥当な会計処理の基準（法法22④）である，と考えられたからであろう。ところが，国会において，仮に意見書と税の取扱いが同じであるとしても，国民の権利義務に関する事柄であるから法律で定めるべきであるとの議論が生じた。その根底には，意見書による会計処理を行うと多額の為替損失が算出される企業もあったが，そのような損失の損金算入を通達で認めるのは問題だという認識があったようである。

そこで，昭和50年の税制改正において，法人税法に外貨建債権債務に関する換算規定が設けられた。その後，平成5年と平成10年の税制改正により外貨建債権債務の為替予約差額は期間配分する旨の改正が行われた。次いで平成12年には外貨建取引の換算，外貨建有価証券の期末換算などの規定が新設され，外貨換算に関する取扱いの体系化が成った。

〔**外貨建取引の換算**〕

(3) 法人が外貨建取引を行った場合には，その外貨建取引を行った時の外国為替の売買相場により円換算する（法法61の8①）。ただし，多通貨会計を採用している場合には，各月末等の規則性を有する1月以内の一定の時点をその外貨建取引の発生の時として円換算を行ってよい。ここで**多通貨会計**とは，外貨建取引の発生時には外国通貨で記録し，各月末等の一定の時点において本邦通貨に換算する方法をいう（基通13の2-1-3）。

また，**先物外国為替契約等**（為替予約と通貨スワップ）により外貨建取引によって取得し，または発生する外貨建資産または負債の円換算額を確定させ，その先物外国為替契約等の締結日にその旨を帳簿書類に記載したときは，その確定させた円換算額により換算を行う（法法61の8②，法規27の11）。これは外貨建資産・負債の取得，発生または決済時のキャッシュフローの円換算額を確定させた場合には，その円換算額をもって換算するものである。

(4) ここに**外貨建取引**とは，外国通貨で支払が行われる資産の販売および購入，

役務の提供，金銭の貸付けおよび借入れ，剰余金の配当その他の取引をいう。したがって，たとえば債権債務の金額が外国通貨で表示されている場合であっても，その支払が本邦通貨により行われる取引は，外貨建取引に該当しない（基通13の2－1－1）。

一方，企業会計上の外貨建取引は，外国通貨で表示されていれば足り，その支払が本邦通貨であっても差し支えない（外貨会計基準注解1，3）。企業会計では**外貨建円払い取引**も外貨建取引に含まれる。これはいわゆる**メーカーズ・リスク**（maker's risk）をも外貨建取引に含め，期末換算することを予定しているからである。

この点，法人税の取扱いと異なっている。法人税は外貨建円払い取引について，取引金額を為替レートに連動させた不確定な取引であり，その取引金額の算定は単なる見積計算の問題と理解しているのである。もっとも税務においても，外貨建円払い取引についての取引金額の見積りは，外貨建取引の円換算の例に準ずるものとし（基通13の2－1－2(注)6），またメーカーズ・リスクの商社等からメーカーへの転嫁が認められ，期末レートによる修正ができるから（基通13の2－1－11），両者にそれほど実質的な取扱いの違いはない。

〔**外貨建資産等の期末換算**〕

(5) 以上は外貨建取引を行った時の円換算の問題であるが，もう一つその外貨建取引に伴い発生した外貨建資産等を期末に有する場合，その円換算をどうするかという問題が存する。

その円換算の方法は，外貨建資産等の種類に応じて次表のとおりである（法法61の9）。

区　　　分		換　算　方　法
外貨建債権債務	短期外貨建債権債務	発生時換算法または期末時換算法
	長期外貨建債権債務	発生時換算法または期末時換算法
外貨建有価証券	売買目的有価証券	期末時換算法
	売買目的外有価証券　償還有価証券	発生時換算法または期末時換算法
	売買目的外有価証券　上記以外のもの	発生時換算法
外貨預金	短期外貨預金	発生時換算法または期末時換算法
	長期外貨預金	発生時換算法または期末時換算法
外国通貨		期末時換算法

　ここで**外貨建債権債務**とは，外国通貨で支払が行われるべきこととされている金銭債権債務をいい，このうち**短期外貨建債権債務**と**長期外貨建債権債務**の区分は，１年基準により行う（法法61の９①，法令122の４）。また，**外貨建有価証券**とは，償還，払戻し，残余財産の分配が外国通貨で行われる有価証券をいう（法法61の９①二，法規27の12）。

〔発生時換算法と期末時換算法〕

(6)　また**発生時換算法**とは，外貨建資産等の取得または発生の基因となった外貨建取引の円換算に用いた為替相場により換算する方法をいい，**期末時換算法**とは，期末時における為替相場により換算する方法をいう（法法61の９①一イ，ロ）。

　平成12年の税制改正により，売買目的有価証券は時価評価をすることになったこと（法法61の３）に伴い，外貨建ての売買目的有価証券も時価である期末時レートにより円換算を行う。しかし，外貨建債権債務，償還有価証券および外貨預金については，発生時換算法と期末時換算法との選択適用が認められている。そして外貨建債権債務について，短期のものは期末時換算法が，長期のものは発生時換算法がそれぞれ**法定換算方法**とされている（法令122の７）。

(7)　これに対し企業会計では，平成11年の外貨会計基準の改訂により，外貨建

資産等の円換算は基本的にすべて**決算日レート法**によって行い，**取得日レート法**の適用は認められなくなった。また外貨建債権債務についての短期・長期の区分も廃止された。これらは金融商品に時価会計が導入されたことと整合的で，外貨換算会計も時価指向を強めている。

　もちろん法人税でも，売買目的有価証券の期末時換算法による円換算や償還有価証券に期末時換算法の選択適用を認めるなど，時価評価を指向している。それでもなお法人税が発生時換算法の適用を容認しているのは，外貨建取引があまり多くない中小企業などの，わざわざ期末時レートによる換算換えをすることなく発生時レートのままにしておきたいという要求に応えられるよう弾力化を図ったものである。

〔期末換算差損益の益金または損金算入〕

(8)　上述した期末時換算法によれば，外貨建資産等を期末時レートにより換算した金額とその帳簿価額との間に差額，すなわち**換算差益**または**換算差損**が生じる。この換算差益または換算差損は益金または損金に算入しなければならない（法法61の9②）。そしてその換算差益または換算差損は，翌期において損金または益金に算入し，いわゆる洗替処理を行う（法令122の8）。

　ただし，期末時換算法により円換算する外貨建資産等を取得しまたは発生させる取引を行い，その取引が損失のヘッジとして有効であるときは，繰延ヘッジ処理による換算差益または換算差損の計上の繰延べができる（法法61の6①）。

〔為替相場が著しく変動した場合の期末時換算〕

(9)　法人が期末に有する外貨建資産等は，上述したところにより円換算を行う。しかし，その外貨建資産等にかかる外国為替の売買相場が著しく変動した場合には，期末時レートによる円換算をすることができる（法法61の9④，法令122の3）。これは事実上，発生時レートにより換算すべき外貨建資産等に対し期末時レートによる換算を認めるものである。為替相場が著しく変動し元

にもどる可能性がないといった場合，発生時レートのまま記帳しておくのは実情に合わないからである。

そこで問題は，「外国為替の売買相場が著しく変動した場合」とは，どのような事実をいうかである。これは実務上，外貨建資産等の円による記帳金額と期末時レートによる円換算額との間におおむね15％以上の開差が生じた場合をいうとされている（基通13の2－2－10）。

⑽　これについては，一律に15％以上というのが適当かどうか，この程度の割合では簡単に外貨建資産等に損失が計上できる，といった問題意識から，最近の為替相場の動きなどをみながらもう一度考え直す必要があるのではないかという指摘がある(注184)。

この15％というのは，過去の実務上の経験に基づいている。税務執行の統一性という点からすれば，ある程度，一律に定めることはやむを得ない。しかし，この特例が認められている趣旨や為替相場の変動状況などを踏まえ，その取扱いが実情に適しているかどうか，不断の見直しをしていく必要はあろう。

〔為替予約差額の配分〕

⑾　前述したように，法人が期末に有する外貨建資産等につき先物外国為替契約等により円換算額を確定させたときは，その確定させた円換算額により換算を行う（法法61の8②）。この先物外国為替契約等の締結により生じた為替予約差額は，その締結日から決済日までの期間に配分し，益金または損金に算入する。ただし，短期外貨建資産等の為替予約差額については，税務署長に届け出ることにより期間配分せず一括計上してもよい（法法61の10，法令122の10）。

ここに**為替予約差額**とは，先物外国為替契約等により確定させた円換算額

（注184）　吉牟田　勲講演「外国為替相場の変動及び国際金融商品の税務上の問題点」（『第45回研究大会記録』日本租税研究協会，平成6所収）78頁参照．

と外貨建取引を行った時における外国為替の売買相場により換算した金額との差額をいう。この為替予約差額について，企業会計では従来から期間配分することになっていたが，税務においては期間配分せず決済時の一時の損益にするという考え方であった。この点につき為替予約差額は，原理的に２国間の金利差の反映であり利子の調整項目であるから，決済時の一時の損益にするのはおかしい，といった主張がされてきた[注185]。

そこで，平成５年の税制改正により長期外貨建債権債務の為替予約差額は期間配分することにされ，平成10年の法人税制改革では短期外貨建債権債務の為替予約差額についても期間配分してよいことになった。

〔オプション取引の取扱い〕

⑿　外国為替をめぐる問題の一つは，**金融派生商品**（デリバティブ）の取扱いである。そのなかでもオプション取引とスワップ取引とが一般的で重要であり，事例も多い。

そこで，まずオプション取引についてみてみよう。

オプション取引とは，通貨，株式，債券等を将来のある時点または期間内に，あらかじめ定められた価格で購入する権利または売却する権利を売買する取引をいう。これら権利の売買は，**オプション料**（option premium）を授受することによって成立する。

いずれも期末に時価評価を行い，未決済の損益も課税対象にするのが原則である。ただし，前述の為替予約差額の配分を行う先物外国為替契約等に基づくものを除く（法法61の５）。

このうち通貨を対象にするのが**通貨オプション取引**である。その通貨オプション取引については，その権利を行使した日が先物外国為替契約等を締結した日となる（基通13の２−２−３）。

（注185）　井上久彌・長谷川哲嘉・髙木克己共著『為替取引をめぐる税務会計の諸問題』（日本租税研究協会，平成２）15頁．

また、通貨オプション取引に当たって授受するオプション料は、為替予約差額に含めて期間配分する（基通13の2－2－3）。

〔スワップ取引の意義〕

⒀　つぎは、スワップ取引である。

　スワップ取引とは、広義には当事者が一定期間の資金支払の流れ（cash flow）を交換する金融取引をいう。しかし、ここでの問題は、当事者が互いに相手方が有する債務に基づく利息または元本および利息の支払を行うという、狭義のスワップ取引である。

　狭義のスワップには、金利スワップと通貨スワップとがある。**金利スワップ**は同一通貨間での利息支払だけの交換であるのに対し、**通貨スワップ**は異種通貨間での元利支払の包括的交換である。

〔金利スワップの取扱い〕

⒁　まず、金利スワップは、利息の支払債務のみを交換の対象にする取引であり、利払期ごとに損益が確定するから、課税上問題が生じることは少ない。ただ、スワップ契約時に授受する一時金（upfront fee）の取扱いに若干の留意を要する。

　アップフロント・フィーは、金利スワップ契約に基づく金利水準が市場金利などの合理的な金利水準と乖離している場合に、その格差を調整するためその契約時に授受するものである。別名、**金利調整金**と呼ばれ、実質的な金利の性格を有する。

　したがって、金利調整金（アップフロント・フィー）を支払った場合には、一時の費用とせず、スワップ期間に合理的に配分すべきである[注186]。もっとも、アップフロント・フィーは一種の権利金であるから、繰延資産として

（注186）　第一勧業銀行経理部・英和監査法人他共著『オフバランス取引税務・会計』（銀行研修社、平成3）200頁、中央監査法人編『オフバランス取引の会計と税務〔改訂版〕』（税務経理協会、平成6）69頁。

〔通貨スワップの取扱い〕

⑮　つぎに通貨スワップは，利息とともに元本も交換の対象にする。そこで，このスワップの問題は，キャッシュ・フローに歪みのある取引である。

　通貨スワップにおいては，各支払期の元利支払の外貨と円貨が個々に等価である必要はなく，当事者の合意する全体のキャッシュ・フローの現在価値が等価であれば契約は成立する。したがって，各支払期の支払額に付される先物レートは実勢レートとかけ離れたレートでもよく，たとえば利息の支払を人為的に先行させることもできる。しかし，通貨スワップもデリバティブとして期末に時価評価することとされたので，この問題は解消した。

　外貨建資産等につき通貨スワップ契約を締結している場合には，その外貨建資産等の円換算額は，その契約により元本として授受する本邦通貨の額とする。この場合，通貨スワップ契約により授受する受取利子または支払利子の総額は，利息法または定額法に基づき各事業年度に配分する（基通13の2－2－7）。

3-20　完全支配関係法人間の取引損益

〔趣　旨〕

(1)　平成22年の税制改正において，いわゆる**グループ法人税制**が創設された。広くグループ法人税制といえば，連結納税制度も含まれるから，同年に創設された制度は，狭義に**グループ法人単体課税制度**と呼ばれる。

　最近，企業は資本の一体性を生かした経営の集中化，経営資源の再配分を図るため，関連会社を100％子会社化してグループ経営を強化する傾向が強

（注187）　中村洋一稿「国際金融取引の仕組みと税務の取扱い」税務弘報38巻13号（平成2.11）20頁．

まっている。そこで、グループ法人の一体的運営が進展している状況を踏まえ、実態に即した課税を実現する観点から、グループ法人税制は創設された。

そのため、グループ内法人間で資産の移転が行われても実質的には資産に対する支配は継続していること、グループ内法人間の資産の移転時に課税関係が生じると円滑な経営資源の再配分を阻害すること等から、その時点では課税関係を生じさせないことを基本的な考え方としている(注188)。

連結納税制度のミニ版といえるかもしれないが、連結納税制度の適用が法人の選択であるのに対し、グループ法人単体課税制度は基本的にすべての法人に強制適用である。

〔譲渡損益調整額の繰延べ〕
(2) そのグループ法人税制の中心をなすのが、完全支配関係がある法人間の取引により生じる譲渡損益の課税繰延べであろう。すなわち、法人が完全支配関係がある他の法人に譲渡損益調整資産を譲渡した場合には、その譲渡損益は認識しない（法法61の13）。その課税を繰り延べる譲渡損益を**譲渡損益調整額**という。ただ、この制度は、完全支配関係がある普通法人または協同組合等の間の譲渡に限って適用される。

ここで**完全支配関係**とは、一の株主等が発行済株式等の全部を直接に保有する関係（親子会社関係）もしくは間接に保有する関係（親孫会社関係）または一の株主等との間に当事者間の完全支配の関係がある法人相互の関係（兄弟会社関係）をいう（法法二十二の七の六、法令4の2②）。

また**譲渡損益調整資産**とは、固定資産、土地、有価証券、金銭債権および繰延資産で帳簿価額が1,000万円以上のものをいう（法法61の13、法令122の14①）。これらの資産であっても帳簿価額が1,000万円未満のものや棚卸資産の売買、役務の提供は、この制度の適用対象にならない。この制度の趣旨を徹底するとすれば、すべての資産の売買や役務の提供を対象にすべきであろう

（注188）　財務省主税局『平成22年　改正税法のすべて』（平成22.7）189頁．

が，それは実務上現実的でない。

〔譲渡損益調整額の戻入れ〕

(3) 上述したとおり，完全支配関係がある法人間で譲渡損益調整資産の売買をした場合には，その譲渡損益の計上は要しない（法法61の13①）。これは，売買された譲渡損益調整資産は未だグループ法人内に止まって支配は継続しており，その譲渡損益は実現したとはいえないから，譲渡損益に対する課税を繰り延べるという趣旨である。

そこで，譲渡損益調整額は，いつ実現したものとして譲渡法人の課税所得計算に戻し入れるかが問題となる。この点，譲渡損益調整資産の譲受法人がその資産につき譲渡，貸倒れ，除却，評価換え，償却などを行ったときに，譲渡法人は譲渡損益調整額を戻し入れて，益金または損金に算入する。譲渡損益調整資産について，このような事由が生ずれば，譲渡損益が実現したとみられるからである。

この場合の戻入額は，基本的にこれらの事由により生じた金額に対応する譲渡損益調整額である（法法61の13②，法令122の14④〜⑥，基通12の4－3－3〜12の4－3－6）。

また，譲渡損益調整資産の譲渡法人と譲受法人との間に完全支配関係がなくなった場合には，譲渡損益調整額は戻し入れて，益金または損金に算入しなければならない（法法61の13③）。

〔譲受法人が譲渡した場合の戻入れ〕

(4) ここで留意すべきは，まず，譲受法人が譲渡損益調整資産を譲渡した場合の譲渡損益調整額の戻入れは，その譲渡先が他の完全支配関係がある法人であっても行う必要があるという点である。たとえば，譲渡損益調整資産が完全支配関係グループ内のA社からB社に譲渡され，さらにB社からC社に譲渡された場合，A社はB社がC社に譲渡した時点で譲渡損益調整額を戻し入れなければならない。

この場合には，譲渡損益調整資産は未だグループ法人内に止まっている。この制度の趣旨からすれば，理論的には譲渡損益調整資産が第三者に譲渡され，完全に法人グループ外に出たときに譲渡損益調整額の戻入れを行うようにすべきであろう。

　　しかし，そうすると，譲渡損益調整資産の保有関係を追跡する手数がかかり，この制度が大企業から中小企業まで強制適用されることからすると，必ずしも実体にそぐわない。そこで，形式的な割切りを図ったものである。

〔譲受法人が償却した場合の戻入れ〕

(5)　譲渡損益調整額の戻入れに関して留意すべき点の二つめは，譲受法人が譲渡損益調整資産を償却した場合の譲渡損益調整額の戻入れである。

　　譲渡損益調整資産の譲受法人においては，譲渡法人が譲渡損益の課税繰延べを行っているとしても，実際の売買価額を取得価額として，減価償却を行ってよい。そのため，譲受法人が償却を行えば，その損金算入される償却費に対応する譲渡損益調整額は実現したものとして戻し入れる。

　　その場合の譲渡損益調整額の戻入額は，次の算式により計算するのが原則である（法令122の14④三）。

$$譲渡損益調整額 \times \frac{損金算入された償却費}{譲渡損益調整資産の取得価額}$$

(6)　ただ，この原則法による場合には，譲渡法人は各事業年度ごとに譲受法人における償却状況を確認しなければならない。その手間を省くために，簡便法の適用が認められている。すなわち，次の算式により計算した金額を譲渡損益調整額の戻入額とすることができる（法令122の14⑥）。

$$譲渡損益調整額 \times \frac{当該事業年度の月数}{譲渡損益調整資産の耐用年数 \times 12}$$

　　この場合，問題となるのは，譲受法人が償却費の損金算入をしなかった場合であっても簡便法を適用して，譲渡損益調整額の戻入れを行ってよいかどうかである。

法文上は，譲渡損益調整額の戻入事由は「その償却費が損金の額に算入されたこと」とされ（法令122の14④三），その場合の戻入額は簡便法により計算した金額を原則法により計算した金額とみなすことになっている（法令122の14⑥）。厳密な文理解釈からすれば，そもそも譲受法人が償却費の損金算入をしなかった場合には，譲渡損益調整額の戻入れはできないことになろう。

しかし，簡便法が認められている趣旨や極端には1円でも償却費の損金算入をすれば簡便法の適用ができることからすれば，譲受法人が償却費の損金算入をしなかった場合でも簡便法を適用して戻入れを行ってよいと考える[注189]。

〔譲渡損益調整資産の譲渡等の通知〕

(7) 上述したように，この制度は譲渡損益調整資産の譲受法人がどのような処理を行ったかにより，その譲渡法人の課税関係が左右される。そこで，次の場合には，譲渡法人と譲受法人とはお互い通知をすべきものとされている（法令122の14⑮～⑰）。

 イ 譲渡法人が譲渡損益調整資産を譲受法人に譲渡した場合　譲渡損益調整資産に該当する旨（上記簡便法を適用する旨を含む）

 ロ 譲受法人において譲渡損益調整資産が減価償却資産または繰延資産に該当し，譲渡法人から上記簡便法を適用する旨の通知を受けた場合　適用する耐用年数または支出の効果の及ぶ期間

 ハ 譲受法人において譲渡損益調整資産につき譲渡，貸倒れ，除却，評価換え，償却などを行った場合　その旨，その生じた日，償却費の額

　このように，グループ法人税制の一つの特徴は，自己が直接関与していない他の法人の行為や取引により自己の課税関係が異なってくることである。このような問題は，完全支配関係がある子会社同士が寄附・受贈を行った場

(注189) 国税庁法人課税課情報「平成22年度税制改正に係る法人税質疑応答事例（問12）」（平成22.8.10）．

合には，その取引に関与していない親会社がその子会社株式の簿価修正を要するという点にも現れている（法令9①七，119の3⑥，119の4）。

今後は，グループ法人間における連絡，連携を蜜にしなければ，課税処理を誤ってしまうという点に十分留意しなければならない。

3-21 組織再編税制

〔趣　旨〕

(1) 平成13年の税制改正によりいわゆる組織再編税制が創設された。

近年，国際競争の激化等経営環境は大きく変化しており，企業にとって組織再編成などの改革が喫緊の課題である。これに対応し企業の競争力を確保するためのインフラとして，合併や分割，株式交換など旧商法のもとで整備が急速に進んだ。これら旧商法上のインフラ整備にあわせ税制上も新たな枠組みを構築し実態に合った課税を行うため，企業組織再編税制が創設された。

新税制の構築に当たっては，組織再編成全体として整合性のある制度とするため合併や現物出資等の既存税制も見直され，特定の現物出資により取得した有価証券の圧縮記帳制度（旧法法51，旧基通19-7-1）は廃止された。

ここで**組織再編成**とは，**合併**，**分割**，**現物出資**，**現物分配**または**株式交換・株式移転**をいう。平成22年の税制改正において，組織再編成としての事後設立は廃止され，現物分配が新たに組織再編成の一つとして位置づけられた。

また，株式交換・株式移転に関する取扱いは租税特別措置法（旧措法67の9，67の10）に定められていたが，平成18年の税制改正により，組織再編成の一つとして取り込まれた。

〔概　要〕

(2) その**組織再編税制**のあらましは，次のとおりである。

イ　法人が組織再編成により資産および負債の移転をしたときは，時価によ

る譲渡をしたものとして所得金額を計算する（法法22②，22の2④，62，62の5①②）。

ロ　ただし，適格組織再編成により資産および負債の移転をしたときは，帳簿価額による引継ぎまたは譲渡をしたものとして所得金額を計算する（法法62の2～62の4，62の5③）。

ハ　各種引当金等について，適格組織再編成の場合にはその引継ぎができる（法法52⑧等）。また，適格合併および適格分割型分割においては，利益積立金額の引継ぎを行う（法法二十八，法令9①二，三）。

ニ　繰越欠損金について，適格合併の場合には合併法人への引継ぎが認められる（法法57②）。ただし，適格合併の日の5年前から支配関係がない場合等の繰越欠損金や支配関係が生じた後の繰越欠損金のうち含み損が実現して生じたものは，その引継ぎや繰越控除はできない（法法57③）。また，適格組織再編成後3年以内にグループ加入時の資産の含み損が実現して生じた損失は，損金に算入しない（法法62の7）。

ホ　非適格合併等に際して交付した対価の額が移転を受けた資産・負債の時価純資産価額に対して，超えるときはその超える金額は資産調整勘定とし，満たないときはその満たない金額は負債調整勘定とし，いずれも5年間で均等償却を行い，損金または益金に算入する（法法62の8「3－7減価償却(29)」参照）。

ヘ　法人が自己を完全子法人とする非適格株式交換・株式移転を行った場合には，その有する時価評価資産の評価損益は，益金または損金に算入する（法法62の9）。

つまり法人が組織再編成により資産・負債の移転をしたときは，その譲渡利益のみならず譲渡損失もすべて課税対象に含めることを原則とする。ただし，適格組織再編成の場合には，帳簿価額による引継ぎまたは譲渡を認め，資産・負債の移転に伴う譲渡損益に対する課税を繰り延べるのである。資産・負債の含み損の計上も認められない点に留意を要する。

〔適格組織再編成の意義〕

(3) そこで，資産・負債の譲渡損益に対する課税の繰延べが認められる適格組織再編成の意義が重要になる。その**適格組織再編成**には，①企業グループ内組織再編成と②共同事業組織再編成との二つの類型がある（法法２十二の八，十二の十一〜十二の十五，十二の十七，十二の十八）。

　まず**企業グループ内組織再編成**には，さらに二つのものがある。その一つは，完全支配関係（100％の持株関係）がある法人間における組織再編成である。この場合には，組織再編成後に完全支配関係が継続することが見込まれていればよい。

　その二つは，支配関係（50％超の持株関係）がある法人間における組織再編成である。この場合には，完全支配関係がないので，①独立した事業単位の移転，②移転事業の従業員の８割以上の移籍，③移転事業の相互関連性，④移転事業の規模の類似性，⑤移転事業の継続性，⑥支配関係の継続性といった要件を満たすものが適格組織再編成に該当する。

(4) つぎに**共同事業組織再編成**とは，資本関係はないが事業の関連性を有し，その規模が著しく異ならないような法人間の組織再編成をいう。この場合には，①独立した事業単位の移転，②移転した事業の継続，③取得した株式の継続保有といった要件を満たすものが適格組織再編成に当たることになる。

　この共同事業組織再編成に関して，合併と分割を同様に取り扱うことは問題だという指摘がある。すなわち，一つの法人へ資産や事業が流れ込んでくる合併と，一つの法人から資産等が選択的に切り出される分割とでは，取引の本質が異なる。特に吸収分割の場合，選択的に切り出された資産が，法人段階課税を受けないまま，別の法人へ移る危険性が存するという[注190]。

　これら適格組織再編成の要件は，移転した資産・負債に対する支配が継続しているかどうかという基本的な考え方に基づいている。その支配が継続していれば，組織再編成の前後で経済実態に実質的な変更がないと考えられる

(注190) 渡辺徹也著『企業組織再編成と課税』（弘文堂，平成18）35頁，255頁．

からである。したがって，金銭の交付がある場合には，適格組織再編成に該当しない。

(5) 上述した企業グループ内組織再編成や共同事業組織再編成は，基本的にその組織再編成後も親子会社等の資本関係が継続することが要件となっている。

これに対し，平成29年に会社から独立して事業を行うための分割型分割が適格組織再編成として認められるようになった。すなわち，①分割後の分割法人と分割承継法人との支配関係の遮断，②分割前役員の就任，③主要な資産・負債の移転，④分割事業の従業員の８割以上の移籍，⑤移転事業の継続性といった要件を満たすものが，適格分割に該当する（法法２十二の十一ニ，法令４の３⑨）。

上記①の要件がポイントで，企業が事業の一部門を分離独立させ別の会社とする，いわゆる**スピンオフ**を認めるということである。その別会社へ資産・負債は帳簿価額によって移転することができ，譲渡損益を認識する必要はない（法法62の２②）。

このスピンオフは，**株式分配**（現物分配のうち，完全子法人の株式の全部が移転するもの）による方法についても，上記分割の場合とほぼ同様の要件により認められている（法法２十二の十五の二，十二の十五の三，法令４の３⑯）。

スピンオフは企業の事業内容の転換のため，事業関連性の希薄な部門の切り出しや，意思決定の短縮による機動的な経営などを目的に行われるから，税制もこれを阻害しない趣旨である。

〔無対価の合併，分割の適格性〕

(6) 法人が合併や分割を行う場合，その合併や分割により資産・負債の移転を受ける合併法人や分割承継法人は，被合併法人や分割法人に対し新株等を対価として交付するのが普通である。

ところが，合併や分割を行う当事会社間に完全支配関係（100％の持株関係）がある場合には，対価として新株等の交付をしても完全支配関係にはなんら変化がないことから，対価を交付しない，いわゆる無対価の合併や分割

が行われることがある。

　このような無対価の合併や分割が適格合併や適格分割に該当するかどうか，従来から議論があった。そもそも合併や分割は対価を交付しないようなことは予定していないという考え方や，無対価の合併や分割に適格性を認めると，自由に資産・負債を帳簿価額で他の法人に移転することができる，といった主張などがされていた。

　この点，課税庁は無対価の分社型分割に関し，単に対価である株式の交付を省略したというのであれば，いったん株式を発行し，その後株式の併合を行えば同じ結果が得られるから，移転した純資産価額相当額だけ従来から有している子会社株式の価額を増加させればよく，適格分割に該当するという解釈を示している(注191)。

　そこで，平成22年の税制改正において，完全支配関係がある法人間の無対価の合併や分割も適格合併や適格分割に該当することとされ（法法２十二の八，十二の十一，法令４の３②〜⑧），立法的解決が図られた。

〔三角合併の適格合併該当性〕

(7)　**適格合併**とは，被合併法人の株主に合併法人株式または合併親法人株式（合併法人の100％親会社）のいずれか一方の株式以外の資産が交付されないものをいう（法法２十二の八）。

　合併法人は合併対価として，被合併法人の株主に自己の株式に代えて，その保有する自己の親会社の株式を交付してよいということである。これにより，被合併法人の株主は，合併法人ではなく，その親会社の株主となるから，これを**三角合併**という。

　従来から，欧米の企業を中心に三角合併を認めるべきであるという意見は少なくなかった。この点，平成18年５月に施行された会社法では，組織再編

（注191）　国税庁・法人税質疑応答事例「子会社を分割承継法人とする分割において対価の交付を省略した場合の税務上の取扱いについて」

成において「対価の柔軟化」が図られ，合併の対価として，自己の親会社の株式を交付することが認められた（同法749①二）。これを受けて，平成19年の税制改正により，三角合併も適格合併に該当することとされた。

ただ，三角合併は，外国企業がわが国に子会社を設立し，わが国企業と合併させて傘下に収めるケースが想定される。そこで，ペーパーカンパニーを使った三角合併の乱用による課税逃れ等を防止するため，わが国企業の適格合併と同じ取扱いとなっている（措法68の2の3）。

なお，平成31年の税制改正により，合併対価である合併親法人株式は，その親法人のさらに親法人の株式でもよいこととされた（法法2十二の八，法令4の3①）。孫会社が合併法人である場合，その合併対価として，いわば祖父会社の株式を交付することができる。

〔外国関係会社の組織再編成の考え方〕

(8) 企業の国際化を反映して，わが国企業が有する外国関係会社の組織再編成の事例は少なくない。この場合，外国関係会社の組織再編には，①わが国親会社が組織再編の当事者として直接関連するケースと②わが国親会社は直接関連しないが，株主として間接的に関与するケースの二つが考えられる。

このような外国関係会社の組織再編成が行われた場合，わが国の組織再編税制の適用関係はどうなるかといった問題がある[注192]。この点，基本的には外国で行われる組織再編成であっても，わが国における組織再編成の本質的要素と同じ要素を備えるものであれば，わが国の組織再編税制にあてはめて，適格・非適格の判定を行い，それに従って課税関係を律していくことになる[注193]。

(注192) 日本公認会計士協会「組織再編税制の国際的側面について」（平成15.12.8），同「国外における組織再編成等に係る国内税法の適用関係について（中間報告）」（平成21.2.17）。
(注193) 日本租税研究協会『外国における組織再編成に係る我が国租税法上の取扱いについて』（日本租税研究協会，平成24）4頁，39頁．

しかし，わが国の組織再編税制はわが国の会社法等を前提としており，また，わが国の組織再編成と外国のそれが一致することは稀である。このような場合には，わが国の組織再編成との類似性を見極め，類似性が高いときに適格組織再編成の要件を満たすかどうかを判断することになろう。

いずれにしても，外国の組織再編成はさまざまであるから，個々の事例に則して判断せざるを得ないが，基本的な考え方なり方向性を示すことが望まれる。

〔組織再編成と租税回避行為〕

(9) 組織再編税制にあっては，その組織再編成が適格であるか，非適格であるかによって，大きく課税関係が異なる。そのため，意図的に適格，非適格を操作し，税負担を免れることができる。

そこで，税務署長は，法人が行った組織再編成にかかる行為または計算で法人税の負担を不当に減少させる結果になるものは否認できる（法法132の2）。課税当局による，この行為計算の否認規定が実際に発動されるのか注目されていたが，現に発動され，争いになっている事例がみられる。

共同事業を営むための適格合併の要件の一つに，特定役員引継要件（被合併法人の合併前における社長，副社長等特定役員が合併後合併法人の特定役員となることが見込まれていること）がある（法令112③五）。その事例は，合併法人の代表取締役が被合併法人を完全子会社化する2か月前に被合併法人の副社長に就任し，その完全子会社化直後に適格合併をしたもので，特定役員引継要件を満たすとして，被合併法人の欠損金を引継ぎ控除を行った。

これに対し，課税庁は，このような副社長の就任は不自然，不合理であるとして，副社長就任の事実を否認し，特定役員引継要件を満たさないと認定した。この課税庁の処分は，判例でも支持されている[注194]。

(注194) 東京高判平成26.11.5税資264号順号12563，最高判平成28.2.29税資266号順号12813.

このほか，実務上，合併や分割による引継資産の含み損失を計上するため，適格要件外しを意図し，株式の交付とともに金銭を交付することや，従業員の引継数を過少にすることなどが議論になることが多い。

昨今，課税当局は組織再編成をめぐり租税回避行為として積極的に指摘をする傾向にあるように思われる。企業にあっては，実際の組織再編成に際し，組織再編成のバリエーションの多様さと税制の複雑さとがあいまって，どのような行為であれば問題になるのか，法的安定性と予測可能性に危惧がある，といった声が聞かれる。

〔企業会計との整合性等〕

(10) 企業会計では，企業結合会計基準や事業分離等会計基準が定められ(注195)，合併や分割，現物出資等に関する処理が行われている。しかし，その処理の考え方や方向性は税務と同一ではない。企業会計と税務とでは資産・負債の時価引継ぎと簿価引継ぎの要件が異なる。

この点，企業会計では，従来**持分プーリング法**（簿価引継法）と**パーチェス法**（時価処理法）とが認められていたが，平成20年の企業結合会計基準の改正等により，持分プーリング法は廃止された。そのため，企業会計と税務の乖離が生じている(注196)。

たとえば，企業会計では①共同支配企業の形成と②共通支配下の取引以外の企業結合は，「取得」としてパーチェス法で処理しなければならない。一方，共同支配企業の形成と共通支配下の取引は簿価処理を行う。それは税務上の適格組織再編成に該当する場合も考えられるが，必ずしも要件が同一ではない。

逆に，共同支配企業の形成と共通支配下の取引以外の企業結合であっても，

(注195) 企業会計審議会「企業結合に関する会計基準」(平成15.10.31)，企業会計基準委員会「事業分離等に関する会計基準」(平成17.12.27)．
(注196) 日本公認会計士協会東京会編『相違点でみる会計と税務　実務ポイントQ＆A』(清文社，2010) 289頁．

税務上の適格組織再編成に該当することがあり得よう。

税務ではこのような差異を前提に，たとえば組織再編成により移転を受けた減価償却資産の取得価額が会計上と税務上とで異なる場合には，その差額は償却費とみなすという特例を設けている（法法31⑤，法令61の4）。

このような企業会計と税務の差異を解消することは，なかなか難しい問題であるが，税務上の適格組織再編成の要件が経済実体に適合しているかどうかの不断の見直しなどを含めて検討を続ける必要がある。

3-22 リース取引

〔リース取引の意義〕

(1) 今日ではリース取引は，旅行用のスーツケースから最先端の電子機器まであらゆる分野に及んでいる。**リース**（lease）とは，一般的には資産の賃貸借のことをいう。そのリースは，現在では①ファイナンス・リース（finance lease）と②オペレーティング・リース（operating lease）の二つに大別される。

ファイナンス・リースは，貸し手（lessor）におけるリース物件の取得価額その他のコストをすべて借り手（lessee）がリース料として実質的に負担するもので，リース期間の中途における契約の解除ができない点に特徴がある（法法64の2③）。これに対して**オペレーティング・リース**は，借り手からリース料を受け取るが，リース物件の保守，管理，コストの負担等は貸し手が行うもので，いつでも契約の解除ができる。

(2) オペレーティング・リースは，昔からある賃貸借そのものであり，貸し手はその受け取るリース料を収益に計上する一方，減価償却費，修繕費，保険料などのコストを費用として計上する。これに対して，ファイナンス・リースは，契約の終了時にはそのリース物件の所有権が借り手に移るなど，実質的には売買と認められるものである。それだけに，オペレーティング・リースのように賃貸借としての経理をしておけばよい，というわけにはいかない。

現在，リースが税務上または会計上で問題とされるのは，もっぱらファイ

ナンス・リースについてである。

〔ファイナンス・リースの税務上の取扱い〕
(3) 昭和40年代から50年代にかけて、ファイナンス・リースが脚光を浴びた。ファイナンス・リースには、次のような税務上のメリットがあるからである。
　ファイナンス・リースは、①リース契約の中途解約が禁止され、②リース期間中に支払われるリース料の合計額が貸し手におけるリース物件の取得価額その他の付随費用のおおむね全部を支弁するように定められる。そうすると、ファイナンス・リースは、リース物件の耐用年数よりも短い期間をリース期間とするのが通常であるから、実質的には資産を割賦で購入したのとなんら異ならないにもかかわらず、資産を購入した場合に比して、その資産につき早期の費用化ができる。
(4) 税の立場からみると、このようなリース取引をそのまま認めることは、課税上の弊害が大きい。そこで、ファイナンス・リースに対する税務上の取扱いが、まず昭和53年に通達（昭和53.7.20直法2－19）で明らかにされ、これが平成10年に政令（旧法令136の3）に定められ、平成19年には法人税法に規定された。上述したように、資産の賃貸借のなかには、その実態が売買に類するものも存在することから、このような売買に類する賃貸借については、その実態に即して売買があったものとして課税する趣旨である[注197]。
　その取扱の概要は、次のとおりである。すなわち、**リース取引**は、①中途解約の禁止、②フルペイアウトの二つの要件を満たすものをいい（法法64の2③）、法人がリース取引を行った場合には、リース資産の引渡しの時に売買があったものとする（法法64の2①）。そのリース取引には所有権移転リース取引と所有権移転外リース取引がある。**所有権移転リース取引**は、①所有権移転条項付リース取引、②割安購入選択権付リース取引、③特別仕様資産対象リース取引、④リース期間短縮リース取引および⑤これらに準ずるリー

（注197）　松山地判平成27.6.9税資265号順号12675.

ス取引をいい，**所有権移転外リース取引**はこれらのリース取引に該当しないものをいう（法令48の2⑤五参照）。

　従来，リース取引のうち所有権移転リース取引だけが，リース資産の売買があったものとされていたが，平成19年の税制改正により，所有権移転外リース取引も売買があったものとして取り扱うこととされた。

〔所有権移転リース取引と所有権移転外リース取引の相違点〕

(5)　所有権移転リース取引は，上述したような条件が付され，実質的にリース資産の所有権が賃貸人から賃借人に移転したとみられるものである。これに対し，所有権移転外リース取引は，課税上の弊害を除去する観点から，リース資産の売買があったものとされるが，所有権が移転したとまではいえない。

　そのため，法人税の課税上，減価償却の方法として，所有権移転リース資産については定額法や定率法，生産高比例法を選択できるが，所有権移転外リース資産は，リース期間定額法に限られる（法令48の2①六）。

　また，たとえば特別な償却方法（法令48の4），増加償却（法令60），少額減価償却資産の一時償却（法令133），一括償却資産の3年均等償却（法令133の2），特別償却（措法42の5⑧等），圧縮記帳（法法47①，措法64①等）は，所有権移転リース資産には適用があるが，所有権移転外リース資産には適用が認められない。

〔レバレッジド・リースの税務上の取扱い〕

(6)　昭和53年に税務上の取扱いが明らかにされて以後は，課税上，問題のあるリース取引は少なくなった。ところが，昭和60年代には逆に，リース物件の耐用年数よりも長い期間をリース期間とするリースが現れた。航空機をリース物件とする**レバレッジド・リース**（leveragede lease）である。

　レバレッジド・リースにも，次のような税効果がある。すなわち，航空機のような巨額な資産を購入したうえ，これを法定耐用年数よりも長い期間でリースし定率法で償却すると，リース後数年間は，リース料収入よりも償却

費の方が多くなり，損失が生じる。この損失と通常の営業活動で生じた利益とを通算すれば，当面の課税所得が少なくなる。その結果，リース期間を通ずるトータルの損益は最終的には同じになるが，利益平準化を図り課税繰延べの効果が出てくる。レバレッジド・リースの名は，このような税のてこ入れ効果（leverage effect）を求めて組成されることに由来するといわれる。

(7) このレバレッジド・リースに対応するため，昭和63年にはじめて税務上の取扱いが明らかにされた（昭和63.3.30直法2-7通達）。レバレッジド・リースは，リース物件がいったん賃借人において取得されたうえでリースすることを条件に賃貸人に譲渡される，いわゆる**セール・アンド・リースバック**であり，あるいはリース物件を賃貸人が直接取得したうえで賃借人にリースする形をとるが，その選定，メーカーとの交渉は賃借人において行われるといった点に特徴がある。

そこで，**リース・バック取引**が行われた場合において，その資産の種類，その売買および賃貸に至るまでの事情その他の状況に照らし，そのリース・バック取引が実質的に金銭の貸借であると認められるときは，その資産の売買はなかったものとし，かつ，譲受人から譲渡人に対して金銭の貸付けがあったものとする（法法64の2②）。

〔リース資産に対する償却方法〕

(8) 所有権移転外リース取引により賃借人が取得したものとされる減価償却資産を，償却計算上，**リース資産**という（法令48の2⑤四）。このリース資産については，リース期間定額法で償却しなければならない。その**リース期間定額法**は，次の算式により計算した金額を償却限度額とする方法である（法令48の2①六）。

$$（リース資産の取得価額－残価保証額）\times \frac{当期の月数}{リース期間の月数}$$

リース期間定額法は，そのリース資産の法定耐用年数にかかわらず，実際のリース期間にわたって均等償却を行うものである。これは，定期的に授受

するリース料は均等額で定められるのが普通であるから，賃貸人と賃借人とを通ずる利益操作や租税回避行為の防止などの趣旨によるものといえよう。

なお，所有権移転リース取引により取得した減価償却資産は，法人が通常の売買により取得した資産と同じく，法定耐用年数を基礎に定額法や定率法，生産高比例法により償却を行う。

〔税務上の取扱いの趣旨〕

(9) このように，税務においては，ファイナンス・リースおよびレバレッジド・リースのうち一部のものについて，その契約形式にかかわらず売買取引または金融取引として処理することになっている。これは，リース業界の取引のあり方に少なからず影響を与えたといわれる。税の中立性を確保するため，税が企業の取引に介入することはできるだけ避けなければならない。そのため，課税上弊害のあるリース取引とはいえ，すでに成熟し広く利用されている取引を規制するのはやや行き過ぎではないか，と疑問を呈する向きがある。

確かに，企業経営に当たって税のメリットを追求し，また，企業の将来に備えて利益の平準化を図るのは自然の行動である。それを税といえども，すべて否定することはできない。しかし，それもおのずから限界がある。リース期間が法定耐用年数より短いものも長いものも，一般の賃貸借と異なる性格を有している。賃貸借というよりは，売買を意図しているとみるのが実態に合っている。

特にレバレッジド・リースは，航空機とはなんの関係もない一般企業が，金銭の出資だけをして航空機の名目的なオーナーになり，航空会社にリースするもので，課税の繰延ベメリットを求めている。現に租税回避行為かどうかで訴訟になった例もみられる[注198]。

（注198） 名古屋地判平成16.10.28税資254号順号9800，津地判平成17. 4 .19，静岡地判平成17. 7 .14，名古屋高判平成17.10.27税資255号順号10180．

このようなリース取引をそのまま認めることは課税上の弊害が大きい。課税上の弊害を除去し，課税の公平を確保するのもまた税のあるべき使命である。税の取扱いは私法上の契約形式までも否定するものではない。あくまでも経済的実質に基づいた税の側面からの取扱いに過ぎない。このような取扱いは，法律で定めるのが望ましい。そこで，その取扱いが，平成10年の法人税制改革を機にまず政令（旧法令136の3）で定められ，次いで平成19年には法人税法に規定された。

　また，前述したレバレッジド・リースによる課税繰延べは，任意組合を組成して行われる例も少なくない。そこで，平成17年の税制改正において，その任意組合の活動に関与せず，単に組合に出資しているに過ぎないような組合員については，組合損失の自己の課税所得計算への取込みはできないこととされた（措法67の12，67の13）。

〔少額資産リースの問題点〕

(10)　リースは利用者の幅広い需要に対応するため，目まぐるしく新しい形態の商品が生まれる世界である。現に，実務の現場を預かる公認会計士のなかには，いろいろな規則が出ると，そのあとすぐループ・ホールを見つけ出して新たな節税商品を追求する人たちが活躍するのがレバレッジド・リースの業界である，という声すらある[注199]。

　新しい形態の商品を生み出すということに関しては，次のようなリース取引がある。

（注199）　渡辺淑夫・山本清次・渡辺隆司鼎談「リース取引を巡って」税経通信48巻10号（平成5.8）58頁．

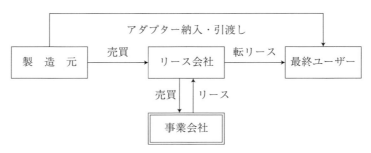

（注）　リース物件は，新品の単価20万円未満の電話回線選択アダプターである。

　このリース取引は，従来のリース通達（昭和53．7．20直法2－19，昭和63．3．30直法2－7）における取扱いのいずれにも抵触しなかった。その限りでは，この取引は税務上もそのまま認められるようにみえる。

　しかし，このリース取引における事業会社は，リース物件の管理をいっさい行わず，危険負担もなく，アダプターを取得する必然性がないにもかかわらず，アダプターの所有者となり，自己が購入したものとしてその購入費用を一時の損金にしている。これは，その単価が20万円（現行・10万円）未満の減価償却資産の取得価額は，一時の損金の額に算入できるという取扱い（法令133）を利用して，損失の先出しによる税のメリットをねらったものであるといえよう。

　このようなリース取引をそのまま認めることは，著しく税負担の公平を害する。そこで，課税当局はその取得価額の一時損金算入を否認した。その取扱いが争いになったが，国税不服審判所の裁決は，実質課税の原則を拠り所に課税当局の取扱いを支持している。このリース取引は，その実態からみて事業会社がアダプターを取得して賃貸したとは認められず，資金的にはリース会社に対する金融取引であると認定したのである[注200]。

（注200）　国税不服審判所裁決平成6．4．25裁決事例集No.47・288頁。なお，国税不服審判所裁決平成5.12.15裁決事例集No.46・156頁参照．

〔企業会計上の取扱い〕

(11) このようにリース取引に対する取扱いは、税務が先行してきた。これまで企業会計では明確な基準がなかったので、実務的には税務の取扱いに準じて処理してきたのが実情であろう。しかし、平成5年6月17日に企業会計審議会から「リース取引に係る会計基準」が、平成19年3月30日には企業会計基準委員会で総合的に見直された「リース取引に関する会計基準」がそれぞれ公表され、企業会計の取扱いが明確になった。

　リース会計基準の取扱いの概要は、次のとおりである。

　イ　ファイナンス・リース取引とは、中途解約の禁止とフルペイアウトの要件を満たすものをいう。

　ロ　ファイナンス・リース取引は、所有権移転ファイナンス・リース取引と所有権移転外ファイナンス・リース取引とに分類する。

　ハ　ファイナンス・リース取引は、通常の売買取引にかかる方法に準じて会計処理を行う。

　ニ　オペレーティング・リース取引については、通常の賃貸借取引にかかる方法に準じて会計処理を行う。

(12) リース取引に対する税務上と会計上の取扱いの概要は、以上述べたとおりである。ファイナンス・リースを通常の賃貸借としては取り扱わない、という根幹の考え方は税務も会計も同じであり、また、ファイナンス・リースの意義についても基本的に異ならない。リース会計基準は、結局は従来の税務通達によって事実上規制されている会計実務の現状を追認したに過ぎない、という意見すらある(注201)。

　ただ、リース会計基準では、短期リース取引（リース期間1年以内）や少額リース取引（リース料総額300万円以下）については、通常の賃貸借として会計処理をすることができる（リース会計適用指針34、35）。

（注201）　井上久彌稿「『リース会計基準意見書』と税法」税経通信48巻10号（平成5.8）185頁。

しかし，法人税にはこのような例外措置はない。短期リース取引や少額リース取引であっても，リース資産の売買として処理しなければならない。ただ，企業会計との調整を図るため，賃借人が賃借料として損金経理をした金額は，償却費として損金経理をした金額に含まれるものとされている（法令131の2③）。この場合には，減価償却に関する明細書の添付も要しない（法令63①，基通7－6の2－16）。

第4章 資本の税務

4-1 資本等取引

〔意義と趣旨〕

(1) 法人税において**資本等取引**とは，次に掲げる取引をいう（法法22⑤）。

 イ　法人の資本金等の額の増加または減少を生ずる取引
 ロ　法人が行う利益または剰余金の分配
 ハ　法人が行う残余財産の分配または引渡し

　イにおける**資本金等の額**とは，法人が株主等から出資を受けた金額，すなわち資本金の額（出資金の額）と資本性剰余金の額との合計額をいう（法法2十六，法令8）。

　この資本等取引が具体的に作用しているのは，益金または損金の範囲に関してである。すなわち，資本等取引から生じた収益および損失は，益金または損金にならない（法法22②③三）。資本等取引から生ずる純資産の増加または減少は，益金または損金とは観念されないのである。それは，資本等取引は企業と資本主との間の自己取引であるからである。

(2) 法人の行うある取引が資本の増減か収益・費用の発生かは自明のことのようで，必ずしもそうではない。現実に事業を行う法人の収益または費用・損失には，各種の性格や内容のものがあり，それに対する考え方も一様ではないからである。たとえば，固定資産の受贈益一つをとってみても，資本取引か損益取引か議論が存する。

　そこで，何が益金または損金になり，また，資本になるかの範囲を画するのが資本等取引の概念である。資本等取引をどのように定義するかは，所得概念の出発点であるといえよう。そのような意味で，資本等取引は法人税の課税所得の範囲を規定する機能を有している。

このような資本等取引の概念は、企業会計の資本取引に対応するものである。しかし、両者の範囲は同一ではない。特に利益・剰余金の分配や残余財産の分配・引渡しが含まれている点が税務の資本等取引の最大の特徴である。その点については後述する。

(3) なお、実務にあっては、債務超過会社に対する増資払込金について、グループ企業を支配する個人的な事情による増資であって、資本等取引ではなく、その額面超過金は寄附金である、と認定された事例がある[注1]。

また、子会社が行った減資に伴う株式の消却に当たり、払戻し額が時価純資産額より低い場合には、旧商法による払戻限度額に規制があったとしても、払戻し額と時価純資産額との差額は、経済的利益の移転であり、寄附金に該当するとされた事例もみられる[注2]。

このように、事実関係などによっては、資本等取引ではなく寄附金である、と認定される場合があることに留意する。ただ、資本等取引からは収益や費用は生じないのが大原則であるから、いたずらに資本等取引を損益取引とみるようなことは避けるべきであろう。

〔資本概念の変遷〕

(4) 現在では資本金等の増減を生ずる取引は非課税である、というのは当然のことのように考えられている。しかし、昔からそうであったわけではない。たとえば、昭和2年の主秘第1号通牒[注3]の「二五」では、総益金について次のようにいっている。すなわち、「法人ノ総益金トハ資本ノ払込以外ニ於テ純資産増加ノ原因トナルヘキ一切ノ事実ヲ指スモノナルヲ以テ会社カ額面以上ノ価格ヲ以テ株式ヲ募集シタル場合ノ額面超過額及株式ノ消却又ハ切

(注1) 福井地判平成13.1.17訟務月報48巻6号1560頁、名古屋高判平成14.4.15税資252号.

(注2) 東京地判平成24.11.28訟務月報59巻11号2895頁、東京高判平成26.6.12税資264号順号12484.

(注3) 大蔵省主税局長主秘第1号「所得税法施行ニ関スル取扱方通牒」(昭和2.1.6).

下等ノ場合ニ於ケル計算上ノ差益ト雖之ヲ益金ニ計算スヘキモノトス」と。

　資本主からの資本拠出の典型である額面超過金（株式払込剰余金）ですら，課税の対象になっていたのである。その理由として，税法は会社とその株主とは別個の独立した納税主体であるとの観念に立脚しているから，資本の払込み以外において株主が無償で提供した加入持込金である限りにおいては，たとえ商法上，ただちに法定準備金に繰り入れるべきことが規定されていても，それが利益でないことを意味するものではない，という解釈がされていた(注4)。これは行政裁判所でも支持された見解であった。

(5) しかし，このような解釈や判例に対して反論がなかったわけではない。その反論は，「資本の払込み」の意義を商法上の資本の払込みと独断的に決めているが，いわゆる資本主の払込みと資本主への払戻しの観念がはっきりしていれば，プレミアム（額面超過金）や減資益は，所得計算上，損益の要素を構成しないことは明らかであるという(注5)。

　額面超過金については，その後，昭和18年の臨時租税措置法の改正により特例が設けられた。すなわち，額面超過金を時局産業の用に供する設備の新設，拡張または改良に充てるか，あるいは国債，地方債および政府保証債の取得に充てた場合には，額面超過金の5割を限度として益金不算入になった。

　時局柄，益金不算入に条件が付されているが，従来の全額課税からすれば画期的であった。その後，昭和21年の同法の租税特別措置法への改称と全文改正に伴い，益金不算入の条件が削除され，さらに昭和24年の改正により全額益金不算入とされた。

　このような経過を経た後，シャウプ勧告による昭和25年の税制改正により，額面超過金や協同組合への加入金，減資差益，合併減資益金の益金不算入が定められた。これによりおおむね現行の資本概念が形づくられたが，法律が「益金に算入しない」という表現をとっていたため（当時の法法9の2，9

(注4)　片岡政一著『會社税法の詳解』（文精社，昭和18）228頁．
(注5)　田中勝次郎著『判例を中心としたる所得税の諸問題』（巌松堂書店，昭和15）314頁．

の3,9の4,9の5),本来は利益であるが特別に課税を免除している,といった議論が残されていた。

そこで,昭和40年の法人税法の全文改正により資本等取引の概念が導入され,資本金等の増減を生ずる取引は本質的に所得を構成しないものとされたのである。

〔利益・剰余金の分配が資本等取引に含まれる趣旨〕

(6) 上述したように,**資本等取引**とは,資本金等の額の増減取引,利益・剰余金の分配および残余財産の分配・引渡しであり,資本金等の額は,①資本金の額または出資の額と,②いわゆる資本性の剰余金額(旧資本積立金額)との合計額である(法令8)。資本金等の額については,企業会計との関連などで論ずべき点が多々あるので,項を改めて検討する。ここでは,利益・剰余金の分配および残余財産の分配・引渡しについてみてみよう。

資本等取引の概念は資本主との取引であり,企業会計の**資本取引**に対応するものである。しかし,利益・剰余金の分配と残余財産の分配・引渡しが資本等取引に含まれている点,企業会計で一般にいう資本取引よりも範囲が広い。

このように,法人税において**利益または剰余金の分配**を資本等取引に含めているのは,利益または剰余金の分配は損金の額に算入しない,ということを明らかにする意味である[注6]。利益または剰余金の分配が純資産の減少をもたらすものでありながら損金の額に算入されないのは,利益または剰余金の分配は,決算によって利益が定まってから後の処分の問題であって,利益を定める要素とはなり得ない,と考えられるからである[注7]。

(7) 確かに,利益または剰余金の分配を資本等取引に含めているのは,動機からすれば利益または剰余金の分配を損金にしないためであるかもしれない。

(注6) 国税庁編『昭和40年 改正税法のすべて』104頁.
(注7) 東京地判昭和40.12.15税資41号1188頁,東京高判昭和43.8.9税資53号303頁.

また，企業会計の資本取引と比較して大きな相違・特徴点となっている。しかし，本質的に考えてみると，そもそも利益または剰余金の分配を資本等取引に含めているのは，それほど奇異なことではない。

会計学においては，利益の配当が資本取引に含まれるかどうか議論がある。資本取引とは資本それ自体の変動に関する取引であり，利益の配当などの利益処分は含まないという狭義の資本取引の概念が一般的である。しかし，狭義の資本取引に利益の配当などの利益剰余金の増減取引を加えた広義の資本取引の概念も有力に主張されている(注8)。

法人税の資本等取引の概念は，広義の資本取引よりは範囲が狭いが，理論的に利益または剰余金の分配を資本取引と位置づけることを法制化した点で評価される。この点は，会計学が税法に学ぶべきであるという意見がある(注9)。

〔利益・剰余金の分配の意義〕

(8) 資本等取引に該当する利益または剰余金の分配は，一義的には法人が株主総会等の決議により，剰余金または利益の処分により配当または分配をするものである。すなわち，株主等に対し，その持株に応じて行う正規の配当をいう。しかし，利益または剰余金の分配といっているとおり，通常の剰余金の配当等よりも広い概念のものである。

したがって，これには法人が剰余金または利益の処分により配当または分配としたものだけでなく，株主等に対しその出資者たる地位に基づいて供与したすべての経済的利益が含まれる（基通1－5－4）。違法配当や税務調査などにより配当と認定される，いわゆる認定配当もここでいう利益または剰余金の分配に該当するのである。

(9) ところで，資本等取引の範囲を定めた法人税法第22条第5項は，「法人が

(注8) 中村　忠著『資本会計論（増補版）』（白桃書房，昭和48）8頁参照．
(注9) 中村　忠著『新版　財務諸表論セミナー』（白桃書房，平成3）29頁．

行う剰余金または利益の配当」と規定せず,「法人が行う利益または剰余金の分配」と規定している。したがって,これは利益配当に限定されず,隠れた利益処分に対する法的根拠となり,役員に対する認定賞与や事業に関係なく第三者に資産を贈与して社外流出するものも含むという見解がある(注10)。

　隠れた利益処分も「利益の分配」に含まれることは確かであるが,それは株主等に対するものに限られるというべきであろう。役員賞与や寄附金は,「別段の定め」(法法34,37)によってそれぞれ損金不算入となるのであって,資本等取引であるがゆえに損金不算入になるわけではない,と考えられる。

　法人税法第22条第5項が「配当」とせず「分配」としているのは,先に述べたとおり,正規の剰余金または利益の配当や分配よりも範囲が広いことを表わすためであろう。

〔残余財産の分配,引渡し〕

(10)　平成22年の税制改正により,資本等取引の範囲に「残余財産の分配又は引渡し」が含まれることとされた(法法22⑤)。同年の税制改正により清算所得課税が廃止され,清算中の事業年度においても,通常の事業年度と同様,各事業年度の所得に対する法人税が課されるようになった。そこで,残余財産の分配または引渡しについて,その性格は利益または剰余金の分配と同じであるから,損金算入しないようにするため,資本等取引の範囲に含めたものである。

　一方,残余財産の全部の分配または引渡しにより他の者に資産の移転をするときは,その資産は時価による譲渡をしたものとし,その譲渡損益は課税の対象になる(法法62の5①②)。

　そのため,そもそも資本等取引からは損益は生じないから,残余財産の全部の分配または引渡しから譲渡損益が生じるというのは,矛盾ではないかと

(注10)　松沢　智著『租税実体法』(中央経済社,昭和51)136頁,山田二郎著『税務訴訟の理論と実際』(財経詳報社,昭和48)32頁.

いった疑義が生じる。この点，残余財産の全部の分配または引渡しは，①残余財産の時価と帳簿価額との差額は譲渡損益となる損益取引と，②残余財産の全部の分配・引渡しの行為自体は損益が生じない資本等取引との二つの取引が生じる**混合取引**ということである(注11)。

　平成30年の税制改正により，無償による資産の譲渡にかかる収益の額には，現物による利益・剰余金の分配および残余財産の分配・引渡しによる資産の譲渡にかかる収益の額を含むものとされ（法法22の2の⑥），この点が明確化された。

〔支払配当の損金算入論〕

⑾　上述のような利益，剰余金の分配の損金不算入との対比において支払利子も損金にすべきでない，という議論があることはすでに述べた（「3－16　支払利子」参照）。今度は逆に，支払利子の損金算入との対比において支払配当も損金にすべきである，という議論がある。

　支払利子が他人資本の使用料であるとすれば，支払配当は自己資本の使用の対価である。それにもかかわらず支払利子が損金に算入される一方，支払配当が損金にならないというのでは，企業の資金調達を借入金に偏らせ税の中立性を損なうという。現に，資金調達に対する税の中立性を保持するため，昭和36年の税制改正では支払配当は資本金の8％相当額まで損金算入を認める，という提案がされたことがある(注12)。

⑿　確かに，支払利子は損金算入，支払配当は損金不算入というのであれば，企業の資金調達が借入金に偏在することは想像に難くない。意識的に借入金にシフトさせる企業すらみられる。このような課税上の弊害を除去するため，

(注11)　金子　宏著『所得税・法人税の理論と課題』（日本租税研究協会，平成22）146頁，金子　宏稿「法人税における資本等取引と損益取引」（金子　宏編『租税法の発展』有斐閣，2010所収）337頁，拙稿「現物分配の適格・非適格別の税務と会計の処理」週刊税務通信No.3125（平成22.8.2）72頁。
(注12)　吉牟田　勲著『法人税法詳説』（中央経済社，昭和59）10頁，60頁。
(注13)　R・グード著，塩崎　潤訳『法人税』（今日社，昭和56）181頁。

いわゆる**過少資本税制**（措法66の5）や**過大支払利子税制**（措法66の5の2）が設けられている。

　所有と経営が分離した今日の企業経営のもとにおいては、利子と配当にどれほどの経済的な差異があるのか、その区別がむずかしくなっているのは事実である(注13)。そうであるとすれば、税の中立性を確保するため支払配当の損金算入を認めるべきであるかもしれない。

　しかし、会計学的にはむしろ支払利子の費用性を否定する議論はあっても、支払配当の費用性を主張する意見は少ない。また、支払配当は支払利子と異なり、企業利益の多寡に左右されるという性質は依然として残っている。このような性質の違いなどをクリアして支払配当を損金算入するには、企業会計や会社法を含めた幅広い議論が必要であろう。

〔特定目的会社等の支払配当の損金算入〕

(13)　もっとも平成10年の税制改正により、資産流動化法による**特定目的会社（ＳＰＣ）**や投資法人法による**投資法人**が投資家に支払う利益の配当は、損金算入を認めることとされた（措法67の14、67の15）。これは伝統的なわが国の法人税制からすれば注目すべきことである。

　しかし、これはおよそ一般に支配配当の損金算入を認めようという考え方によるものではなく、特定目的会社や投資法人の特殊性に着目した特例であるに過ぎない。すなわち、特定目的会社は資産の流動化のためにのみ用いられる会社で導管的な存在であり、投資法人は実体的には資産の運用の集合体であるから、投資家に支払う利益の配当を損金算入することにより、実質的にこれらの会社自体に対する法人税の課税を排除しようとするものである。

4－2　資本金等の額

〔資本金等の額の意義〕

(1)　資本金等の額の増減を生ずる取引は、資本等取引であり損益は生じない

（法法22⑤）。ここで**資本金等の額**とは，法人が株主等から出資を受けた金額として所定の金額をいう（法法２十六）。概念的にいえば，資本金の額（出資金の額）と資本性の剰余金額との合計額である（法令８）。

平成18年５月１日の会社法の施行をうけて，同年の税制改正により，税務上のいわゆる資本の部（純資産の部）の整備が行われた。すなわち，従来あった資本積立金額の概念は廃止され，資本金の額と資本性の剰余金額（旧資本積立金額）とを合わせたものとして，新たな「資本金等の額」という概念に一本化された。

〔資本金の額等の意義〕

(2) 広く**資本**という場合，会計学上あるいは経済学上いろいろな意味がある。資産と負債の差額としてA－P＝Kという資本等式で表されることもあれば，貸借対照表の貸方を資本と呼ぶこともある。貸借対照表の貸方は負債と資本であるから，これを区分するため負債を**他人資本**，資本を**自己資本**という。自己資本は，現在では「純資産の部」ということになる。

これらの資本概念は，いわば実質的意味の資本である。

このように資本の概念はいろいろあるが，法人税法上，資本金の額または出資金の額についての定義はない。この点，ここでいう**資本金の額または出資金の額**は，会社法などに定められた法定資本，すなわち形式的資本を意味している。具体的には，資本金の額は，たとえば株式会社と合同会社の資本金の額（会社法445①，911③五，914五），日本銀行の資本の額（日本銀行法５）などである。また，出資金の額は，合資会社や協同組合，信用金庫などの出資者からの出資金をいう。両者は単に呼称が異なるだけで，本質的には同じものである。

〔資本性の剰余金額の意義〕

(3) 上記の資本金の額（出資金の額）のほか，次のものが資本金等の額を構成する（法令８①一～十二）。これは基本的に会社法でいう資本剰余金である。

しかし，税務上と範囲が同じではなく，また，次のような名称がついているわけではないので，便宜，**資本性の剰余金額**と名づけておく。

　①株式払込剰余金（自己株式譲渡差益金），②新株予約権行使差益金，③取得条項付新株予約権行使差益金，④協同組合等の加入金，⑤合併差益金，⑥分割型分割剰余金，⑦分社型分割剰余金，⑧適格現物出資剰余金，⑨非適格現物出資剰余金，⑩株式交換剰余金，⑪株式移転剰余金，⑫減資差益金

　これらの資本性の剰余金の合計額から資本組入れ，分割，資本の払戻し，自己株式の取得，出資の消却，社員の退社，組織変更などにより使用，消滅した資本性の剰余金を減算した金額（法令8①十三～二十二）が資本金等の額を構成する。

　これらは，いずれも株主等から出資を受けた金額を意味している。その株主等から出資を受けた金額のうち，資本金の額に組み入れなかったものが資本性の剰余金ということができる。

〔株式払込剰余金〕

(4)　それでは，個々の資本性の剰余金のうち主なものをみていこう。まず株式払込剰余金である（法令8①一）。

　株式（出資を含む）の発行価額のうち資本に組み入れなかった金額（会社法445②）が**株式払込剰余金**であり，資本準備金になる（会社法445③）。発行価額の2分の1を超えない額を資本に組み入れないことができる（会社法445②）。

　株式払込剰余金に関して留意すべきは，株式発行費用がある場合の処理である。かつては，商法上，株式発行費用を控除した残額を額面超過金（株式払込剰余金）とすることも認められていた。税法上も昭和24年改正法では額面超過金から株式発行費用を控除した残額が益金不算入とされていた。しかし，昭和26年の税制改正によりその控除は要しないこととされている。株式発行費用（株式交付費）は繰延資産として別途処理するのである（法令14①四）。

（注14）　税制調査会報告「法人課税小委員会報告」（平成8.11）。

もっとも，新株発行費は時価発行による資金調達が一般的であることを考えれば，調達した資本の控除項目と考え，損金の額に算入すべきでないという意見もみられる(注14)。この点，会社法では，株式交付費や創立費について，資本金または資本準備金から減ずることが認められている（計規14①三，17①四，18①二，30①一ハ，43①三，44①二）。

　ただし，この取扱いは，当分の間，適用されない（計規附則11）。

〔自己株式処分差益〕

(5)　つぎは**自己株式処分差益**である。

　自己株式を譲渡した場合における譲渡対価の額から増加した資本金の額を減算した金額が，資本金等の額になる（法令8①一）。譲渡損が生じる場合には，資本金等の額の減少として処理する。

　企業会計においては，自己株式処分差益はその他資本剰余金に計上し，自己株式処分差損は，その他資本剰余金から減額する(注15)。これは法人税の考え方と基本的に同じであるといってよい。

　ただ，企業会計では自己株式を消却した場合には，消却の対象になった自己株式の帳簿価額をその他資本剰余金から減額する。しかし，法人税では自己株式の消却があっても，資本金等の額に変動を来さない。法人税では，自己株式の取得時には資本金等の額の減少として処理されているからである（法令8①二十，二十一）。

　また，企業会計では自己株式処分差損や自己株式消却損がその他資本剰余金を超える場合には，その他利益剰余金から減額することになっている。しかし，法人税にはこのような考え方はない。

(注15)　企業会計基準委員会「自己株式及び準備金の額の減少等に関する会計基準」（平成14. 2.21），同「自己株式及び準備金の額の減少等に関する会計基準適用指針」（平成14. 2.21）。

〔協同組合等への加入金〕

(6) つぎは**協同組合等への加入金**である。

次に掲げる法人が，新たにその出資者となる者から徴収した加入金は資本金等の額になる（法令8①四）。

イ　協同組合等

ロ　企業組合，協業組合，農住組合および防災街区計画整備組合

ハ　協同組合等に該当しない農事組合法人，漁業生産組合および生産森林組合

ニ　金融商品会員制法人，自主規制法人および会員商品取引所

単に加入金という場合，いろいろなものがある。しかし，ここでいう加入金は資本金等の額となるものである。そこで，法令や定款の定め，総会の決議に基づき新たに組合員または会員となる者から出資持分を調整するために徴収するもので，これを拠出しないときは，組合員または会員たる資格を取得できない場合のその加入金をいうと解されている（基通1－5－2）。

〔合併差益金〕

(7) **合併差益金**は，その合併が適格合併であるか否かにより，それぞれ次の算式により計算した金額である（法令8①五）。適格合併の意義については，「3－21　組織再編税制」の項を参照されたい。

イ　適格合併である場合

被合併法人の資本金等の額－増加資本金額－抱合株式の帳簿価額

ロ　非適格合併である場合

移転を受けた時価ベースの純資産価額－増加資本金額－抱合株式の帳簿価額

－合併交付金額

例をあげて説明しよう。たとえば，次のような財政状態にあるA社を吸収合併し，A社の株主に対して新たに発行した株式250を交付したとする。ただし，資産の時価は1,100である。

A社貸借対照表

資　産	1,000	負　　　　債	500
		資　本　金	300
		資本剰余金	60
		利益剰余金	140
	1,000		1,000

(8) この例で適格合併である場合の合併差益金は，次のようになる。

　　360（資本金等）－250（発行株式）＝110

　この合併差益金110は，A社の資本剰余金60と合併減資益金50とから成っているとみることができる。

　一方，非適格合併である場合の合併差益金は，次により計算される。

　　(1,100－500)－250＝350

　この合併差益金350は，評価益（譲渡益）100，A社の資本剰余金60，利益剰余金140および合併減資益金50とから構成されている。

　従来，合併差益金のうち資産の評価益から成る部分の金額は合併法人において課税の対象になっていた。しかし，平成13年の税制改正により非適格合併の場合にはすべて時価による資産等の譲渡があったものとして被合併法人において課税することとされたので（法法62），資産の評価益から成る部分の金額についての課税はなくなった。合併差益金の内容を吟味することなく，一括して合併差益金（資本金等の額の増加）と認識するのである。

〔合併の本質論〕

(9) 合併の本質については，現物出資説と人格合一説とが唱えられている。**現物出資説**とは，被合併法人からの財産の移転は現物出資に準ずるものであるとする考え方をいう。これに対し**人格合一説**は，合併を合併当事者である会社の人格が合一して一つの会社になると理解するものである。人格合一説のもとにおいては，合併差益を分解し，被合併法人の資産，負債のみならず，

資本項目もそのまま引き継がれる。

　従来，基本的に企業会計は現物出資説，法人税は人格合一説の立場をとっていた。しかし，上述した改正により法人税では適格合併の場合には人格合一説，非適格合併の場合には現物出資説の立場になったといえよう。

〔分割剰余金〕

⑽　平成12年の商法改正により，会社分割の制度が創設され，会社はその営業を分割し，新たに設立した会社に承継させること（**新設分割**）や既存の会社に承継させること（**吸収分割**）ができるようになった（旧同法373，374の16）。法人税法上，会社分割には，営業を承継した会社が発行する新株を分割する会社の株主に割り当てる**分割型分割**（**人的分割**）（法法２十二の九）と分割する会社に割り当てる**分社型分割**（**物的分割**）（法法２十二の十）とがある。ただし，会社法には，分割型分割はなく，分社型分割のみである点に留意を要する。

　この会社分割に伴い生じるのが**分割剰余金**であり，それぞれ次の算式により計算される（法令８①六，七）。

イ　分割型分割

　①　適格分割型分割である場合

　　　分割法人の資本金等の額×分割割合－増加資本金額

　②　非適格分割型分割である場合

　　　移転を受けた時価ベースの純資産価額－増加資本金額－分割交付金額

ロ　分社型分割

　①　適格分社型分割である場合

　　　移転を受けた帳簿価額ベースの純資産価額－増加資本金額

　②　非適格分社型分割である場合

　　　移転を受けた時価ベースの純資産価額－増加資本金額－分割交付金額

　分割は現象的には合併の逆であるが，資産・負債の引継関係は合併と同じ実体であるから，合併と同様の処理を行う。特に分割型分割は合併と同じであり，適格分割型分割の場合には利益積立金の引継ぎが認められる。

〔現物出資剰余金〕

⑾　法人が適格現物出資を行った場合，次の算式により計算した金額は資本金等の額とされる（法令8①八）。これを便宜，**現物出資剰余金**と呼んでおく。

　　移転を受けた資産の帳簿価額－移転を受けた負債の帳簿価額－増加した資本金額

　　一方，非適格現物出資のうち，現物出資法人の営む事業およびその事業の資産・負債のおおむね全部が移転するものの場合には，次の算式により計算した金額が資本金等の額となる（法令8①九）。

　　交付した株式の時価－増加した資本金額

　　非適格現物出資のうち，これに該当しない現物出資は，単に時価による資産の譲渡があったとされるから，剰余金が生じる余地はない。

〔株式交換（移転）剰余金〕

⑿　平成11年の商法改正により，株式交換と株式移転の制度が創設された。**株式交換**とは，既存の会社（完全親会社となる会社）が別の会社（完全子会社となる会社）の発行済株式の全部を取得し，それと交換に自社の株式を発行することをいう。**株式移転**は，既存の会社が新たに完全親会社となる会社を設立し，既存の会社（完全子会社となる会社）の株主がその持株と交換に完全親会社の株式を受け取るものである。この株式交換または株式移転に伴い生じるのが，**株式交換剰余金**または**株式移転剰余金**であり，次の算式により計算される（法令8①十，十一）。

　　完全子会社株式の取得価額 － 増加した資本金額（または完全親会社の資本金額） － 株式交換交付金（または株式移転交付金）

　　性格的には合併差益や分割剰余金と同じものである。

〔減資差益金〕

⒀　**減資差益金**とは，資本（または出資）の減少（減資）により減少した資本の金額（または出資金額）をいう（法令8①十二）。

　　減資には無償減資と有償減資とがある。**無償減資**の場合には，資本の減少

にかかわらず資産が減少しないから，常に差益が生ずる。

有償減資の場合にも，株主に払戻した金額が減少した資本よりも少ないときは，計算上，差益が算出される。これら差益が減資差益である。

なお，有償減資の場合には，減資による払戻金が減少する資本金等の額に対応する金額を超えるときは，みなし配当が生じることに留意する（法法24①四）。

〔資本金等の額の減少項目〕

⒁ 以上に述べたのは，資本金等の額の増加項目であった。これに対して，資本金等の額の減少項目とその金額は次のとおりである（法令8①十三〜二十二）。

イ 準備金または剰余金を減少して資本金（出資金）を増加した場合のその増加した金額または再評価積立金を資本に組み入れた場合のその組み入れた金額

ロ 資本（出資）を有する法人が資本（出資）を有しないこととなった場合のその直前の資本性の剰余金額

ハ 分割法人の分割型分割直前の資本金等の額に分割割合（分割法人の簿価純資産額に占める移転簿価純資産額の割合）を乗じて計算した金額

ニ 現物分配法人の適格現物分配直前の株式等に交付した完全子法人株式の帳簿価額相当額

ホ 現物分配法人の非適格現物分配直前の資本金等の額に分配割合（現物分配法人の帳簿純資産額に占める完全子法人株式の帳簿価額の割合）を乗じて計算した金額

ヘ 資本の払戻し等にかかる減資資本金額（資本金等の額に前期の簿価純資産額に占める減少した資本剰余金額等の割合を乗じて計算した金額）

ト 投資信託法の出資等減少分配にかかる分配資本金額（資本金等の額に前期の簿価純資産額に占める出資総額等の減少額の割合を乗じて計算した金額）

チ みなし配当が生じる自己株式の取得，出資の消却，組織変更により金銭等を交付した場合の取得資本金額（1株当たりの資本金等の額に取得した株式

リ　上記チ以外の自己株式を取得した場合のその対価の額
　ヌ　みなし配当が生じる事由により完全支配関係がある法人から金銭等の交付を受けた場合のみなし配当の金額と株式の譲渡原価の合計額から交付を受けた金銭等の額を減算した金額

4－3　利益積立金額

〔意　義〕
(1)　法人税法上，**利益積立金額**とは，次のイに掲げる金額の合計額からロに掲げる金額の合計額を減算した金額をいう（法法２十八，法令９）。
　イ　次に掲げる金額の合計額
　　①　AからNまでの金額からIからNまでの金額を減算した金額のうち法人が留保している金額
　　　A　所得の金額
　　　B　受取配当等の益金不算入額（法法23）
　　　C　外国子会社からの受取配当等の益金不算入額（法法23の２）
　　　D　受贈益の益金不算入額（法法25の２）
　　　E　還付金等の益金不算入額（法法26）
　　　F　繰越欠損金の損金算入額（法法57～59）
　　　G　法人課税信託の引継簿価純資産額（法法64の３③）
　　　H　医療法人の設立にかかる資産の受贈益（法令136の３①）
　　　I　欠損金額
　　　J　納付すべき法人税，地方法人税，都道府県民税および市町村民税の額
　　　K　中間申告の災害損失欠損金の繰戻しによる益金算入額（法法27，142の２の２）
　　　L　非適格合併における譲渡損益調整資産の取得価額の調整額（法法61

の13⑦)
　　　　M　特定外国子会社等の所得の益金算入額（措令39の20④）
　　　　N　特定外国法人の所得の益金算入額（措令39の20の9④）
　　②　適格合併により被合併法人から引き継いだ利益積立金
　　③　適格分割型分割より分割法人から引き継いだ利益積立金
　　④　適格現物分配により現物分配法人から交付を受けた資産の帳簿価額
　　⑤　資本（出資）を有する法人が資本を有しないこととなった時の資本金等の額
　　⑥　連結法人株式の帳簿価額修正額
　　⑦　完全支配子法人株式の帳簿価額修正額
　　⑧　新鉱床探鉱費または海外新鉱床探鉱費の特別控除額（措法59⑤）
　　⑨　対外船舶運航事業による収入金額にかかる損金算入額（措法59の2⑥）
　　⑩　沖縄の認定法人の所得の特別控除額（措法60⑥）
　　⑪　国際戦略特区の指定特定事業法人所得の特別控除額（措法61⑥，措令37⑤)
　　⑫　収用換地等の場合の所得の特別控除額（措法65の2⑩，措令39の3⑦，措法65の3⑧，措令39の4⑥，措法65の4⑥，措令39の5㉛，措法65の5⑤，措令39の6④，措法65の5の2⑥，措令39の6の2⑦）
　　⑬　超過利子額の損金算入額（措令39の13の3⑦）
　　⑭　特定外国子会社等から受ける剰余金の配当等の益金不算入額（措法66の8⑯），措令39の19⑮，措法66の9の4⑭，措令39の20の8⑪）
　　⑮　特別事業開拓事業者に出資をした場合の特別勘定繰入額の損金算入額（措法66の13⑯，措令39の24の2⑫）
　　⑯　農地所有適格法人の肉用牛の売却所得の特別控除額（措法67の3⑧，措令39の26⑤）
　ロ　次に掲げる金額の合計額
　　①　剰余金・利益の配当および剰余金の分配
　　②　非適格分割型分割によるみなし配当の額

③　適格分割型分割により分割承継法人へ引き継いだ利益積立金
　　④　非適格株式分配によるみなし配当の額
　　⑤　資本の払戻し等によるみなし配当の額
　　⑥　出資等減少分配によるみなし配当の額
　　⑦　自己株式の取得等によるみなし配当の額
(2)　利益積立金額の計算において，納付すべき法人税，地方法人税および住民税を減算すべきこととしているのは，これらの租税は損金不算入で所得を構成するが，当期の所得のなかから支払わなければならないからである。したがって，これらの租税は，未払法人税等に計上しているかどうかを問わず，当期の利益積立金額から減算する。

　　なお，上記イの①のBからFまでおよび⑧から⑯までの金額が利益積立金額に含まれるのは，これらの金額はもっぱら租税政策上の理由から益金不算入または損金算入されるものであり，それだけ所得金額は少なくなるが，そのために資産が社外に流出するわけではなく社内に留保されているからである。すなわち，利益積立金額の減算要因にはならない。

〔趣　旨〕

(3)　このような利益積立金額の具体的内容からみると，利益積立金額は，課税済利益の累積留保額であるといえる。すなわち，積立金，準備金その他名義の何たるかを問わず，各事業年度の所得等の金額のうち法人が留保しているものの累積額をいう[注16]。貸借対照表の構成に即していえば，借方の資産から貸方の負債，法定資本および資本剰余金を控除したものである。したがって，たとえば配当に充てるなどにより利益積立金額に異動が生じても，その法人自身に新たな法人税が課されることはない。

　　利益積立金は企業会計の利益剰余金に対応するものである。しかし，現実

（注16）　中村利雄著『法人税の課税所得計算－その基本原理と税務調整－』（ぎようせい，平成2）215頁．

には両者が一致することはまずない。それは課税所得と企業利益との計算に差異のある項目が少なくないからである。たとえば、減価償却費や引当金について償却超過額や繰入超過額がある場合，これらは企業会計上では利益計算から控除されていて，利益剰余金を構成していないが，法人税では，損金にならないから所得になり，利益積立金を構成する。

(4) 法人税が利益積立金の概念を導入しているのは，まさに償却超過額や引当金繰入超過額のような社内に留保されているものは翌期以降の課税所得計算に影響を及ぼすから，これらを利益積立金として把握し，その発生源泉を明らかにしておこうということにある。利益積立金額は具体的には申告書別表五㈠により計算するが，そこに償却超過額や引当金繰入超過額は利益積立金の増加項目として計上される。いわば簿外の利益積立金ということができる。

　また，利益積立金は，具体的に特定同族会社の留保金課税（法法67）の計算の基礎となっている。

　自己資本と他人資本という区分からいえば，利益積立金も資本金等の額と同じく自己資本である。それゆえ，資本準備金は資本組入れができるのと同様，利益積立金のうち利益準備金は資本への組入れが認められる。また，利益積立金は配当の財源になる。

〔剰余金の処分〕

(5) 利益積立金の額は法人が剰余金，特に利益剰余金をどのように処分するかによって左右される。

　そこで，**剰余金の処分**をみてみよう。

　会社は過年度や当期の純利益から成る繰越利益剰余金のなかから株主に配当金を支払い，その配当金の支払に伴って利益準備金の積立てを行う（会社法445④）。また，たとえば税務上の圧縮記帳や準備金の適用を受けるため，繰越利益剰余金のなかから圧縮積立金や各種準備金の積立てや取崩しをする。これらの事績は**株主資本等変動計算書**に記載して株主総会の承認を受ける。

　このうち，配当金は現金が社外に出ていくから**社外流出項目**といい，利益

積立金額の減算項目となる（法令9①八）。その社外流出の時期は，配当の効力が生ずる日や配当決議のあった日である。ただし，特定同族会社の留保金課税に当たっては，その配当の基準日において支払われた，すなわち社外流出があったものとしてよい（法法67④）。

このような剰余金の処分のうち，配当金以外を**社内留保項目**という。この社内留保項目がまさに利益積立金である。法人税が当期の所得の金額の全額が利益積立金額を構成するとしながら，「法人が留保していない金額がある場合には，当該留保していない金額を減算した金額」といっているのはこのことである（法令9①一）。①利益準備金，②圧縮積立金や各種準備金等の任意積立金，③繰越利益剰余金が社内留保項目に該当する。

(6) ここで留意すべきは，剰余金処分による圧縮積立金や各種準備金である。税務上，圧縮損や各種準備金は損金算入が認められているから，仮にその圧縮積立金や各種準備金が損金になるものであれば，その圧縮積立金や各種準備金は結果として利益積立金にはならない。つまり，その圧縮積立金や各種準備金は剰余金の処分により積み立てられたものではあるが，税務上は損金性が付与され所得を構成しないから，利益積立金を構成する「所得の金額」にはならないのである。

このような点からすれば，税務上の剰余金の処分の概念は企業会計とは異なったものである。剰余金の処分であるからといって全く損金性が否定されるわけではない。剰余金の処分それ自体が，所得計算に対し実体的な意義を有するものではないのである[注17]。

4-4 欠 損 金

〔意　義〕

(1) **欠損金**には，いろいろな概念のものがある。

（注17）　小宮　保著『法人税の原理』（中央経済社，昭和43）184頁参照.

欠損金とは，一般に未処分利益がマイナスのことをいう。前期繰越利益または損失に当期純利益または純損失を加えた額がプラスならば当期未処分利益であるが，マイナスならば当期未処理損失になる。これを欠損金というのである。

　また，純資産額が資本金と資本準備金および利益準備金の合計額に満たないとき，その差額を欠損金ともいう。

　これらに対して，法人税法上の欠損金とは，当期の損金の額が当期の益金の額を超える場合におけるその超える部分の金額をいう（法法２十九）。これは，事業年度単位で損益面からだけとらえた欠損金の概念である。企業会計における年度通算の欠損金の概念や資産を基準にとらえる旧商法の欠損金の概念とは異なる。

　法人税で欠損金が問題になるのは，主として各事業年度に生じた欠損金を次期以降に繰り越して損金に算入することができるかどうかである。

〔欠損金の繰越控除の概要〕

(2)　法人税においては，前期以前に生じた欠損金について，一定の条件を満たす場合には当期に繰越して，課税所得の計算上，損金にすることが認められる。これが**欠損金の繰越控除**である。

　この欠損金の繰越控除には三つの態様のものがあり，その概要は次のとおりである。

　イ　**青色欠損金の繰越控除**　確定申告書を提出する法人の各事業年度開始の日前10年以内に開始した事業年度において生じた欠損金額は，その各事業年度の所得金額の計算上，損金の額に算入する。ただし，法人が欠損金額の生じた事業年度について青色申告書を提出し，かつ，その後連続して確定申告書を提出している場合に限る（法法57）。

　ロ　**災害損失欠損金の繰越控除**　青色申告書でない確定申告書を提出する法人の各事業年度開始の日前10年以内に開始した事業年度において生じた欠損金額でイの適用がないもののうち，棚卸資産，固定資産または繰延資産

について震災，風水害，火災などにより生じた損失にかかる欠損金額は，その各事業年度の所得金額の計算上，損金の額に算入する。ただし，災害による損失の生じた事業年度についてその損失額の計算明細を記載した確定申告書を提出し，かつ，その後において連続して確定申告書を提出している場合に限る（法法58）。

　ハ　**会社更生等による債務免除等があった場合の欠損金の控除**　法人について更生手続または再生手続開始の決定があった場合において，その法人が債権者から債務免除，役員，株主等から私財提供を受けるときは，その受ける事業年度前の事業年度において生じた欠損金額のうちその債務免除益や私財提供益に達するまでの金額は損金の額に算入する。また，解散した法人について残余財産がないと見込まれる場合には，控除期限切れの欠損金は損金算入することができる。

　　ただし，税務署長がやむを得ない事情があると認める場合を除き，確定申告書に損金算入に関する明細の記載をし，かつ，証明書類の添付がある場合に限る（法法59）。

〔欠損金の繰越控除の経緯と趣旨〕

(3)　欠損金の繰越控除は，法人課税が初めて行われた明治32年から大正14年まで，期間に関係なく無制限に認められていた。それが大正15年の税制改正によりその繰越控除は全くできないこととされていたが，昭和15年の改正によりこれが復活し，繰越期間が3年とされた。

　　昭和15年に欠損金の繰越控除が復活し，その繰越期間が3年とされた経緯は次のごとくである[注18]。すなわち，法人の所得計算は古くから事業年度ごとに打ち切り計算することになっているが，この主義を貫いて前期の損失を当期の利益と通算しないことを強行すると，課税上ときに苛酷に失する場合がある。たとえば，前期の欠損と当期の利益を通算してなお欠損であるよう

（注18）　片岡政一著『會社税法の詳解』（文精社，昭和18）193頁。

な場合，当期の利益だけに着眼して，他の一般の毎期平均的に利益をあげている法人と同一視して課税することは少し酷であるばかりでなく，事業年度が年1回である法人の方が事業年度が6か月の法人よりも上期，下期の損益が通算されやすいこともあり，負担力の実際に合わない。そこで，繰越欠損金は損金に算入することとされた。

しかし，大正15年前のように無制限に繰越控除を認めると，個人企業や重役の私財提供等によって欠損を補てんした法人との権衡を欠き，逆に課税の公平を図れないから，特に苛酷と認められる場合に限って例外的に緩和するという意味において，政府の原案では繰越期間は1年とされていた。ところが議会での審議の結果，1年では繰越期間が短かすぎ救済の目的を達せられないということで3年に修正された。

その後，欠損金の繰越期間は昭和21年には1年とされ，シャウプ勧告による昭和25年の税制改正により5年，平成16年に7年，平成23年に9年，平成30年に10年と延長されてきている。

(4) 上述のような改正の趣旨や経緯をみれば，欠損金の繰越控除が今日の期間所得計算における，事業年度を単位として独立して課税する**事業年度独立の原則**の弊害を除去するための制度であることがわかる。すなわち，各事業年度ごとの所得によって課税する原則を貫くときは，所得額に変動のある数年度を通じて所得計算をして課税するのに比して税負担が過重となる場合が生ずるので，その緩和を図るためである[注19]。このような制度の趣旨を徹底するとすれば，欠損金の繰越期間は10年に限定することなく，無制限にすべきであろう。かのシャウプ勧告でも，青色申告法人については欠損額が所得で相殺されるまで繰越しを継続するという，繰越期間を無制限にする提言を行っている[注20]。

このような事情もあり，とかく欠損金の繰越控除は特典とみられがちであ

(注19) 最高判昭和43．5．2民集22巻5号1067頁．
(注20) 福田幸弘監修『シャウプの税制勧告』（霞出版社，昭和60）162頁．

るが，欠損金をその後の事業年度の利益と通算することは，負担能力からみて当然のことであり，その繰越しは本来無制限とすべきであるという主張は根強い(注21)。

(5) しかし，欠損金の繰越期間を無制限にすると，逆に課税上の弊害が出ることも考えられる。現に，欠損金に無制限の控除を認めると，多額の欠損金のある会社の株式を安く買い取って欠損控除を企図することも考えられるから，その繰越期間は5年（旧法）に制限されたともいわれる(注22)。

たとえば，新たに会社を設立して事業を行うよりは，多額の欠損金がある会社を買収してそこで事業を起こせば，利益と欠損金が相殺されて課税額が少なくて済む。その弊害は，欠損金の繰越期間が長ければ長いほど大きい。

このような弊害を除去するため，たとえば形式的には同一の法人が継続しているとみられても，経営者や事業内容の変更などから実質的に法人に同一性・継続性が認められない場合には，欠損金の控除を打ち切るなどの方法が考えられる。

この点，このような租税回避行為を防止するため，平成18年の税制改正により，欠損金を利用するため法人を買収したと認められる場合には，その買収された法人の欠損金の繰越控除はできない措置が講じられた（法法57の2，法令113の2）。

(6) また，欠損金の繰越期間を無制限にすると，それに伴って帳簿書類の保存期間も無制限にすべきではないか，という問題もある。現に繰越期間の延長に伴って，帳簿書類の保存期間も10年に延長されている（法法57⑩，58⑤，法規26の3①，26の5①）。

この欠損金の繰越期間の延長に伴う帳簿書類の延長は，欠損金の生じた事業年度に限られ，所得の生じる事業年度の保存期間は7年でよい（法規59，

(注21) 武田昌輔稿「わが国の税務会計の発達の歴史」ＪＩＣＰＡジャーナルNo.410（ＳＥＰ，1989）27頁，武田昌輔著『立法趣旨法人税法の解釈（五訂版）』（財経詳報社，平成5）はしがき．
(注22) 市丸吉左エ門著『法人税法解説』（税務研究会，昭和39）515頁．

67②）。しかし，実務上は，欠損の生じた事業年度と所得の生じた事業年度とで，保存期間を使い分けることは難しく，事実上保存期間は10年にせざるを得ないのではないか，という指摘がある[注23]。

〔合併による欠損金の引継ぎ〕

(7)　これに関連して，合併による欠損金の引継ぎの問題がある。

　従来，法人の合併に際して被合併法人の欠損金を合併法人に引継ぎ，合併法人においてその控除をすることはできなかった（旧基通4－2－18）。欠損金額のごときは企業会計上表示される観念的な数額に過ぎず，被合併法人におけるこれら数額は，合併の効果として合併法人に当然承継される権利義務に含まれるものではないと解されていたからである[注24]。

　そこで多額の欠損金を有する法人と全く欠損金のない優良法人とが合併するような場合，欠損金を有する法人を合併法人とし，優良法人を被合併法人とすることが行われる。欠損金のある法人の方が欠損金を持っているとはいえ断然，規模が大きいといった場合には，税務が異を唱える理由はない。

(8)　ところが，欠損金を有する法人の方が規模が小さい，いわゆる**逆合併**の場合には問題がある。吸収合併は大規模法人が合併法人，小規模法人が被合併法人になるのが通常であるのに，これをあえて逆にするのは欠損金の繰越控除という租税目的のためと認められるからである。その逆合併が不自然・不合理で単に欠損金の繰越控除を目的としたような場合には，その控除は認められないというべきであろう。

　判例では，欠損金の繰越控除（法法57）は法人に一貫した同一性と継続性が維持されてはじめて認めるのを妥当とすると解したうえ，株式の額面を500円から50円に変更するためとか，欠損会社が有する資産的価値のある商号やのれんを引き継ぐためとかいった合理的理由がなければ，租税回避行為

（注23）　拙著『最近の法人税改正の実務事例集』（大蔵財務協会，平成25）110頁．
（注24）　最高判昭和43．5．2税資52号887頁．

であるといっている(注25)。裁決例でも，実体のない休眠会社を合併法人とし，その合併後事業内容を変更した場合につきその欠損金の控除を否認した事例を支持したものがある(注26)。

(9)　以上のような，合併による欠損金の引継ぎ禁止に対して，欠損金の繰越控除の趣旨を活かすため，課税上の弊害を除く措置を講じたうえで合併法人にその引継ぎを認めるべきであるという指摘があった(注27)。

　このような指摘や組織再編税制の構築を契機に，平成13年の税制改正で適格合併の場合には，合併法人への欠損金の引継ぎを認めることとされた（法法57②）。ただし，5年前の日後に新たに企業グループ内法人となった法人のグループ加入前の繰越欠損金の引継ぎはできない。また，企業グループ加入後の繰越欠損金のうちグループ加入時の資産の含み損が実現して生じたものは，その控除は認められない（法法57③）。これら企業グループ内法人の合併における欠損金の引継ぎを制限しているのは，たとえば欠損法人の買い漁りによる租税回避行為を防止しようという趣旨である。

　合併法人への欠損金の引継ぎを認めることとされた結果，今後は逆合併による問題は少なくなると思われる。しかし，欠損金の引継ぎができるのは適格合併の場合だけであり，非適格合併の場合には依然としてその引継ぎは認められないから，逆合併による問題が完全に解消したわけではない。今後も租税回避行為防止規定の実体適合性やそのあり方についての検討は必要であろう。

〔控除期限切れ欠損金の控除〕

(10)　上述したように，欠損金の繰越控除の期間は10年である。そのため，10年

（注25）　広島地判平成2.1.25税資175号117頁，国税不服審判所裁決昭和60.6.19裁決事例集No.29・120頁参照。
（注26）　国税不服審判所裁決昭和47.2.21裁決事例集No.4・4頁。
（注27）　武田昌輔著『会計・商法と課税所得』（森山書店，平成5）77頁，税制調査会「所得税法及び法人税法の整備に関する答申」（昭和38.12.6）参照。

経過しても控除し切れなかった欠損金は、打ち切りとなり、じ後使用することはできない。

ただし、次に掲げる場合には、控除期限切れの欠損金を復活して控除することができる（法法59）。
- イ　更生手続や再生手続開始の決定等があった場合において、債権者からの債務免除、役員等からの私財提供、資産の評価換えがあったとき
- ロ　解散した場合において、残余財産がないと見込まれるとき

イの事由が生じた場合、まだ控除できる欠損金があればよいが、既に控除期限切れとなって控除できる欠損金がないときは、その債務免除益や私財提供益、評価益に対して課税関係が生じてしまう。それでは、法人の更生や再生を阻害することになるので、控除期限切れの欠損金の使用が認められている。これは、昭和40年の税制改正により創設された。

また、ロは平成22年の税制改正により清算所得課税が廃止され、清算中の事業年度も通常の法人課税が行われるようになったことに伴い、清算過程で生じる債務免除益等への課税を軽減するため設けられた。

〔欠損金の繰戻し還付〕

(11)　これまで述べてきたのは、欠損金を翌期以降に生ずる所得と相殺する取扱いである。しかし、この取扱いでは翌期以降10年以内に所得が生ずる見込みがないとか、解散、営業譲渡をする予定であるような場合には、救済が図れない。

そこで、欠損金の繰越控除とは逆に、青色申告法人の有する欠損金を前期に繰り戻して前期の所得と相殺し、すでに納付した前期分の法人税の還付を求める制度が設けられている（法法80）。これが**欠損金の繰戻し還付**であり、シャウプ勧告による昭和25年の税制改正により創設された。

ただ、シャウプ勧告では2年度繰戻しを勧告しているが[注28]、この欠損金

（注28）　福田幸弘監修『シャウプの税制勧告』（霞出版社、昭和60）163頁。

の繰戻し還付は，1年しか繰り戻しができない。これは納付済みの租税を還付するものであるから，財政収入の安定を図るため制限を設けたものであろう。

(注) 青色欠損金の繰戻し還付制度は，資本金が1億円以下である場合（資本金が5億円以上の法人の子会社である場合等を除く）や解散した場合など所定の場合を除き，平成4年4月1日から令和4年3月31日までの間に終了する事業年度において生じた欠損金額については，適用されない（措法66の12）。

4-5 清算の税務

〔総　説〕

(1) 法人は，あらかじめ定めた存続期間の満了，解散事由の発生，総社員の同意，合併，破産手続開始の決定，組織変更などの事由により**解散**する（会社法471，641，920）。

　法人は，解散によってその目的を失い法人格を喪失することになる。しかし，解散後においても①現務の結了，②債権の取立および債務の弁済ならびに③残余財産の分配を行う（会社法481，649）。したがって，法人は解散後といえども清算の目的の範囲内において存続するものとみなされる（会社法476，645，基通1-1-7）。

　このように，法人が解散し現務の結了をした後，債権の取立および債務の弁済をしてなお財産が残れば株主等に分配する一連の手続が，法人の**清算**である。かつてはすでに述べた各事業年度の所得のほか，この清算によって生じる利益，すなわち清算所得に対しても課税が行われていた（旧法法5）。

　しかし，この清算所得課税は，平成22年の税制改正により廃止され，清算中の事業年度についても各事業年度の所得に対する法人税が課される。

〔清算所得課税の変遷〕

(2) 法人の清算所得に対して課税すべきかどうか，また，その所得をどのようにとらえるかは，法人，個人を通じる税制のあり方いかんにかかっている。

それゆえ，清算所得課税はこれまで幾多の変遷を経てきている。

大正9年に清算所得課税が行われるまでは，その課税はされていなかった。大正9年に**独立課税主体説**に基づき，個人が受け取る配当金が総合課税の対象になるとともに，清算所得課税が行われるようになり，これが昭和24年まで継続された。もっとも，当初は清算分配金に対する個人課税はなされず，清算所得に対する法人課税だけが行われていた。大正15年以降に，清算所得は残余財産の価額のうち株式払込済金額を超える部分の金額とされ，そのうち利益積立金額に相当する部分は個人課税相当分の税率により課税されるようになった。

(3) その後，シャウプ勧告による昭和25年の税制改正により**法人個人一体説**の考え方が採用された。その結果，法人に対する清算所得はいっさい非課税とされ，株主等が受け取る清算分配金の価額がその株式等の取得価額を超える部分の金額のうち，その法人の積立金から成る部分を配当と，その他の部分を株式等の譲渡による収入とそれぞれみなして，個人に対する課税だけが行われるようになった。

しかし，この課税方式には執行上の困難性などの問題点が生じてきた。そこで，昭和28年に，個人の有価証券の譲渡所得が非課税とされ，再び法人に対する清算所得課税が復活した。この改正は，清算所得を残余財産のうち解散時における資本等の金額を超える部分の金額と認識し，清算分配金の分配を受ける個人の所得税を含めて法人課税をするものであった。

ところが，この課税方式についても擬制が多いため制度が複雑で一般の理解を得にくい，などの難点が指摘されるようになった。そこで，昭和42年の改正により清算所得に対しては法人税のみ課税し，清算分配金については株主等において配当所得として個人課税することとされた。

〔清算所得の概念〕

(4) このような経緯を経てきた清算所得課税であるが，従来，その課税には二つの態様のものがあった。解散の場合の清算所得課税（旧法法92）と合併の

場合の清算所得課税（旧法法111）とである。

しかし，平成13年の税制改正により合併の場合の清算所得課税は廃止された。同年の組織再編税制の創設に伴い，適格合併の場合には帳簿価額，非適格合併の場合には時価によりすべての資産・負債を合併法人に引継ぐこととされたので（法法62，62の2），清算所得課税の問題は生じなくなったからである。

解散の場合の清算所得課税の課税標準である**解散による清算所得**の金額とは，次の算式により計算した金額をいう（旧法法93①）。

　　残余財産の価額－（その解散時の資本金等の額＋利益積立金額等）

(5) これから明らかなように，清算所得は，株主等の投下資本がその後の増殖過程を経て当初の投下資本を超えるに至った場合のその投下資本を超える払戻金額のうち，清算段階において実現したものということができる。解散による清算の場合には，資産が現実に処分され金銭に換価される。この換価により，法人が継続中において稼得した所得のうちまだ課税されていなかった部分が顕現する。清算所得はまさに期間所得として把握されなかった未課税の所得であり，これに課税することにより法人の一生の課税関係が終了する。期間所得と全体所得との調和を図るのが清算所得課税であった。

〔清算所得課税の廃止と各種制度の適用関係〕

(6) ところが，平成22年の税制改正において，清算所得課税は廃止された。その廃止の理由は，解散の前後で課税体系が大きく変わらないようにするためであろう。

すなわち，解散前は損益課税，解散後は財産課税と課税体系が大きく変化することを解消する趣旨である(注29)。その前提には，解散後も依然として通常の経営を続ける法人の存在や解散に伴う債務免除等で恣意的に貸倒損失を計上するといった，租税回避行為の防止が視野にあるものと考えられる。

(注29)　財務省主税局『平成22年　改正税法のすべて』（平成22.7）276頁．

清算所得課税の廃止に伴い，各種の新たな制度の創設などが行われたが，その適用関係の主なものは次のとおりである。

イ　従来どおり適用される制度
　①　解散した場合のみなし事業年度（法法14一，二，二十一，二十二）
　②　解散による残余財産の分配に伴う，みなし配当（法法24①四）
　③　圧縮記帳の不適用（法法42，措法64等）
　④　特定同族会社の留保金課税の不適用（法法67①）
　⑤　中間申告の不適用（法法71①）
　⑥　解散した場合の青色欠損金の繰戻し還付の特例（法法80④，措法66の12）
　⑦　特別償却および特別税額控除の不適用（措法42の4，42の5等）
　⑧　準備金の積立ての不適用（措法55，56等）
ロ　連結納税の連結子会社には清算中の法人を含む（法法4の2）
ハ　残余財産の分配または引渡しは，資本等取引に該当（法法22⑤）
ニ　貸倒引当金および返品調整引当金の残余財産確定事業年度の不適用（法法52，旧53）
ホ　完全支配関係がある子会社が解散し，子会社の残余財産が確定した場合には，原則として子会社の控除未済欠損金は親会社へ引継ぎ（法法57②）
ヘ　解散し残余財産がないと見込まれる場合（解散時に実質的に債務超過である場合）には，控除期限切れの欠損金の控除可（法法59③）
ト　完全支配関係がある子会社が解散し，子会社株式を有しなくなった場合には，その子会社株式の譲渡損益の計上は不可（法法61の2⑰）
チ　解散し残余財産の全部の分配または引渡しにより資産の移転をする場合，適格現物分配（完全支配関係がある法人間の分配）を除き，残余財産確定時の時価により譲渡をしたものとして課税所得を計算（法法62の5①～③）
リ　残余財産確定事業年度の事業税額は，その事業年度の損金算入（法法62の5⑤）
ヌ　法人税率は，各事業年度の所得に対する税率を適用（法法66）

ル　清算中の各事業年度は，通常の事業年度と同様に，事業年度終了の日の翌日から２月（残余財産が，確定した場合には１月）以内に確定申告（法法74）

　ヲ　粉飾決算による過大納付法人税について，残余財産が確定した場合，合併による解散をした場合，破産手続開始の決定による解散をした場合には，即時還付（法法135）

(7) 上述したとおり，清算所得課税の廃止は，解散の前後で課税体系が大きく変わることを解消する趣旨によるものである。

　そうであるとすれば，解散し清算中の法人であっても，通常の法人と同じょうに課税関係を律すべきであり，上記のような取扱いは不要ではないか，という意見があろう。

　しかし，解散し清算中の法人は，継続企業の前提が失われているものであり，いずれは近い将来消滅してしまう。継続企業の前提がある通常の法人とは，実態が大きく異なる。

　したがって，清算活動をスムーズに行うためにも，清算中法人固有の制度や取扱いは必要である。

第5章 申告の税務

5-1 法人税率

〔概　要〕

(1)　**税率**は，税額を算出するために課税標準に乗ずる比率または課税標準の単位当たりの金額である。そのうち，法人が納付すべき法人税額を算出するための税率を**法人税率**という。

　　現行の法人税率は，所得や法人の種類などに応じて次のとおりである（法法66，措法42の3の2，67の2，68，措令27の3の2）。

法人の種類		所得金額のうち	
		年800万円以下の金額	年800万円を超える金額
普通法人	① 期末資本金が1億円を超えるもの ② 相互会社	23.2%	
	① 期末資本金が1億円以下のもの ② 資本または出資を有しないもの	15%	23.2%
一般社団法人等		15%	23.2%
人格のない社団等		15%	23.2%
公益法人等（一般社団法人等を除く）		15%	19%
協同組合等		15%	19%
特定の医療法人		15%	19%

(注) 1　上記表の「15%」の税率は，平成24年4月1日から令和3年3月31日までの間に終了する各事業年度の所得について適用される。

　　 2　「普通法人」の「①期末資本金が1億円以下のもの」のうち，資本金が5億円以上の法人や相互会社等による完全支配会社がある法人については，15%の軽減税率は適用されず，すべて23.2%の税率になる。

　　 3　協同組合等のうち，特定の地区または地域にかかるもので，物品供給事業にかかる収入金額の総収入金額に占める割合が50%超，組合員数が50万人以

上で，店舗における物品供給事業の収入金額が1,000億円以上の事業年度にあっては，所得金額のうち10億円を超える部分の法人税率は「22％」となる。
4　「特定の医療法人」のうち資本金が5億円以上の法人や相互会社等による完全支配関係があるものについては，15％の軽減税率は適用されず，すべて19％の税率になる。

(2)　上述のような法人の所得金額に適用される税率ではないが，一種の法人税の付加税として特定の課税対象に適用される税率がある。特定同族会社の留保金，使途秘匿金および土地譲渡益に適用される税率がそれである。それらの税率は次のとおりである（法法67，措法62，62の3，63）。

　特定同族会社の留保金などは，それ自体，独立した一つの課税標準として課税対象になる。したがって，たとえば赤字法人で所得に対する法人税がないものであっても，法人税を納めなければならない場合が生じる。

課　税　対　象		税　率
留保金額	年3,000万円以下の金額	10％
	年3,000万円を超え，年1億円以下の金額	15％
	年1億円を超える金額	20％
使途秘匿金の支出額		40％
土地譲渡益	一般土地（所有期間5年超）譲渡益	5％
	短期土地（所有期間5年以下）譲渡益	10％

(3)　上述のように，現行法人税の基本税率は23.2％である。しかし，普通法人にあっては，大法人に比べ中小法人には所得に応じて税率に配慮がされている。また，普通法人以外の法人の税率は普通法人より低くなっている。

　法人は血の通った自然人と違い，また，法人税の課税所得の源泉は，税法上，法人の種類によって異なるものではない。中小企業といっても企業である以上，利潤の最大化のために市場で競争している。資本金や所得が少額であっても，社会的な配慮をすることは正当化できない。なぜなら，法人は株主などの個人の利益を確保するための集合体にすぎないから，という意見がある[注1]。

　しかし，現に法人税率には法人の種類に応じて差がある。これは法人税の

人税としての性格を考慮したものであろう。すなわち、中小法人は大法人に比し競争力が弱く、経営基盤が脆弱である点に配慮したものである。また、公益法人等や協同組合等、特定の医療法人の税率が低いのは、これら法人の公益性や構成員の相互扶助といった面に着目しているからである。これらの点からみると、法人実在説的な考え方が表れているともいえる。

〔中小企業者の範囲〕

(4) ただ、一方で資本金が1億円以下の中小法人であっても、大法人並の多額の売上げや利益を得ているものがある。これらの法人も、中小法人に対する軽減税率をはじめ、貸倒引当金、繰越欠損金の控除、特別税額控除、特別償却、交際費課税など、各種の特例の適用を受けている（法法52、57、措法42の4、42の6、61の4等）。

この点、中小法人の範囲を単に資本金基準で規定するのが妥当かどうか、議論がある。資本金1億円以下の法人に対して一律に同一の制度を適用していることの妥当性について検討を行い、資本金以外の指標を組み合わせること等により、法人の規模や活動実態を的確に表す基準に見直すという(注2)。

そこで、平成29年の税制改正により、「適用除外事業者」に該当する法人は、仮に資本金が1億円以下であっても、法人税率軽減の特例（措法42の3の2）をはじめ、特別税額控除（措法42の4④、42の6②、42の12の3②等）や特別償却（措法42の6①、42の12の3①等）、一括評価貸倒引当金の法定繰入率（措法57の9）、少額減価償却資産の取得価額の損金算入（措法67の5）の租税特別措置は適用できないこととされた。

ここで**適用除外事業者**とは、その事業年度前3年以内に終了した各事業年度の平均所得金額が15億円を超える法人をいう（措法42の4⑧八）。この15億円というのは、大法人の平均所得金額が15億円であることによる。

(注1) 井堀利宏著『あなたが払った税金の使われ方』（東洋経済新報社、平成13）206頁。
(注2) 自由民主党・公明党「平成28年度税制改正大綱」（平成27.12.26）5頁、108頁。

(5) 一方，適用除外事業者に該当しない中小企業者は，上記の特別措置の適用が認められる。ただし，特別税額控除（措法42の4④，42の6②，42の12の3②等）や特別償却（措法42の6①，42の12の3①等），少額減価償却資産の取得価額の損金算入（措法67の5）については，適用除外事業者に該当しない中小企業者であっても「みなし大企業」に該当するものは，適用することはできない。

ここで**みなし大企業**とは，資本金額が1億円以下の法人のうち，大規模法人：（資本金額が1億円超の法人）が発行済株式の2分の1（または3分の1）以上を所有しているものをいう（措法42の4⑧七，措令27の4⑫）。この大規模法人の範囲について，平成31年の税制改正により拡充が図られた。

(6) また，中小企業者には，他に貸倒引当金の繰入れ（法法52）や法人税率の軽減（法法66②），，留保金課税の不適用（法法67），交際費課税の定額控除（措法61の4②），欠損金の繰越し・繰戻し（法法57⑪，措法66の12）につき特例が認められている。しかし，これらには「適用除外事業者」や「みなし大企業」という適用除外措置は適用されない。ただし，その適用除外措置は適用されないとしても，大法人（資本金額が5億円以上の法人）との間に完全支配関係がある法人は，これら特例の適用はできない。

このように，中小企業者の範囲は縮小される傾向にあり，また，適用除外要件が制度によって異なり錯綜している。適用除外要件は，その制度の趣旨，背景によって使い分けているのであろうが，実務にあっては混乱を招きかねないので，統一的な基準にすることが望まれる(注3)。

〔法人税率の性格〕

(7) 税率には比例税率，累進税率および逆進税率がある。**比例税率**とは，課税標準と税額の割合が一定の比率を保っている税率をいう。**累進税率**は，課税

（注3） 拙稿「法人税の中小企業者に対する特別措置等における中小企業者の範囲」週刊税務通信No.3554（令和元.5.6）44頁.

標準が増加するに従って税率が高くなっていくものであり，逆に課税標準が増加するに従って税率が低くなるものが**逆進税率**である。

現行法人税率は，基本的に比例税率である。ただし，期末資本金が1億円を超える普通法人および相互会社以外の法人の税率は，一種の累進税率であるといえる。しかし，課税標準を段階的に区分し，その区分した金額を超過する部分の金額につき順次，高率の税率を適用する**超過累進税率**ではない。累進税率に酷似するものであるが，極めて早いところで累進が止まってしまう税率であり，このような税率は**累退税率**と呼ばれる(注4)。

(8) 担税力に応じた課税や公平という観点からは，比例税率よりも累進税率の方がふさわしい(注5)。また，法人税も経済的・社会的な役割を担うべきであるという**社会統制説**の立場からは，急激な累進税率が必要であるといわれる(注6)。

しかし一方で，そもそも法人所得は危険負担の要素を含み，年々かなり変動するという点で個人所得と根本的に性格を異にし，法人税は累進税率をもって課税の公平を実現させるための税金ではない，という意見がある。「公平」よりむしろ課税のもう一つの基準である「中立性」や「効率」を重視する税金という地位を与えるべきである，というのである。仮に法人税に累進税率を適用したら，租税回避のために企業分割が促進され，課税の中立性が損なわれるという(注7)。

(9) 今日のわが法人税は基本的に比例税率をとっている。それはわが法人税が**法人擬制説**の考え方に立脚しているからである(注8)。法人擬制説は法人税を株主個人の所得税の前払であると観念し，法人に課された法人税は，個人所得税の納付段階で調整する。このような考え方によれば，最終的に個人段階

(注4) 市丸吉左エ門著『法人税法解説』（税務研究会，昭和39）541頁．
(注5) 北野弘久著『現代企業税法論』（岩波書店，平成6）50頁参照．
(注6) R・グード著，塩崎 潤訳『法人税』（今日社，昭和56）42頁．
(注7) 石 弘光著『税金の論理』（講談社現代新書，平成6）110頁．
(注8) 昭和財政史史談会『戦時税制回顧録（復刻版）』（租税資料館，平成18）229頁．

でどのような税率になるかが不明であり，その調整を簡明にするためには，法人段階ではとりあえず比例税率で課税しておかざるを得ないことになる。

〔法人税率の変遷〕

(10) 最近のわが法人税の基本税率の変遷をみてみると，次のとおりである。

年度	昭59	昭62	平元	平2	平10	平11	平24	平27	平28	平30
税率	43.3%	42%	40%	37.5%	34.5%	30%	25.5%	23.9.%	23.4%	23.2%

法人税率は昭和59年の43.3％をピークに引き下げられ，平成30年から現在の基本法人税率の23.2％である。この法人税率に地方税の事業税率などを加算した**実効税率**は，29.74％となっている。

この実効税率は，仏国の32.02％，独国の29.90％と比べると低く，米国の25.77％，英国の19.00％に近づきつつある。

実効税率が高いと，わが国企業が海外に進出し，あるいは生産拠点を海外に移す動きが目立ち，逆に，海外からのわが国への投資に二の足を踏ませているとの指摘がされている。いわゆる経済の空洞化の現象である。

(11) 法人税率が引き下げられる傾向にあるのは，世界的な趨勢である。特に，最近のわが国では，「課税ベースを拡大しつつ税率を引き下げる」という考え方のもと，法人課税をより広く負担を分かち合う構造へと改革し，企業の税負担を軽減することにより，企業に対して収益力拡大に向けた前向きな投資や継続的・積極的な賃上げが可能な体質への転換を促す，といった視点が強い(注9)。

ただ，わが国法人の6割強が赤字法人であるという(注10)，赤字法人問題も忘れてはならない。赤字法人といえども社会的・公益的サービスは享受しているのであるから，なんらかの税負担を課さなければ不公平だという議論は

(注9) 自由民主党・公明党「平成28年度税制改正大綱」（平成27.12.16）3頁．
(注10) 国税庁「平成30事務年度法人税等の申告（課税）事績の概要」（令和元.10）．

根強い。このような問題の解決とともに租税特別措置の整理をし，できるだけ課税ベースの拡大を図ったうえで，法人税率引下げの議論をするのが筋であろう[注11]。

5－2 税額控除

〔概　要〕

(1) 法人が納付すべき法人税額は，課税標準である所得金額に法人税率を乗じて計算される。しかし，法人が現実に納付すべき税額は，このようにして計算された税額からすでに納付した所得税額や外国法人税額，特別の政策目的による特別控除税額などを控除した後の金額である。このように，法人が納付すべき法人税額から所定の金額を控除する制度を**税額控除**という。

現行の税額控除の態様には，次のものがある。

イ　所得税額の控除
ロ　外国税額の控除
ハ　仮装経理に基づく過大申告の場合の法人税額の控除
ニ　法人税額の特別控除

〔所得税額控除〕

(2) 法人が支払を受ける利子，配当などについて所得税法または復興財源確保法の規定により源泉徴収された所得税および復興特別所得税の額は，納付すべき法人税額から控除する（法法68，復興財源確保法33②）。そして，控除しきれなかった所得税額は還付される（法法78）。これを**所得税額控除**といい，所得税等と法人税との二重課税を排除する趣旨から設けられている。

元本所有者の異動が予測される①剰余金と利益の配当等および②資産流動化法等の金銭の分配または集団投資信託の収益の分配に対する所得税額につ

(注11)　税制調査会「法人課税小委員会報告」（平成8.11）参照．

いては，その元本を所有していた期間に対応する部分の金額だけが控除の対象になる（法令140の2①一）。この場合の元本の所有期間に対応する所得税額は，法人の選択により次のイまたはロの算式により計算する（法令140の2②③）。

イ　原　則　法

$$\text{所得税額} \times \frac{\text{元本所有の月数（端数切上げ）}}{\text{配当等の計算期間の月数（端数切上げ）}} \begin{pmatrix} \text{小数点以下3} \\ \text{位未満切上げ} \end{pmatrix}$$

ロ　簡　便　法

$$\text{所得税額} \times \frac{\text{配当等の計算期間開始時の元本の数} + \left(\text{配当等の計算期間終了時の元本の数} - \text{配当等の計算期間開始時の元本の数} \right) \times \frac{1}{2}}{\text{配当等の計算期間終了時の元本の数}}$$

上記①および②以外の，たとえば預貯金や公社債の利子，報酬・料金などに対する所得税額については，その全額が控除される（法令140の2①二）。基本的にその元本の異動がないからである。

〔外国税額控除の趣旨〕

(3)　法人が国外に源泉がある所得，すなわち国外所得につきその所得が生じた国で課された外国法人税の額は，次の算式により計算した控除限度額の範囲内においてわが国法人税額から控除する（法法69）。控除限度額の範囲内で控除しきれない金額は還付される（法法78）。これを**外国税額控除**という。

$$\text{当期の法人税額} \times \frac{\text{分母のうち国外所得金額}}{\text{当期の全世界所得金額}}$$

わが国法人が得た国外所得には，居住者であれば国外所得にも課税する居住地主義に基づきわが国法人税が課される。一方，その国外所得には源泉地主義に基づきその源泉地国でも法人税が課されることがある。そうすると，同じ所得に対する二重課税が生じる。外国税額控除制度は，この外国法人税とわが国法人税との二重課税の回避を図る趣旨のものである。

このような国際的二重課税を排除する方法としては，外国税額控除制度のほか，国外所得を免税にする方法がある。いずれの方法が優れているかは，

一概には論じられない。いずれの方法を採用するかは各国の租税政策の問題であり，わが国は昭和28年から外国税額控除制度をとっている。その趣旨は，国内投資と国外投資とを税制面から差別せずに中立的な取扱いをし，双方に対し同一の税負担を求めるという，公平の要請を実現しようということにある(注12)。

〔外国税額控除の構成〕
(4) この外国税額控除制度は，二つの内容のものから成っている。

まず一つは，**直接外国税額控除**である。

これは，法人の①海外支店が稼得した国外所得に対して課された外国法人税額や②海外投資による利子，配当などの収益につき海外で源泉徴収された所得税額など，内国法人に直接課された外国法人税額をわが国で納付すべき法人税額から控除するものである（法法69①）。

以上の直接外国税額控除は，実際に海外で納付した外国法人税の控除制度である。

(5) これに対して二つめは，**タックス・スペアリング・クレジット**（tax sparing credit）と呼ばれる**みなし外国税額控除**であり，納付していない税額の控除を認めるものである。

発展途上国においては，外国からの自国への投資にインセンティブを与えるため，外国法人が自国で稼いだ所得に対する課税を免除し，あるいは軽減している。この減免された税額は，その外国法人の所在地国が外国税額控除制度をとっていると，なんら調整されず，いわばその所在地国で取り戻されてしまう。しかし，それではせっかく発展途上国が意図している経済効果が減殺される。そこで，二国間の租税条約によりその減免された税額は，発展途上国で納付されたものとみなして，外国税額控除の対象にするのである。

(注12) 渡辺淑夫著『最新外国税額控除』（同文舘出版，平成14）6頁，中野百々造著『外国税額控除』（税務経理協会，平成12）4頁．

現在，ザンビア，スリランカ，タイ，中国，バングラディシュ，ブラジルとの租税条約で認められている。

これがみなし外国税額控除であり，二重課税の排除というよりは，所得の源泉地国における税の減免を本店所在地国でも保障し，源泉地国への投資を促進させる趣旨のものである。もっとも，みなし外国税額控除は，相手国が軽減免除した所得には自国も課税しないという意味で，実質的には国外所得を免除にする方法と同等といえよう(注13)。

しかし，税の公平性や有害な税の競争への牽制という観点から，みなし外国税額控除は廃止・縮減される傾向にある。今後はその制度を認める場合には，対象国や優遇措置を合理的な範囲に限定し，すでに認めている場合には廃止・縮減に努める必要があるといわれている(注14)。

(6) 従来，昭和37年に導入された間接外国税額控除が認められていた，すなわち，内国法人が25％以上の持株を有する外国子会社およびその孫会社から利益配当を受けた場合には，その外国子会社の所得に対して課される外国法人税額のうち，その利益配当の額に対応する金額は，その内国法人が納付したものとみなして控除するという制度である（旧法法69⑧⑪）。

しかし，この制度は，平成21年に外国子会社から受ける利益配当は益金不算入とされたこと（法法23の2）に伴って廃止された。

〔外国税額控除の論点〕

(7) 以上述べたような趣旨の外国税額控除制度ではあるが，そのあり方いかんによってはわが国に納付すべき法人税が海外に流出するといった事態が生じる。このような事態に処するため，昭和63年，平成14年および平成23年に外国税額控除制度について大幅な見直しが行われ，現在次のような措置が講じられている。

(注13) 小松芳明著『国際租税法講義』（税務経理協会，平成7）154頁．
(注14) 税制調査会中期答申「わが国税制の現状と課題－21世紀に向けた国民の参加と選択－」（平成12.7.14）第二，五5(2)．

イ 控除限度額について、次のような制限が設けられた（法令142③）。
　① 控除限度額の計算の基礎となる国外所得から外国法人税が課されない国外所得の金額を除外する。
　② 全世界所得に占める国外所得の割合は原則として90％を限度とする。
ロ 控除対象となる外国法人税額について、次のように高率課税部分を除外することとされた（法令142の２）。
　① 35％を超える高率で課される外国法人税額のうち、35％を超える部分対応額は、外国税額控除の対象から除外する。
　② 利子にかかる外国の源泉税について、法人の所得率に応じて10％超または15％超で課される源泉税のその超過部分は、外国税額控除の対象から除外する。
ハ 控除余裕額および控除限度超過額の繰越期間が５年から３年に短縮された（法法69②③）。

　従来から、法人の所得は大幅な黒字であるのに、外国税額控除の適用によりわが国での納税額が少ないか、全くないのは課税の公平上、疑問であるとの指摘がされている。上記の改正は、このような指摘に応えるものであるが、なお外国法人税の範囲、所得の内外区分、すなわちソース・ルールのあり方、国外所得を一括して控除限度額を算定する**一括限度額方式**の適否、国外所得計算上の費用配賦のあり方などについて不断の点検が必要であろう。

〔仮装経理に基づく過大申告の税額控除〕

(8) 法人がいわゆる**粉飾決算**により事実を仮装した経理を行い過大に法人税を納付した場合において、税務署長がこれを減額更正したときは、その更正により減少する仮装経理部分の法人税額のうち、その更正前一事業年度に納付した法人税額は、還付される（法法135②）。しかし、その他の還付金は、その更正の日の属する事業年度開始の日から５年以内に開始する各事業年度の法人税額から控除する（法法70，135③）。

　これは、昭和40年３月の戦後最大といわれた鉄鋼会社の倒産をきっかけと

して，粉飾決算の防止を目的に昭和41年に設けられた(注15)。法人が粉飾決算をして意識的に過大に納付した法人税額は，その制裁として直ちに還付することなく，その後5年間に納付する法人税額から控除する形により徐々に還付するのである。

そこで問題は，たとえばその5年の間に解散し，あるいは赤字で納付すべき法人税が生じないため，5年内にその控除ができないといった場合，すでに納付した控除未済の法人税はどうなるかという点である。

(9) 昭和41年立法当時の解釈は，もし5年間税額控除を行っても控除しきれない場合は，その残額は打ち切られて還付はされないといわれていた(注16)。この解釈以前に，そもそも粉飾決算による過大納付は不法原因給付（民法708）であり，また，フェアプレイの精神に反するから，控除も還付も一切すべきでないという意見もあった(注17)。

しかし，その後，控除未済の法人税を還付しないのは，所得のないところに課税する結果になるとの疑義が呈され，国税不服審判所は破産会社につき控除未済の法人税は直ちに還付すべきである，との裁決を行うに至った(注18)。そこで，課税実務では，5年以内に控除できなかった場合や残余財産が確定して控除の機会がない場合には，その控除未済の法人税は直ちに還付することに取り扱われていた。この点につき，平成21年の税制改正により，還付すべきことが法制化された（法法135③）。これは妥当な措置であろう。

〔特別税額控除〕

(10) 青色申告法人に次のような事実がある場合には，その増加または支出した試験研究費の額や取得した資産の取得価額，増加した給与等の額の一定額相

(注15) 吉国二郎総監修『戦後法人税制史（創立50周年記念出版）』（税務研究会，平成8）416頁．
(注16) 吉国二郎編著『法人税法（実務篇）』（財経詳報社，昭和43）731頁．
(注17) 河井信太郎稿「粉飾決算にもとづく法人税の還付」産業経理26巻8号（昭和41. 8）38頁参照．
(注18) 国税不服審判所裁決昭和46. 9.27裁決事例集No. 2・26頁．

当額は，納付すべき法人税額から控除する。

　イ　試験研究を行った場合等（措法42の4）
　ロ　高度省エネルギー増進設備等を取得した場合（措法42の5②）
　ハ　中小企業者等が機械等を取得した場合（措法42の6②）
　ニ　沖縄の特定地域において工業用機械等を取得した場合（措法42の9）
　ホ　国家戦略特区において機械等を取得した場合（措法42の10②）
　ヘ　国際戦略特区において機械等を取得した場合（措法42の11②）
　ト　地域経済牽引事業促進区域内において特定事業用機械等を取得した場合（措法42の11の2②）
　チ　地方活力向上地域等において特定建物等を取得した場合（措法42の11の3②）
　リ　地方活力向上地域等において雇用者の数が増加した場合（措法42の12）
　ヌ　認定地方公共団体に寄附をした場合（措法42の12の2）
　ル　特定中小企業者等が経営改善設備を取得した場合（措法42の12の3②）
　ヲ　中小企業者等が特定経営力向上設備等を取得した場合（措法42の12の4②）
　ワ　給与等引上げおよび設備投資を行った場合（措法42の12の4）
　カ　特定高度情報通信技術活用設備を取得した場合（措法42の12の5の2）

⑾　これらはその名のとおり，試験研究や設備投資の促進，雇用状況の改善など産業政策上の特別措置として設けられている特例であるから，一般に**特別税額控除**といわれる。特に，最近では上記リおよびワの制度のように，企業の雇用者数の増加や給与等の支給額の増加を図る，といった点が顕著である。

　上記イ，ニ，リ，ヌおよびワを除く特別税額控除は，その取得した設備に対する特別償却との選択適用になっている。特別税額控除と特別償却との減税効果がほぼ等しくなるようその控除割合や償却率は設定されるが，現実にいずれの制度を適用するかは，所得の大きさ，設備の耐用年数，設備更新の

（注19）　井上久彌著『税務会計論』（中央経済社，昭和63）241頁参照．

頻度などを勘案して決定することが肝要である[注19]。

　なお，これら特別税額控除や特別償却は政策的なものであるから，適用状況の透明化と適切な見直しの推進を図るため，その適用額を記載した適用額明細書を法人税申告書に添付しなければならない（租税特別措置の適用状況透明化法③）。この場合，その適用額明細書の添付をせず，または虚偽の記載をしたときは，特別税額控除や特別償却の適用は認められないことに留意する（同法3②）。

5－3　申告・納付

〔税額の確定手続〕

(1)　法人税の納税義務は，事業年度終了の時に成立する（通法15②三）。事業年度が終了し納税義務が成立すると，次に納付すべき税額を確定させなければならない。

　国税についての納付すべき税額の確定手続には，申告納税方式と賦課課税方式とがある（通法16）。**申告納税方式**とは，納付すべき税額が納税者のする申告により確定することを原則とする方式をいい，**賦課課税方式**とは，納付すべき税額がもっぱら税務署長（または税関長）の処分により確定する方式をいう。

　いずれの課税方式をとるかは，その税の性格や対象などによるが，申告納税方式の方が民主的な課税方式であるということができよう。適正公平な課税を実現するためには，その内容を熟知する納税者による課税標準等の申告が第一義的に要請され，納税義務の履行を国民みずから進んで遂行すべき義務と観念することによって，その申告をできるだけ正しいものとし，同時に，その申告行為自体に納税義務確定の効果を付与することが民主主義国家における課税方式としてふさわしいからである[注20]。

　納税申告の法的性格は，課税標準および税額の基礎となる要件事実を納税者自身が確認し，一定の方式で租税債務の内容を具体的に確定してこれを租

税行政庁に通知する私人の公法行為である，と解されている[注21]。

〔法人税申告の種類〕
(2) 法人税は，昭和22年から申告納税方式を採用している。同年は現行わが憲法が施行された年であり，近代的税制への幕開けを意味する。

　申告納税制度のもとにおいて，法人は，事業年度が終了するとみずから課税標準と税額を計算して申告を行い，その申告により確定した法人税額を納付しなければならない。

　その法人税の申告には各種のものがあるが，その種類と納付のあらましは次のとおりである。

　平成30年度の税制改正により，資本金が1億円を超える法人は，電子情報処理組織により申告しなければならないこととされた（法法75の3，75の4）。

(注20)　税制調査会「国税通則法の制定に関する答申」（昭和36.7.5）別冊第4章第1節1．3．
(注21)　田中二郎著『租税法』（有斐閣，昭和43）180頁．

申告の種類		申告の内容	申告期限	納期限	納付税額
事業年度が6月以下の場合	確定申告（法法74）	確定した決算に基づき課税所得およびこれに対する法人税額を申告	事業年度終了の日の翌日から2月以内	申告期限に同じ（法法77）	申告書に記載した税額
事業年度が6月超の場合 中間申告	予定申告（法法71）	事業年度開始の日以後6月を経過した日の前日までに確定した前期分の法人税額の6月分相当の法人税額を申告	事業年度開始の日以後6月を経過した日から2月以内	申告期限に同じ（法法76）	申告書に記載した税額
事業年度が6月超の場合 中間申告	仮決算による中間申告（法法72）	事業年度開始の日以後6月間を一事業年度とみなした仮決算に基づき課税所得およびこれに対する法人税額を申告	事業年度開始の日以後6月を経過した日から2月以内	申告期限に同じ（法法76）	申告書に記載した税額
事業年度が6月超の場合	確定申告（法法74）	確定した決算に基づき課税所得およびこれに対する法人税額を申告	事業年度終了の日の翌日から2月以内	申告期限に同じ（法法77）	申告書に記載した本税額から中間納付税額を控除した税額

（注）残余財産が確定した場合の確定申告は，残余財産の確定事業年度終了の日の翌日から1月以内に行う（法法74②）。

〔期限後申告〕

(3) 以上のような各税法に規定された申告すべき期限を**法定申告期限**（通法27）と，国税を納付すべき期限を**法定納期限**（通法28）とそれぞれいう。法人税の申告・納付は，これら法定期限までにしなければならない。

　法定申告期限内にされた申告を**期限内申告**と呼ぶ（通法17）が，法定申告期限を過ぎたからといって，申告ができないわけではない。むしろ法人税の申告は，所得税のそれと異なり，赤字や納付税額がない場合であっても，す

べての法人がしなければならない。期限後であっても，税務署長による課税標準および税額の決定処分があるまでは，申告をしてよい。このように法定申告期限に遅れた申告を，期限内申告に対して**期限後申告**という（通法18）。

期限後申告の場合には，期限内申告との権衡を図るため，延滞税（通法60）や無申告加算税（通法66）が課されるほか，青色申告の承認が取り消される（法法127①四）など不利益な取扱いを受ける。

〔申告期限の延長〕

(4) このように，法人税の申告は上記(2)の表に掲げる期限内に行わなければならず，その期限内に申告しなかった場合には各種ペナルティが課される。しかし，特別の事由がある場合には，**申告期限の延長**が認められている。申告期限の延長が認められれば，それは約定の申告期限であるから，ペナルティは課されない。ただし，延長された期間分の利子税を納める必要がある（通法64，法法75⑦，75の2⑧⑩，措法66の3，93）。

法人税に関する申告期限の延長には三つの態様のものがある。

一つは，**災害等による期限の延長**である。国税庁長官，国税局長または税務署長は，災害その他やむを得ない理由により，申告期限または納期限までに申告または納付をすることができないときは，その理由のやんだ日から2月以内に限り，これらの期限を延長する（通法11）。これは，法人税に限らず，すべての税目に共通して認められる制度である。平成7年1月の阪神・淡路大震災や平成12年9月の三宅島噴火，平成23年3月の東日本大震災，令和2年の新型コロナウイルスの流行に伴う例がある。

(5) これに対して，法人税独自の申告期限の延長制度が二つある。法人税の各事業年度の確定申告は確定した決算に基づいて行わなければならないから（法法74），決算が確定しない特別の事情がある場合に申告期限の延長が認められる。

その一つは，災害等により決算が確定しない場合である。災害その他やむを得ない理由により決算が確定しないため，申告期限までに確定申告ができ

ない場合には，法人の申請に基づき期日を指定してその申告期限を延長する。ただし，上記の災害等による期限の延長がされた場合を除く（法法75）。

(6) いま一つは，法人が定款等の定めにより，または特別の事情があることにより，事業年度終了の日の翌日から2月以内に決算についての定時総会が招集されない常況にあると認められる場合である。この場合には，所轄税務署長の指定を受けて，申告期限を1月間延長することができる（法法75の2①）。

ただし，会計監査人を置き，かつ，定款等の定めにより事業年度終了の日の翌日から3月以内に決算についての定時総会が招集されない常況にある場合には，その定めの内容を勘案して4月を超えない範囲内で所轄税務署長が指定する月数の期間その延長が認められる（法法75の2①一，基通17-1-4の3）。昨今，上場企業等では投資家との対話の充実を図るため，決算承認のための定時総会の開催日を柔軟に設定するものがある。税務もこれに対応するため，平成29年の税制改正により，最長4月間，申告期限の延長ができることとされた。

また，特別の事情がある保険会社や全国組織の共済組合，協同組合連合会等は，事業年度終了の日の翌日から3月以内に決算についての定時総会が招集されない常況等にある場合には，所轄税務署長が指定する月数の期間その延長ができる（法法75の2①二，基通17-1-4）。

なお，会計監査人の監査を要しない中小企業者であっても，その定款等に①定時総会の招集時期を事業年度終了の日の翌日から2月を経過した日である旨の定め，または②定時総会の招集時期を事業年度終了の日の翌日から3月以内である旨の定めをし，現にそのとおり実行すれば，1月間その延長が認められる（基通17-1-4の2）。

〔**青色申告**〕

(7) 上述したように，法人税の申告には各種のものがある。これら申告に当たって，税務署長の承認を受けた場合には，その申告書は青色の申告書により提出することができる（法法121）。これが**青色申告**である。

この青色申告制度は，シャウプ勧告に基づく昭和25年の税制改正により，当時の納税秩序が乱れた社会状況を背景に，申告納税制度育成のため納税者の誠実な申告を期待し，反面その申告を税務官庁が尊重する趣旨のもとに創設された。現在では，青色申告法人の割合は99％に達している[注22]。

青色申告制度は納税者の誠実な申告を期待するものであるから，青色申告法人は，仕訳帳や総勘定元帳など必要な帳簿を備え，資産，負債および資本に影響を及ぼす一切の取引につき，複式簿記の原則に従い，整然と，かつ明瞭に記録し，その記録に基づいて決算を行わなければならない（法法126，法規53～59）。これは，企業会計における**正規の簿記の原則**を宣言したものといえよう。

(8) このようにして誠実な申告が前提とされている青色申告法人には，いわばその見返りとしていくつかの特典ないし特例が認められている。その特典は次のとおりである。

イ　実体面に関するもの
　① 欠損金の繰越しによる控除（法法57）
　② 欠損金の繰戻しによる還付（法法80）
　③ 特別税額控除の適用（措法42の４等）
　④ 特別償却費の損金算入（措法42の５等）
　⑤ 準備金積立額の損金算入（措法55等）
　⑥ 所得の特別控除（措法59，59の２，60，61）
　⑦ 圧縮記帳の適用（措法61の３，66の10）

ロ　手続面に関するもの
　① 帳簿書類調査後の更正（法法130①）
　② 更正する場合の理由付記（法法130②）
　③ 推計課税の禁止（法法131）

ただし，②の「更正する場合の理由付記」に関しては，平成23年の国税通

（注22）　国税庁発表『平成30年度分　税務統計からみた法人企業の実態』（令和２．５）．

則法の改正により，現在では白色申告法人に対する更正の場合も理由付記はされている（通法74の14①）。

従来，異議申立てを経ない直接審査請求（旧通法75④）は青色申告法人の特例とされていたが，平成26年の行政不服審査法の改正に伴い，白色申告法人であっても，再調査の請求をしないで，直接審査請求ができることになった（通法75①）。

〔申告内容の変更〕

(9)　法人が申告をした後において，その申告書に記載した所得金額または税額に誤りがあることが判明した場合には，当然，正しい姿に変更しなければならない。その変更方法につき，現在では制度的に減額変更の場合と増額変更の場合とに分け，その方法を異にしている。

減額変更については，法人みずからの申告による変更を認めず，税務署長が行う減額更正にゆだねている。これに対し増額変更については，もちろん税務署長の増額更正による変更の方法もあるが，法人みずからの変更をも認めている。すなわち修正申告である。

このように，減額変更に法人の自主的申告を認めていないのは，申告は納税義務の確定行為として公法上の法律効果が付与されるものであるから，これのみだりな変更は適当でないことによる。租税債権の確保の点からも問題がある。

〔修正申告〕

(10)　更正・決定については，後に項を改めて述べることとし，ここでは修正申告をみておこう。

修正申告は，申告書を提出した法人が，先の申告書による課税所得または税額を修正するためにする申告である。しかし，先の申告書による①納付税額が過少であるとき，②繰越欠損金額が過大であるときまたは③還付金額が過大であるときにおいてしかすることができない（通法19）。たとえば，課税

所得が過少であっても，税額控除に誤りがあったため最終的に納付すべき税額が減少するといった場合には，修正申告はできないのである。

このように，修正申告は先の申告で過少であった税額を増額するために行う申告である。この修正申告は，すでに確定した納付すべき税額についての納税義務に影響を及ぼさない（通法20）。たとえば，先の申告によりすでに確定した税額についての徴収処分（納付，徴収猶予，滞納処分等）の効力は，修正申告によりなんら影響を受けないのである。

〔更正の請求〕

(11) 以上述べたように，税額を減額するための修正申告はできない。しかし，法人の側から全く減額変更のアクションができないわけではない。一定期間内に法人から請求を行うことによって税務署長に減額更正させる途が開かれている。これが**更正の請求**であり，昭和34年に法人税法に創設されたが，昭和37年の国税通則法の制定に伴い同法に移された。

租税法が申告の準備に必要な期間を考慮のうえ，一定の申告期限を設けてその期間内に適正な申告書の提出を義務づけ，納税者がその期限内に十分な検討をした後，申告を行う建前からすれば，特に更正の請求を認める必要はないとの意見もあろう。しかし，納税者による申告に全く誤りがないとはいえず，特に現在のように経済取引が複雑，高度化し，これに応じて税法も複雑，精緻になっていく状況下においては，その必要性は高い。

(12) 申告書を提出した法人は，①申告書に記載した所得金額または税額の計算が国税に関する法律の規定に従っていなかったことまたは②その計算に誤りがあったことにより，納付すべき税額が過大であるとき，繰越欠損金額が過少であるときまたは還付金額が過少であるときは，税務署長に対し，減額の更正をすべき旨を請求することができる（通法23①）。

これが更正の請求の原則であり，法定申告期限から5年以内に限りすることができる。平成23年12月の改正により，更正の請求期間が1年から5年に延長された。ただし，所得金額または税額の計算の基礎となった事実に関す

る訴えにつき判決があった場合，所得の帰属につき変更の更正・決定があった場合，契約の解除があった場合，国税庁長官の法令の解釈が変更された場合などには，5年経過後においても，これらの事実が生じてから2月以内であれば更正の請求をしてよい（通法23②，通令6）。

なお，契約の解除があった場合の法人税の更正の請求の可否については，「1-4　事業年度」の項を参照されたい。

〔法人税独自の更正の請求〕

(13)　この更正の請求については，法人税独自のものがある。すなわち，前年度の法人税につき更正や修正申告があった場合において，その更正等に伴い次年度以降の法人税が過大になるときは，2月以内に限り更正の請求をすることができる（法法80の2）。たとえば，当年度の収益に計上していた売上げが前年度の売上げとして更正されたため，当年度の法人税が過大になるような場合である。事業年度を単位に期間所得として課税所得が計算される法人税の特例である。

〔期限内の申告内容の変更〕

(14)　以上は制度としての申告期限後における申告内容の変更の問題である。これに対して，申告期限内に誤りを発見した場合はどうするか，という問題に関しては規定がない。

この問題は，過少申告加算税の賦課や脱税犯の成立の時期とも関連するが，課税実務上は期限内における申告書の差し替えまたは訂正を認めることにより事実上の解決を図っている。納税者はもともと期限までに申告をすれば足りるのであって，その後に申告する者との均衡を考えれば，その差し替えや訂正を禁止する理由はないからである。

ただ問題は，前にされた申告の租税債権確定の効力をどのように考えるかである。前の申告によりすでにされた租税の納付を後の申告によって取り消したり，無効にすることは適当でない。そこで，理論的な考え方としては，

後の申告が前の申告を吸収していくと考えるのが合理的である(注23)。

〔連結納税制度〕

(15) これまで述べてきた現行の申告・納付制度は，個々の法人単位で課税を行う**単体納税制度**である。これに対して，企業グループの経済的一体性に着目し，企業グループ内の個々の法人の所得と欠損を通算して所得を計算するなど，あたかも企業グループを一つの法人であるかのようにとらえて法人税を課するのが，**連結納税制度**である(注24)。

平成９年の独占禁止法による持株会社解禁等をきっかけに，企業の経営環境の変化への対応や国際競争力の維持・向上，企業の経営形態に対する税制の中立性の確保といった観点から，連結納税制度の導入を目指し(注25)，平成14年に連結納税制度が創設された。

(16) その連結納税制度の概要は，次のとおりである。

イ　親法人およびその親法人との間に完全支配関係（100％の持株関係）がある子法人のすべてが，連結納税の適用法人となる（法法４の２）。

ロ　連結納税を行うためには国税庁長官の承認を要し，その承認を受けて，親法人を納税義務者として，親法人および子法人の所得を合算して法人税を納める（法法４の２，４の３）。

ハ　連結法人税の課税標準は，連結法人の各連結事業年度の連結所得の金額であり，各連結事業年度の連結所得の金額は，連結事業年度の益金の額から損金の額を控除して計算する（法法６，81，81の２）。

ニ　連結法人ごとに計算するものにつき，単体納税における課税標準を計算するものとした場合に益金となる金額（個別益金額）または損金となる金

(注23)　税制調査会「国税通則法の制定に関する答申」(昭和36.7.5) 別冊第４章第２節２．

(注24)　税制調査会中期答申「わが国税制の現状と課題－21世紀に向けた国民の参加と選択－」（平成12.7.14）第二，二１(5)②，税制調査会法人課税小委員会「連結納税制度の基本的な考え方」（平成13.10.9）一，１．

(注25)　税制調査会答申「平成12年度の税制改正に関する答申」（平成11.12）．

額（個別損金額）を，連結所得の計算上，それぞれ益金の額または損金の額に算入する（法法81の3）。

ホ　連結法人税の税率は，単体納税の場合の税率と同じである（法法81の12，81の13）。

ヘ　連結親法人は，単体納税の場合と同じように，連結中間申告および連結確定申告を行い，法人税を納付する（法法81の19，81の22）。

(17)　この連結納税制度をめぐって話題を集めたのは，課税庁が，連結納税制度を利用した，租税負担を減少させる目的で行われた租税回避行為である，と認定した課税処分が争われた事例である。

　それは，米国法人Wは日本法人Aを取得した後，A社に増資やW社の保有する日本子会社I株式の全部譲渡を行い，A社は取得したI株式をそのI社に自己株式として譲渡し，みなし配当は益金不算入にするとともに，株式譲渡損失を計上した。そして，A社は連結親法人として連結納税を開始し，累積してきた欠損金を連結繰越欠損金として，連結子法人であるI社の課税所得と相殺した，というものである。

　これに対し，判例では各取引を経済合理性の観点からみると，不当なものと認めるには足りず，譲渡損失や欠損金が生じたのは法人税法を適用した結果であって，見せかけの損失ではないなどとして納税者の主張を支持している[注26]。

　近時，課税庁は，組織再編税制や連結納税制度をめぐる租税回避行為に焦点をあて，積極的に更正処分を行う姿勢がうかがわれ，注目される。

〔グループ通算制度〕

(18)　このような連結納税制度であるが，連結親法人への情報等の集約化の程度はさまざまであること，税額計算が煩雑であること，税務調査後の修正・更

(注26)　東京地判平成26．5．9税資264号順号12469，東京高判平成27．3．25税資265号順号12639．

正等に時間がかかりすぎること，といった指摘があり，損益通算のメリットがあるにもかかわらず，その選択をしていない企業グループが多く存在する。そこで，令和2年の税制改正により，企業グループの一体的で効率的な経営を後押しすることで，企業の国際的な競争力の維持・強化を図るため，連結納税制度を抜本的に見直し，**グループ通算制度**へ移行することとされた[注27]。ただし，そのグループ通算制度は，令和4年4月1日以後開始する事業年度から適用される。

そのグループ通算制度の概要と特徴点は，おおむね次のとおりである[注28]。

イ　個別申告　親法人，子法人がそれぞれ各自に所得金額および法人税額を計算し，申告を行う。

ロ　損益通算　所得法人は欠損法人の通算対象欠損金額を損金算入し，欠損法人は所得法人の通算対象所得金額を益金算入する，損益通算を行う。

ハ　欠損金通算　欠損金の繰越控除限度額は，各法人の欠損金繰越控除前の所得金額の50％相当額（中小法人は所得金額）の合計額とし，特定欠損金（時価評価除外法人の欠損金額）はその法人の所得のみから控除し，非特定欠損金は，グループ全体で控除する。

ニ　欠損金の持込み　適用開始前の欠損金額は，親法人，子法人とも持ち込むことができるが，各自の所得金額の範囲内で控除する。

ホ　税額調整　外国税額控除，研究開発税制等については，グループ全体で税額控除限度額を計算し，各法人の法人税額の比で配分する。

ヘ　時価評価　適用開始時または加入時の資産の時価評価は，原則として親法人，子法人とも対象になるが，適用開始時の時価評価は完全支配関係の継続が見込まれていれば，適用対象外とする。

ト　修正・更正の遮断　親法人，子法人の税務調査等により修正・更正が行われても，他の法人には影響を及ぼさず，それぞれの法人限りで処理する。

(注27)　自由民主党・公明党「令和2年度税制改正大綱」（令和元.12.12）．
(注28)　財務省「令和2年度税制改正」（令和2.3），国税庁「グループ通算制度の概要」（令和2.4）．

⒆　グループ通算制度が連結納税制度と決定的に異なるのは，上記イの「個別申告」と，これに対応するトの「修正・更正の遮断」である。

連結納税制度は，納税主体（納税義務者）は，親法人であり，親法人がグループ全体の所得金額と法人税額をまとめて計算し，申告・納付を行う。子法人は，連帯納付責任を負うにすぎない。

これに対し，グループ通算制度では，納税主体は親法人，子法人それぞれであり，各自が所得金額と法人税額を計算し，申告・納付を行う。損益通算や欠損金通算等はできるが，単体申告ということができよう。

連結納税制度は税務調査等により，ある連結法人に所得金額等の計算に誤りが発見されると，他の連結法人すべてが個別帰属額等の計算をやり直す必要があり，連結法人が多数にのぼると課税当局も法人もその手間は相当のものであった。上述したとおり，これがグループ通算制度へ移行の大きな理由である。そのため，ある法人の誤りによる修正・更正による影響を他の法人に及ぼさないようにするためには，単体申告でなければならない。

そこで，実務的には，税務調査は親法人，子法人ごとに行われると思われるが，親法人の担当者は子法人の税務調査に立ち会えるのか，といった点が問題になってこよう。

5-4　更正・決定

〔総　説〕

⑴　法人税は申告納税方式の租税であるから，第一義的には法人の申告により納付すべき税額が確定する。しかし，税額が確定するといっても，それは絶対的なものではない。その申告内容に誤りがある場合には，当然正しいものに是正しなければならない。

国税通則法が申告納税方式につき，納付すべき税額が納税者のする申告により確定することを原則としながら，その申告がない場合またはその申告にかかる税額の計算が法律の規定に従っていなかった場合その他税務署長の調

査したところと異なる場合には税務署長の処分により確定する（通法16①一），といっているのはそのことである。申告内容に誤りがある場合の是正の方法が更正であり，申告すべきにもかかわらずその申告がない場合の税額の確定手続が決定である。申告納税方式の補完的な手続ということができよう。

〔更　正〕

(2) 税務署長は，法人から申告書の提出があった場合において，その申告書に記載された所得金額または税額の計算が税法の規定に従っていなかったとき，その他その所得金額または税額がその調査したところと異なるときは，その調査により，所得金額または税額を更正する（通法24）。

　これが**更正**であり，修正申告と異なり，所得金額や税額を減少させることもできる。そこで，実務的には，所得金額や税額を増加させる更正を**増額更正**と，これらを減少させる更正を**減額更正**と，それぞれ呼ぶ。

〔決　定〕

(3) つぎは**決定**である。

　税務署長は，申告書を提出する義務があると認められる法人がその申告書を提出しなかった場合には，その調査により，課税所得および税額を決定する（通法25）。

　申告納税方式のもとにおいては，法人が申告書を提出しなければ納付すべき税額が確定しない。しかし，これをそのまま放置することは，申告をした正直者が馬鹿をみる結果になる。そこで，申告書の提出がない場合には，税務署長が強制的に所得金額および税額を確定させるのである。これが決定である。

　ただ，申告書の提出がない場合であっても，決定により納付すべき税額または還付金が生じないときは，決定は行わない。決定を行わなくても，さほど課税上の弊害がないからである。

〔再更正〕

(4) このように更正または決定を行い税額が確定した後であっても，なおその後に生じた事情などにより，さらに所得金額または税額の是正をしなければならない場合がある。そこで，税務署長は，更正または決定をした後，その更正または決定をした所得金額または税額が過大または過少であることを知ったときは，その調査により，所得金額または税額を更正する（通法26）。これも更正の一種であるが，税額の確定行為を再度行うことから**再更正**と呼ばれる。

再更正は，のちに述べる除斥期間内であれば，再々更正など何度でもすることができる。けだし，課税は正しくあるべし，というのが究極の目的であるからである。

〔更正等の法的性格〕

(5) 以上により更正・決定の基本的考え方を概観したので，ここで更正等の法的性格を検討しておこう。

法人税のような申告納税方式による租税債権は，まず申告により，次いで修正申告または更正・決定により，さらに再更正によりそれぞれ確定し，その確定に応じて納付や徴収手続が行われていく。これら申告，決定，更正または再更正は，別個独立の行為ではあるが，いずれも成立した一個の租税債権を正当な金額に具体化するための手続であって，相互に密接な関係にある。そうすると，申告と更正・決定相互間の法律関係はどうなるのであろうか。

これには，従来から大別して二つの考え方がある。併存説と吸収説である[注29]。**併存説**とは，修正申告や更正・再更正（更正等）の効力は，その処分によって変更を生じた増差額に関する部分についてのみ生じ，後の更正等の処分は前の申告や更正等とは別個の法律行為として併存する，という考え

(注29) 荻野　豊著『実務国税通則法（平成16年度版）』（大蔵財務協会，平成16）216頁。なお，忠　佐市著『租税法の基本論理』（大蔵財務協会，昭和54）246頁参照。

方をいう。

これに対して**吸収説**は，更正等の効力は前の申告や更正等の効力を吸収し，後の更正等の処分がされたときに改めて効力はその全額について生ずる，という考え方である。

(6) 併存説によれば，後に更正等がされても前の申告等の効力はなお維持されるから，その申告等に基づく納付，差押え等の処分の効力の安定を図るという要請を満たすことができる。しかし，争訟において，一個の租税債権についてされた更正や再更正など数個の処分を統一的に審理しようという要請には応えられない。

これに対し吸収説には，併存説と全く逆の長所と短所がある。

そこで，わが国税通則法の制定に当たっては，徴収手続や争訟における問題をそれぞれ個別に合理的に解決することにした。そのような意味では，併存説と吸収説の折衷案であるが，基本的な考え方としては，更正等の処分の効力は増差額に関する部分についてのみ生ずるが，同時にその処分が行われた結果として，前にされた申告等は更正等に吸収され，合わせて一体のものとなる，と考えるのである[注30]。

たとえば，増額更正はすでに確定した納付すべき税額にかかる部分の納税義務に影響を及ぼさない，という規定（通法29①）は，併存説の考え方である。逆に，更正決定等につき国税不服審判所長に対して審査請求がされている場合において，同じ国税についての他の更正決定等につき再調査の請求がされたときは，国税不服審判所長が両者を併合して審理するなどの規定（通法90，104）は，吸収説の考え方を表明している。

〔仮装経理の更正の特例〕

(7) 法人のした申告の内容に誤りがあることが判明した場合には，仮に減額更

（注30） 税制調査会「国税通則法の制定に関する答申」（昭和36.7.5）別冊第4章第4節4.2.

正であっても，直ちにこれを行うのが原則である。しかし，法人が粉飾決算をしてあえて法人税を過大に申告した場合には，更正を留保する特例が設けられている。すなわち，法人が法人税を過大に申告した場合において，その過大に申告した金額のうちに仮装経理に基づくものがあるときは，税務署長は，法人が修正の経理をし，かつ，その修正経理に基づく確定申告書を提出するまでの間は，更正しないことができる（法法129①）。

これは，粉飾決算の防止を目的に，前述した仮装経理に基づく過大申告の税額控除制度（法法70）とともに昭和41年に創設された。

ここで**仮装経理**とは，事実に基づいた経理をしていないことをいう。もっぱら外部取引が対象になり，典型的には架空売上げの計上や意図的な仕入れ，経費の計上漏れなどである。ただし，償却費や引当金を意図的に過小に計上しても，仮装経理には当たらない。

(8) 修正経理があるまでは「更正しないことができる」というのは，原則として更正しないという意味であり，絶対に更正しないということではない。したがって，次のような場合には，修正経理がなくても直ちに更正する[注31]。

　イ　仮装経理に基づく過大申告により実質的に繰越欠損金の控除期間を延長する場合

　ロ　前期以前の否認金を仮装経理した事業年度で損金算入する場合

　ハ　仮装経理に対する減額更正が遅れることにより後の増額更正ができなくなる場合

　ニ　そのほか更正をしないと課税上，著しい弊害が生じる場合

〔青色申告法人の更正・決定の特例〕

(9) また，青色申告法人については，更正・決定に関して三つの特例がある。

一つは，青色申告法人に対して更正する場合には，その法人の帳簿書類を調査した後でなければ更正ができないことである（法法130①）。

（注31）　中村　忠・成松洋一共著『税務会計の基礎』（税務経理協会，平成10）138頁．

青色申告法人は、組織的な帳簿書類を備え、複式簿記の原則に従い決算を行っている法人であるから、そのことを尊重するのである。ただ、申告書およびその添付書類に記載された事項によって、誤りがあることが明らかである場合には、帳簿書類の調査は要しない。

二つめは、青色申告法人に対して更正をする場合には、更正通知書にその更正の理由を付記しなければならないことである（法法130②）。ただし、現在では白色申告法人に対する更正も、理由付記がされている（通法74の14①）。

この**更正の理由付記**は、法人税が青色申告制度を採用し、青色申告にかかる所得については、それが法定の帳簿組織による正当な記載に基づくものである以上、その帳簿の記載を無視して更正されることがないよう納税者に保障した趣旨にかんがみ、更正処分庁の判断の慎重、合理性を担保してその恣意を抑制するとともに、更正の理由を納税者に知らせて不服申立てに便宜を与える趣旨である。したがって、その記載は、帳簿書類の記載を否認して更正する場合には、更正にかかる勘定科目とその金額を示すほか、そのような更正をした根拠をその帳簿書類の記載以上に信ぴょう力のある資料を摘示することによって具体的に明示することを要すると解されている。

そして、更正の理由付記が不備である場合には、内容の実体判断をするまでもなく、更正処分自体の取消事由になる[注32]。

三つめは、青色申告法人に対して推計による更正・決定はできないことである。税務署長は、法人税の更正・決定をする場合には、法人の財産・債務の増減状況、収入・支出の状況または生産量、販売量、従業員数その他の事業の規模によって、課税標準を推計して更正・決定をすることができる（法法131）。これが**推計課税**であるが、帳簿書類を備えることが前提となっている青色申告法人には適用されないのである。

この推計課税の規定は、確認規定か創設規定かという議論があるが、確認

（注32）　最高判昭和60.4.23判例時報1165号93頁、最高判昭和54.4.19税資105号164頁、最高判昭和38.5.31税資37号653頁。

規定である,というのが通説といってよい[注33]。

〔更正・決定の期間制限〕

(10) 以上に述べてきた,税務署長が行う更正,決定または再更正は,永久にいつまでもできるわけではない。課税関係の法的安定性を確保するため,更正・決定をすることができる期間に制限が設けられている。これが**更正・決定の期間制限**の定めであり,法人税にあっては次の表に掲げる日以後は更正・決定をすることはできない(通法70, 71)。

	区　　分	期　　間
更正	イ　税額を増加させる更正(ホに掲げるものを除く)	法定申告期限から5年を経過した日
	ロ　税額を減少させる更正 ハ　還付金を増加させる更正	法定申告期限から5年を経過した日
	ニ　欠損金額を増加または減少させる更正	法定申告期限から10年を経過した日
	ホ　偽りその他不正の行為により税額を免れ,または還付を受けたものについての更正	法定申告期限から7年を経過した日
決定	ヘ　決　定(チに掲げるものを除く) ト　決定後にする更正	法定申告期限から5年を経過した日
	チ　偽りその他不正の行為に基づく決定または決定後にする更正	法定申告期限から7年を経過した日

(注) 移転価格税制による更正決定は,7年間行うことができる(措法66の4㉖)。

平成23年の税制改正により,欠損金の繰越控除期間が10年に伸長されたこと(法法57, 58)に伴い,ニの欠損金額を増加または減少させる更正の期間制限も10年に改められた。

平成16年の税制改正により,イの税額を増加させる更正の期間制限が3年

(注33) 最高判昭和39.11.13税資38号838頁,拙著『法人税と消費税の異同点』(税務研究会,平成27) 63頁.

から5年に伸長された。これは，法人税だけであり，所得税や消費税等は3年のままであったが，平成23年12月の税制改正により所得税や消費税等も5年とされた。

(11) この更正・決定の期間制限の定めは**除斥期間**であるから，法定申告期限から5年，7年または10年を経過すれば，自動的に更正・決定はできなくなる。時効のような中断ということもないし，また，時効の援用のような，納税者がその利益を享受する旨のアクションを起こす必要もない。

　もっとも，逆に減額更正は5年を経過すれば絶対的にできないから，過大納付額の還付を受けられないという不利益をこうむる場合も生じてくる。特に，前述の粉飾決算により過大申告をした場合，5年以内に修正経理をしなければ，もはや減額更正は認められなくなるから注意が肝要である。

　このように，更正・決定という賦課権につき時効でなく除斥期間の概念を導入しているのは，**賦課権**は確認を主たる内容とする公法上の特殊な行政処分をすることのできる一種の形成権であると考えられることによる。

　すなわち，確認を内容とする行政処分である関係上，中断にはなじみ難いと考えられ，強いてその中断理由を納税告知に求めるとしても，その告知にかかる税額について中断するにとどまらず，税務官庁が未確認の増差額についてまで中断を認めることになり，制度として妥当でないからである[注34]。

5－5　附　帯　税

〔総　説〕

(1) **附帯税**とは，一般には耳慣れない名前であるが，国税のうち延滞税，利子税，過少申告加算税，無申告加算税，不納付加算税および重加算税を総称してこう呼ぶ（通法2四）。法人税や所得税などのいわゆる本税に附帯して負担

(注34)　田中二郎著『租税法』（有斐閣，昭和43）221頁，税制調査会「国税通則法の制定に関する答申」（昭和36.7.5）別冊第3章第4節4・1参照.

するものであるから、この名がある。

附帯税は、独立した税ではなく本税の属する項目の国税となる（通法60③④、64①③、69）。法人税では、不納付加算税以外の附帯税が関係してくるが、これら附帯税が法人税を基礎にして課されれば、その附帯税は税目としては法人税になるのである。

延滞税と利子税は、正規の納期限内に納付した者との間の負担の公平を図り、間接的に期限内納付を促進するため課される。民事でいう遅延利息または約定利息に相当するものである。

これに対し加算税は、申告納税制度と徴収制度との維持、発展を図るため、申告または納税の義務の不履行ないし義務違反に対し一種の行政上の制裁として税のかたちで課されるものである。負担の公平を図ることを目的とする。

もっとも、延滞税にもこのような行政制裁としての性格がある。

〔延滞税〕

(2)　まず**延滞税**は、納税者が国税を法定納期限までに完納しないときに納付しなければならない。その納付すべき延滞税の額は、法定納期限の翌日から完納する日までの期間の日数に応じ、未納税額に対し年14.6％の割合により計算される。ただし、納期限までの期間および納期限の翌日から2月を経過する日までの期間については、年7.3％の割合による（通法60）。

この延滞税は、民事でいう債務不履行に対する遅延利息、すなわち遅延損害金の性質を有する一種の行政制裁である。したがって、法人税の課税所得の計算上は損金にならない（法法55③一）。

なお、延滞税の14.6％および7.3％の割合は、貸出約定平均金利を基準として計算した割合とし、具体的にはそれぞれ8.9％、2.6％とする（措法94①）。

〔利子税〕

(3)　**利子税**は、延納または申告書の提出期限の延長を受けている納税者が納付するものである（通法64）。具体的にどのような場合に利子税を納付すべきか

は，それぞれ個々の税法の定めるところによる。

　法人税では，すでに述べたように，①災害等によりまたは②定時総会の開催が遅くなり決算が確定しない場合には，確定申告書の提出期限の延長が認められている（法法75，75の2）。これら申告書の提出期限の延長を受けた法人は，その納付すべき法人税額と延長期間に応じて，年7.3％の割合により計算した利子税を納付しなければならない（法法75⑦，75の2⑥⑧）。

　利子税は，延滞税が遅延利息であるのと異なり，債務不履行ではないから，契約に定める履行期前における約定利息の性質を有する。したがって，法人税の課税所得計算においては，損金になる（法法38①三）。金融機関からの借入金により税金を納付した場合には，その借入金利息は損金として認められることとの権衡を考慮したものである(注35)。

　なお，利子税の7.3％の割合は，貸出約定平均金利を基準として計算した割合とし，具体的には1.1％とする（措法93①）。

〔過少申告加算税〕

(4)　つぎに加算税である。

　まず，**過少申告加算税**は，過少な申告について更正または修正申告書の提出があった場合に，その過少申告税額（増差税額）に対して10％の割合により課される。ただし，増差税額のうち期限内申告税額と50万円とのいずれか多い金額を超える部分については，15％の割合になる（通法65）。

　このように，増差税額が多い場合に15％の割合に加重しているのは，同じ過少申告であっても，本来，申告すべき金額の大部分が申告漏れとなっている場合は，わずかしか申告漏れがない場合に比べて，義務違反の程度が高いからである。申告水準向上のため，昭和59年の納税環境整備の一環として設けられた。

(注35)　税制調査会「国税通則法の制定に関する答申」（昭和36．7．5）別冊第6章第1節1．4．

また，平成28年の税制改正により，調査の事前通知以後，更正があるべきことを予知する前にされた修正申告については，5％（期限内申告税額と50万円とのいずれか多い金額を超える部分は10％）の過少申告加算税が課されることとされた（通法65①）。これは当初申告で適正申告をするよう，コンプライアンスを高める趣旨による。

　過少申告加算税は，申告納税制度のもとにおいて，法定期限までに適正な申告をすべきであるという納税秩序を維持するため，その秩序違反に対して制裁として課される。したがって，法人税の課税所得の計算上，損金にならない（法法55③一）。

〔正当な理由〕

(5)　この過少申告加算税は，増差税額のうち正当な理由がある部分については課されない（通法65④）。そこで「正当な理由」が問題となるが，たとえば納税者の責めに帰すべき事由のない，次のような事実がこれに該当する（平成12.7.3課法2－9通達）。

　イ　申告書提出後新たに法令解釈が明確化されたため，その法令解釈と法人の解釈とが異なることとなった場合において，その法人の解釈に相当の理由があると認められること。

　ロ　調査により引当金等の損金不算入額が減少したためこれを認容した場合において，翌期にいわゆる洗替計算による引当金等の益金算入額が過少となるためこれを否認したこと。

　ハ　申告税額につき減額更正があった場合において，その後の修正申告または再更正による税額が申告税額に達しないこと。

　判例では，正当な理由がある場合とは，納税者に過少申告加算税を賦課することが不当もしくは酷になる場合をいい，納税者の税法の不知や誤解はこれに当たらない，といっている[注36]。

(注36)　東京高判昭和51.5.24税資88号841頁.

〔更正の予知〕

(6) 過少申告加算税が課されない場合がもう一つある。すなわち，修正申告書の提出が，その国税についての調査があったことにより更正があるべきことを予知してされたものでないときである（通法65⑤）。納税者からの自発的な修正申告を歓迎し，これを奨励する見地から，自主的な修正申告がされた場合には，過少申告加算税は課されない。

　この場合，まず，調査があったことの「調査」の意義が問題となる。ここでいう調査は，制度の趣旨にかんがみ，実地調査や反面調査など外部からこれを了知し得るものに限られ，税務官庁内部のいわゆる机上調査や準備調査は含まない，と解するのが一般的である。また，単なる調査の事前通知や照会・呼び出しがあったのみでは，「調査があったこと」にはならない，というのも一般的のようである（平成12．7．3課法2－9通達）。しかし，これらの調査手続と並行して，または事前に取引先調査，銀行調査，同業種調査等が行われているような場合には，事前通知や照会・呼び出しであっても調査といってよい場合があろう[注37]。

(7) つぎに**更正の予知**の意義が問題になる。更正の予知の時点をいつとするか，考え方は，①調査が開始されたとき，②調査により申告漏れが発見されたとき，③調査により更正される蓋然性が高くなったときなど，いろいろある。しかし，更正の予知は納税者の主観に属するものであり，調査の進展状況などにより過少申告加算税の課否が左右されるのは適当でない。

　したがって，調査開始後に提出された修正申告書は，特段の事情がない限り，更正があることを予知してされたといわざるを得ないであろう[注38]。

(注37)　品川芳宣著『第三版　附帯税の事例研究』（財経詳報社，平成14）148頁．
(注38)　品川芳宣著『第三版　附帯税の事例研究』（財経詳報社，平成14）166頁，志場喜徳郎・荒井　勇・山下元利・茂串　俊共編『国税通則法精解（平成28年改訂）』（大蔵財務協会，平成28）747頁参照．

〔無申告加算税〕

(8) **無申告加算税**は，期限後申告書の提出があった場合または申告書の提出がないため決定があった場合に，納付すべき税額に対して15％の割合により課される（通法66①）。この場合，納付すべき税額が50万円を超えるときは，その超える部分に対する割合は20％となる（通法66②③）。

ただし，期限後申告があった場合において，その期限後申告があった日の前日から起算して5年前の日までの間に無申告加算税を課されたことがあるときは，それぞれの割合に10％を加算する（通法66④）。

無申告加算税が課されるのは，過少申告加算税と同じく，法定期限内の適正申告の確保という納税秩序の維持に目的がある。しかし，期限内申告がない点で過少申告の場合よりも義務違反の程度が高い。そこで無申告加算税の割合は過少申告加算税のそれより高くなっている。したがって，法人税の課税上，無申告加算税は損金にならない（法法55③一）。

(9) 無申告加算税は，期限内申告書の提出がなかったことにつき正当な理由がある場合には課されない（通法66①）。この場合の「正当な理由」は，基本的に過少申告加算税の場合と同じである。

また，期限後申告書または決定後の修正申告書の提出が更正を予知してされたものでないときは，無申告加算税の割合は5％に軽減される（通法66⑥）。

ただし，調査の事前通知以後，更正があるべきことを予知する前にされた期限後申告または修正申告に基づく割合は，10％（納付税額が50万円を超える部分は15％）となる（通法66①）。当初申告のコンプライアンスを高める趣旨から，平成28年の税制改正により創設された。

さらに，期限後申告書の提出が期限内申告書の提出の意思があったと認められ，かつ，法定申告期限から1月を経過する日までに行われたときは，無申告加算税は課されない（通法66⑦）。これは，平成18年の税制改正により，消費税の申告期限の誤認などによる期限後申告を救済する趣旨で設けられ，当時は「2週間」であったが，平成27年に「1月」に改正された。

〔重加算税〕

(10) **重加算税**は，過少な申告について更正または修正申告書の提出があった場合において，これらによる増加した所得金額のうちに事実を隠蔽し，または仮装したものがあるときに，過少申告加算税に代えて課される。その割合は，事実の隠蔽・仮装に基づく部分の金額に対応する税額について35％である（通法68①）。

また，無申告加算税を課される場合において，隠蔽・仮装の事実があるときは，無申告加算税の代わりに40％の割合による重加算税が課される（通法68②）。

ただし，期限後申告または修正申告（更正予知によるもの）があった場合において，その期限後申告等があった日の前日から起算して5年前の日までの間に重加算税を課されたことがあるときは，それぞれの割合に10％を加算する（通法68④）。これは，平成28年の税制改正により創設された。

(11) 重加算税は，事実を隠蔽・仮装してまさに税を逋脱した者に対する制裁として課されるもので，租税行政罰といえる。一方，偽りその他不正の行為により法人税を免れた場合には，**脱税犯**として10年以下の懲役または1,000万円以下の罰金が科せられる（法法159）。従来，脱税犯は5年以下の懲役または500万円以下の罰金とされていたが，平成22年の税制改正により，現行のように刑が強化された。

重加算税の賦課要件と脱税犯の構成要件は重なる部分があるため，両者が併科されることが少なくない。そこで，これは憲法第39条にいう二重処罰禁止に反するのではないか，という議論がある。しかし，重加算税は制裁的意義は否定できないとしても，納税義務違反の発生を防止し，もって租税収入の確保を図ろうとする行政上の措置であって刑罰ではないから，両者を併科しても二重処罰にはならない，と解されている(注39)。

(注39) 田中二郎著『租税法』（有斐閣，昭和43）328頁，最高判昭和33．4．30税資26号339頁．

〔隠蔽・仮装と偽りその他不正の行為〕

(12) そこで，**隠蔽・仮装**の意義が問題となる。

　一般に，隠蔽とは，事実を隠匿しあるいは脱漏することを，仮装とは，所得，財産あるいは取引上の名義を装うなど事実を歪曲することを，それぞれいうと解されている(注40)。具体的には，①いわゆる二重帳簿を作成していること，②帳簿書類の破棄，隠匿，改ざん，虚偽記帳，虚偽書類の作成，帳簿書類の作成・記録をせず売上の脱ろうや棚卸資産の除外等をしていること，③損金算入や税額控除のための証明書類を改ざんしていること，④簿外資産の利息，賃貸料収入等の果実を計上していないこと，⑤簿外資金をもって役員賞与等を支出していること，⑥同族会社であるにもかかわらず，架空の株主を使って非同族会社としていることなどが隠蔽・仮装に該当する（平成12.7.3課法2-8通達）。

　従来，各種加算税に関する取扱通達は公開されていなかったが，平成12年7月にはじめて公表された。

(13) このような隠蔽・仮装行為の存することが重加算税の賦課要件であるが，この点に関して，最高裁判所は次のような注目すべき判断を示している(注41)。すなわち，「重加算税制度の趣旨にかんがみれば，架空名義の利用や資料の隠匿等の積極的な行為が存在したことまで必要であると解するのは相当ではなく，納税者が，当初から所得を過少に申告することを意図し，その意図が外部からもうかがい得る特段の行動をした上，その意図に基づく過少申告をしたような場合には，重加算税の賦課要件が満たされたものと解すべきである。」と。

　また，納税者が真実の所得金額を認識しつつ，その一部を適当につまんで過少申告をする，いわゆる**つまみ申告**も重加算税の賦課要件を満たすと判断した事例もある。特に，この事例に対する最高裁判決は，控訴審判決を覆し

（注40）　和歌山地判昭和50.6.23税資82号70頁．
（注41）　最高判平成7.4.28民集49巻4号1193頁．

て原判決を取消し，重加算税の賦課は相当であると判示した点が注目される[注42]。

これらは俗に**ことさらの過少申告**といわれ，最近，議論を呼んでいる。ことさらの過少申告を，あたかも重加算税の賦課要件である隠蔽・仮装とは別個独立の要件であるかのように考えている向きもみられる。しかし，現行実定法上は重加算税の賦課要件はあくまでも隠蔽・仮装である。ことさらの過少申告は，当初から所得を過少に申告することを確定的に意図し，その意図を外部からもうかがい得る特段の行動をしたうえ，その意図に基づき過少申告がされることによって成立する[注43]。そのような意味で，隠蔽・仮装の一形態であるというべきであろう。

(14) なお，脱税犯における**偽りその他不正の行為**とは，逋脱の意図をもって，その手段として税の賦課徴収を不能もしくは著しく困難ならしめるような，なんらかの偽計その他の工作を行うことをいうものと解されている[注44]。重加算税の「隠蔽．仮装」とは別個の概念であり，一般に偽りその他不正の行為は隠蔽．仮装を含む広い概念のものであるといわれる。しかし，実務的には多くの場合，重なり合うであろうから，両者の区分は多分に観念的に過ぎないといえよう。

(注42) 最高判平成6.11.22民集48巻7号1379頁。なお，第一審は京都地判平成4．3.23税資188号869頁，控訴審は大阪高判平成5．4.27税資195号169頁。
(注43) 松沢　智著『租税処罰法』（有斐閣，1999）31頁，最高判平成7．4.28民集49巻4号1193頁。
(注44) 最高判昭和42.11. 8刑集21巻9号1197頁．

索　引

〔あ〕

IFRS ……………………… 38, 56, 194
青色欠損金の繰越控除 ……………… 334
青色申告 ………………………………… 364
アキュミュレーション ………… 104, 177
圧縮記帳 ………………………………… 269
アップフロント・フィー ……………… 290
アモーティゼイション ………………… 177
洗替え法 ………………………………… 166
暗号資産 ………………………………… 106

〔い〕

異時両建説 ……………………………… 146
一年当たり平均額法 …………………… 223
一括限度額方式 ………………………… 357
一般寄附金 ……………………………… 226
一般地代の額 …………………………… 118
一般的耐用年数 ………………………… 189
一般に公正妥当な会計処理の基準 …… 46
偽りその他不正の行為 ………………… 387
移転価格税制 …………………………… 121
移動平均法 ……………………………… 174
違法支出金 ……………………………… 147
違法所得 ………………………………… 151
インピュテーション方式 ……………… 97
隠蔽・仮装 ……………………………… 386

〔う〕

受取配当等の益金不算入制度 ………… 96
売上原価 ………………………………… 143

〔え〕

上地 ……………………………………… 119
運行距離比例法 ………………………… 194

〔え〕

営業権 …………………………………… 195
営業所 …………………………………… 10
営業補償金等 …………………………… 87
益金の額 ………………………………… 67
益金の認識基準 ………………………… 79
役務の提供 ……………………………… 71
延滞税 …………………………………… 380

〔お〕

オプション取引 ………………………… 289
オプション料 …………………………… 289
オペレーティング・リース …………… 304

〔か〕

海外投資等損失準備金 ………………… 268
外貨建円払い取引 ……………………… 285
外貨建債権債務 ………………………… 286
外貨建取引 ……………………………… 284
外貨建有価証券 ………………………… 286
開業費 …………………………………… 203
会計期間 ………………………………… 26
外国関係会社 …………………………… 130
外国金融子会社等 ……………………… 131
外国子会社合算税制 …………………… 130
外国税額控除 …………………………… 354
外国法人 ………………………………… 10
解散 ……………………………………… 341

解散による清算所得	343
会社更生等による債務免除等があった場合の欠損金の控除	335
回収期限到来基準	93
回収基準	80, 93
開発費	203
外部取引	59
各事業年度の所得	35
確定決算基準	48
確定した決算	49
確定収入	84
確定申告	362
貸方原価差額	163
貸倒損失	263
過少資本税制	260, 320
過少申告加算税	381
課税所得	34
課税留保金額	21
仮装経理	376
過大支払利子税制	320
合併	296
合併差益金	324
株式移転	327
株式移転剰余金	327
株式交換	327
株式交換剰余金	327
株式交換・株式移転	296
株式払込剰余金	322
株式分配	299
株主資本等変動計算書	332
株主集合体説	2
仮決算による中間申告	362
為替予約	284
為替予約差額	288
換算差益	287
換算差損	287
完成工事原価	143
完全支配関係	109, 292
カントリー・リスク	267
カントリー・リスク準備金	268
還付金	252
管理支配基準	136
管理支配地主義	10, 132

〔き〕

期間原価	142
期間所得	27
企業グループ内組織再編成	298
企業支配株式	177
期限後申告	363
期限内申告	362
寄附金	227
寄附金の損金算入限度額	226
期末時換算法	286
逆合併	338
逆基準性の原則	57
逆進税率	351
吸収説	375
吸収分割	326
強制償却	179
業績連動給与	220
協同組合等	18
協同組合等への加入金	324
共同事業組織再編成	298
切放し法	166
金庫株	170
金融収益	15
金融派生商品	289

金利スワップ……………………… 290
金利調整金 ……………………… 290

〔く〕

組合 ………………………………… 17
繰延資産 ………………………… 198
繰延収益 …………………… 90,275
繰延ヘッジ処理………………… 106
グループ通算制度……………… 371
グループ法人税制 ……………… 291
グループ法人単体課税制度 …… 291
グロス・アップ方式 ……………… 98
クロス取引 ………………… 105,210

〔け〕

軽課税国 ………………………… 133
経済的観察法 …………………… 42
経済的帰属主義 ………………… 43
経済的な債権の消滅 …………… 264
計算 ………………………………… 25
計算原理 ………………………… 37
形式基準による債権償却特別勘定…… 267
継続企業 ………………………… 26
結合貸借対照表説 ……………… 40
決算調整 ………………………… 58
決算調整事項 …………………… 59
決算の修正 ……………………… 52
決算日レート法 ………………… 287
欠損金 …………………………… 333
欠損金の繰越控除 ……………… 334
欠損金の繰戻し還付 …………… 340
決定 ……………………………… 373
原価 ……………………………… 143
原価基準法 ……………………… 124

減額更正 ………………………… 373
原価差益 ………………………… 163
原価差額 ………………………… 163
原価差額の調整 ………………… 163
原価差損 ………………………… 163
減価償却 ………………………… 178
減価償却資産 …………………… 181
減価償却資産の取得価額 ……… 183
減価償却の三要素 ……………… 183
原価法 ………………… 164,176,178
現金主義 …………………… 80,156
権限ある当局 …………………… 128
減資差益金 ……………………… 327
減損会計 ………………………… 212
限定説 ……………………… 35,78
現物出資 ………………………… 296
現物出資剰余金 ………………… 327
現物出資説 ……………………… 325
現物分配 …………………… 103,296
権利確定主義 …………………… 82
権利金 …………………………… 88
権利金の認定課税 ……………… 113
権利金の認定見合せ …………… 117

〔こ〕

行為 ………………………………… 25
公益法人等 ……………………… 13
交換型の圧縮記帳 ……………… 272
公共法人 ………………………… 11
広告宣伝費課税 ………………… 237
広告宣伝用資産の受贈益 ……… 108
交際費課税 ……………………… 234
交際費等 ………………………… 233
工事完成基準 …………………… 93

工事進行基準 …………………………… 95
公序の理論 ……………………………… 150
更新料 …………………………………… 113
更正 ……………………………………… 373
更正・決定の期間制限 ………………… 378
公正妥当な会計処理の基準 …………… 44
更正の請求 ……………………………… 367
更正の請求の特例 ……………………… 29
更正の予知 ……………………………… 383
更正の理由付記 ………………………… 377
功績倍率方式 …………………………… 222
交通反則金 ……………………………… 255
公務員基準方式 ………………………… 223
効用維持年数 …………………………… 188
コーポレート・インバージョン対策
　　合算税制 …………………………… 138
子会社等の再建支援 …………………… 232
国外関連者 ……………………………… 122
国外関連取引 …………………………… 122
国税局 …………………………………… 32
国税庁 …………………………………… 32
国内源泉所得 …………………………… 10
個人による完全支配関係 ……………… 111
固定資産 ………………………………… 180
ことさらの過少申告 …………………… 387
個別償却 ………………………………… 188
個別耐用年数 …………………………… 188
個別的耐用年数 ………………………… 189
個別法 …………………………………… 164
混合取引 ………………………… 172,319

〔さ〕

災害損失欠損金の繰越控除 …………… 334
災害等による期限の延長 ……………… 363

債権償却特別勘定 ……………………… 266
再更正 …………………………………… 374
財産法 …………………………………… 37
最終仕入原価法 ………………………… 165
再販売価格基準法 ……………………… 124
債務確定基準（主義） ………… 157,276
債務の確定 ……………………………… 158
債務引当金 ……………………………… 277
先物外国為替契約等 …………………… 284
更地価額 ………………………………… 116
三角合併 ………………………………… 300
残存価額 ………………………………… 186

〔し〕

時価以下主義 …………………………… 105
時価会計 ………………………………… 105
時価ヘッジ処理 ………………………… 106
時価法 …………………………… 165,176
時間基準 ………………………………… 80
敷金 ……………………………………… 88
事業関連性 ……………………………… 148
事業関連説 ……………………………… 228
事業基準 ………………………………… 136
事業税の損金算入時期 ………………… 256
事業年度 ………………………………… 26
事業年度独立の原則 …………… 28,336
自己株式 ………………………………… 170
自己株式処分差益 ……………… 171,323
自己資本 ………………………………… 321
資産除去債務 …………………………… 184
資産調整勘定 …………………………… 196
資産の譲渡 ……………………………… 70
資産の低廉譲受け ……………………… 109
資産の販売 ……………………………… 69

自然営業年度	31	収益事業	14
事前確認方式	125	重加算税	385
事前確定届出給与	219	自由償却	203
自然発生借地権	118	修正申告	366
実現主義	80	修繕費	196
実効税率	352	重要性の原則	156
執行役員	216	主権免税	13
実質課税の原則	42	受贈益	108
実質主義	42	取得原価主義	104, 162
実質所得者課税の原則	42	取得日レート法	287
実体基準	136	純資産増加説	35
実体的利益存在説	76	純資産直入法	178
指定寄附金	226	準備金	276
使途秘匿金	243	償還有価証券	177
使途秘匿金課税制度	243	償却原価法	176, 177
使途不明金	242	商事貸借対照表基準性の原則	40
支払能力説	4	商事貸借対照表説	40
支払配当損金算入方式	98	使用貸借	117
支払利子	257	譲渡	70
資本	321	譲渡損益調整額	292
資本金等の額	313, 321	譲渡損益調整資産	292
資本金の額または出資金の額	321	使用人給与	215
資本性の剰余金額	321	使用人兼務役員	20, 216
資本的支出	196	商品券	85
資本等取引	313, 316	商品券回収損引当金	86
資本取引	316	剰余金の処分	332
社会統制説	4, 351	賞与引当金	280
社会費用配分説	4	所在地国基準	136
社外流出項目	332	除斥期間	379
借地権	112	所得源泉説	34
借地権課税	112	所得税額控除	353
借地権割合	115	所有権移転外リース取引	306
借家権	201	所有権移転リース取引	305
社内留保項目	333	人格合一説	325

人格のない社団等 …………………… 16
申告期限の延長 ……………………… 363
申告調整事項 ………………………… 61
申告納税方式 ………………………… 360
申告納税方式による租税 …………… 255
人税 …………………………………… 42
新設分割 ……………………………… 326
信託 …………………………………… 43
人的分割 ……………………………… 326
信用取引 ……………………………… 106

〔す〕

推計課税 ……………………………… 377
ストック・オプション ……………… 225
スピンオフ …………………………… 299
スワップ取引 ………………………… 290

〔せ〕

税額控除 ……………………………… 353
正規の簿記の原則 …………………… 365
税金避難地 …………………………… 133
税効果会計 …………………… 41, 257
清算 …………………………………… 341
税務署 ………………………………… 32
税務貸借対照表説 …………………… 39
税務調整 ……………………………… 58
税率 …………………………………… 347
セール・アンド・リースバック …… 307
接待飲食費 …………………………… 234
設立準拠法主義 ……………………… 10
前期損益修正 ………………………… 28
全世界所得 …………………………… 10
全体所得 ……………………………… 26

〔そ〕

総益金 ………………………………… 69
増額更正 ……………………………… 373
総合償却 ……………………………… 189
総合償却資産 ………………………… 189
総合耐用年数 ………………………… 189
相互協議 ……………………………… 126
総損金 ………………………………… 142
相当の地代 …………………………… 115
相当の理由 …………………………… 249
総平均法 ……………………………… 174
贈与型の圧縮記帳 …………………… 271
底地 …………………………………… 114
組織再編成 …………………………… 296
組織再編税制 ………………………… 296
租税公課 ……………………………… 250
ソフトウエアの開発費用 …………… 202
ソブリン債権 ………………………… 267
損益法 ………………………………… 37
損金経理 ……………………………… 48
損金の額 ……………………………… 141
損金の認識基準 ……………………… 153
損失 …………………………………… 145

〔た〕

対応的調整 …………………………… 128
対象外国関係会社 …………………… 130
退職給付会計 ………………………… 282
退職給付引当金 ……………………… 282
退職給与引当金 ……………………… 281
耐用年数 ……………………………… 187
耐用年数の短縮 ……………………… 190
抱合株式 ……………………………… 101

多通貨会計 …………………………… 284
タックス・シェルター ………………… 133
タックス・スペアリング・
　クレジット ………………………… 355
タックス・パラダイス ………………… 133
タックス・ヘイブン …………………… 133
タックス・リゾート …………………… 133
脱税経費 ……………………………… 152
脱税犯 ………………………………… 385
棚卸資産 ……………………………… 160
棚卸資産の取得価額 ………………… 162
棚卸資産の評価方法 ………………… 164
他人資本 ……………………………… 321
短期外貨建債権債務 ………………… 286
短期売買商品 ………………………… 106
短期前払利子 ………………………… 258
担税力 ………………………………… 34
単体納税制度 ………………………… 369

〔ち〕

地役権 ………………………………… 112
地上権 ………………………………… 112
地代の認定課税 ……………………… 117
地方公共団体特別職基準方式 ……… 223
超過累進税率 ………………………… 351
長期外貨建債権債務 ………………… 286
長期割賦販売等 ……………………… 91
長期大規模工事 ……………………… 94
長期棚上げの債権償却特別勘定 …… 267
調整差益 …………………………… 104, 177
調整差損 ……………………………… 177
直接外国税額控除 …………………… 355

〔つ〕

通貨オプション取引 …………………… 289
通貨スワップ ………………………… 290
通常かつ必要性 ……………………… 148
つまみ申告 …………………………… 386

〔て〕

低価法 ……………………… 164, 166, 177, 208
定期給与 ……………………………… 218
定期同額給与 ………………………… 218
定期借地権 …………………………… 119
低廉譲渡 ……………………………… 231
低廉取引 ……………………………… 77
適格合併 ……………………………… 300
適格現物分配 ………………………… 103
適格組織再編成 ……………………… 298
適用額の制限 ………………………… 65
適用除外事業者 ……………………… 349
デューデリジェンス費用 ……………… 174
デリバティブ取引 …………………… 106

〔と〕

同一価値移転説 ……………………… 76
統括会社 ……………………………… 136
当初申告要件 ………………………… 65
投資信託 ……………………………… 7
投資法人 …………………………… 7, 320
同時文書化義務 ……………………… 126
同時両建説 …………………………… 146
同族会社 ……………………………… 18
同族会社の行為計算の否認 ………… 23
特殊関係使用人 ……………………… 214
特定外国関係会社 …………………… 130

索引　395

特定関係子法人 …………………… 176
特定公益増進法人等に対する寄附金 … 226
特定同族会社の留保金課税 ………… 21
特定目的会社 ……………………… 7, 320
特定目的信託 ……………………… 7
特別税額控除 ……………………… 359
独立価格比準法 …………………… 124
独立課税主体説 …………………… 342
独立企業間価格 …………………… 112
土地の賃借権 ……………………… 112
土地の負債利子課税制度 ………… 260
取引単位営業利益法 ……………… 124

〔な〕

内国法人 …………………………… 10
内部取引 …………………… 59, 68, 141

〔に〕

二段階説 …………………………… 77
250％定率法 ……………………… 192
200％定率法 ……………………… 193
任意償却 …………………………… 180
任意調整事項 ……………………… 62
認定による債権償却特別勘定 …… 266

〔の〕

納税義務者 ………………………… 9
納税地 ……………………………… 32
納税地の指定 ……………………… 33
延払基準 …………………………… 92
のれん ……………………………… 194

〔は〕

パーチェス法 ……………………… 303
配当控除 …………………………… 98
売買型の圧縮記帳 ………………… 273
売買目的有価証券 …………… 106, 176
罰科金 ……………………………… 254
発行日取引 ………………………… 106
発生時換算法 ……………………… 286
発生主義 ……………………… 80, 154
発生費用 …………………………… 154
販売基準 …………………………… 80
販売費および一般管理費 ………… 144

〔ひ〕

非関連者基準 ……………………… 136
引当金 ……………………………… 276
引渡基準 …………………………… 81
非（減価）償却資産 ……………… 181
非行使部分 ………………………… 86
非債務引当金 ……………………… 277
非事業関連説 ……………………… 228
非対価説 …………………………… 229
必須調整事項 ……………………… 62
被統括会社 ………………………… 137
費用 ………………………………… 144
評価益 ……………………………… 103
評価性引当金 ……………………… 277
評価損 ……………………………… 205
費用収益対応の原則 ……………… 154
費用の認識基準 …………………… 153
比例税率 …………………………… 350

〔ふ〕

ファイナンス・リース…………………… 304
賦課課税方式 …………………………… 360
賦課権 …………………………………… 379
副費 ……………………………………… 185
負債性引当金 …………………………… 277
負債調整勘定 …………………………… 196
附帯税 …………………………………… 379
普通法人 ………………………………… 18
物損等の事実 …………………………… 205
物的分割 ………………………………… 326
負ののれん ……………………………… 196
部分対象外国関係会社 ………………… 131
プレミアム収入 ………………………… 89
分割 ……………………………………… 296
分割型分割 ……………………………… 326
分割剰余金 ……………………………… 326
分社型分割 ……………………………… 326
粉飾決算 …………………………… 209,357

〔へ〕

米国LLC ………………………………… 2
米国LPS ………………………………… 3
併存説 …………………………………… 374
ヘッジ会計 ……………………………… 106
ヘッジ取引 ……………………………… 106
別段の定め ………………………… 41,61
便宜置籍船 ……………………………… 129

〔ほ〕

包括説 …………………………………… 35
法人 ………………………………… 1,2
法人擬制説 ………………………… 2,5,351

法人個人一体説 ………………………… 342
法人実在説 ………………………… 2,5
法人税 …………………………………… 253
法人税等調整額 ………………………… 257
法人税率 ………………………………… 347
法人独立主体説 ………………………… 2
法人による完全支配関係 ……………… 111
法定換算方法 …………………………… 286
法定算出方法 …………………………… 175
法定申告期限 …………………………… 362
法定耐用年数 …………………………… 188
法定納期限 ……………………………… 362
法定評価方法 …………………………… 165
法的帰属主義 …………………………… 42
法的整理の事実 ………………………… 207
法律的な債権の消滅 …………………… 264
簿価修正 …………………………… 110,230
保証金 …………………………………… 88
本店 ……………………………………… 10
本店所在地主義 ………………………… 10

〔ま〕

満期保有目的 …………………………… 177

〔み〕

みなし外国税額控除 …………………… 355
みなし大企業 …………………………… 350
みなし配当 ……………………………… 100
未発生費用 ……………………………… 154

〔む〕

無限定説 ………………………………… 78
無償 ……………………………………… 78
無償減資 ………………………………… 327

無償取引 …………………………… 74
無申告加算税 ……………………… 384

〔め〕

名義株 ……………………………… 42
メーカーズ・リスク ……………… 285

〔も〕

持分プーリング法 ………………… 303

〔や〕

役員 ………………………………… 215
役員給与 …………………………… 213

〔ゆ〕

有価証券 …………………………… 170
有価証券の空売り ………………… 106
有価証券の期末評価方法 ………… 176
有価証券の譲渡損益 ……………… 168
有価証券の引受け ………………… 106
有償減資 …………………………… 328
有償取引同視説 …………………… 77

〔よ〕

予定申告 …………………………… 362

〔ら〕

来料加工 …………………………… 137

〔り〕

リース ……………………………… 304

リース期間定額法 ………………… 307
リース資産 ………………………… 307
リース譲渡 ………………………… 92
リース・バック取引 ……………… 307
利益準備金の資本組入れ ………… 102
利益説 ……………………………… 4
利益積立金額 ……………………… 329
利益比較法 ………………………… 124
利益分割法 ………………………… 124
利益または剰余金の分配 ………… 316
履行期限到来基準 ………………… 93
履行義務 …………………………… 80
リストリクテッド・ストック …… 225
利子税 ……………………………… 380
留保金額 …………………………… 21
留保控除額 ………………………… 22

〔る〕

累進税率 …………………………… 350
累積債務国 ………………………… 268
累退税率 …………………………… 351

〔れ〕

レバレッジド・リース …………… 306
連結納税制度 ……………………… 369

〔ろ〕

ローカルファイル ………………… 126

〔著者紹介〕

成 松 洋 一（なりまつ よういち）

職　　歴　国税庁法人税課課長補佐（審理担当），菊池税務署長，東京国税局調査第一部国際調査課長，同調査審理課長，名古屋国税不服審判所部長審判官，東京国税局調査第三部長を経て退官
現　　在　税理士
主要著書　『法人税法－理論と計算－』（税務経理協会）
　　　　　『法人税裁決例の研究』（税務経理協会）
　　　　　『不良資産処理の会計と税務』（税務経理協会）
　　　　　『税務会計の基礎－企業会計と法人税－』（共著・税務経理協会）
　　　　　『圧縮記帳の法人税務』（大蔵財務協会）
　　　　　『試験研究費の法人税務』（大蔵財務協会）
　　　　　『新減価償却の法人税務』（大蔵財務協会）
　　　　　『消費税の経理処理と税務調整』（大蔵財務協会）
　　　　　『法人税申告書別表四，五㈠のケース・スタディ』（税務研究会）
　　　　　『減価償却資産の取得費・修繕費』（共著・税務研究会・第15回日税研究賞奨励賞受賞）

著者との契約により検印省略

平成 8 年 4 月 8 日	初版第 1 刷発行
平成10年 9 月25日	改訂版第 1 刷発行
平成13年 6 月15日	二訂版第 1 刷発行
平成16年 7 月 1 日	三訂版第 1 刷発行
平成22年12月 1 日	四訂版第 1 刷発行
平成28年 6 月 1 日	五訂版第 1 刷発行
令和 3 年 1 月15日	六訂版第 1 刷発行

法人税セミナー〔六訂版〕
― 理論と実務の論点 ―

著　者　成　松　洋　一
発行者　大　坪　克　行
印刷所　光栄印刷株式会社
製本所　牧製本印刷株式会社

発行所　〒161-0033　東京都新宿区下落合 2 丁目 5 番13号　株式会社 税務経理協会

振　替　00190-2-187408　　電話　(03)3953-3301（編集部）
Ｆ Ａ Ｘ　(03)3565-3391　　　　　(03)3953-3325（営業部）
URL　http://www.zeikei.co.jp/
乱丁・落丁の場合は，お取替えいたします。

© 成松洋一 2021　　　　　　　　　　　　　　　Printed in Japan

本書の無断複写は著作権法上での例外を除き禁じられています。複写される場合は，そのつど事前に，（社）出版者著作権管理機構（電話 03-3513-6969，FAX 03-3513-6979, e-mail: info@jcopy.or.jp）の許諾を得てください。

JCOPY ＜（社）出版者著作権管理機構　委託出版物＞

ISBN978-4-419-06776-2　C3032